Nora Roberts est le plus grand auteur de littérature féminine contemporaine. Ses romans ont reçu de nombreuses récompenses et sont régulièrement classés parmi les meilleures ventes du *New York Times*. Des personnages forts, des intrigues originales, une plume vive et légère… Nora Roberts explore à merveille le champ des passions humaines et ravit le cœur de plus de quatre cents millions de lectrices à travers le monde. Du thriller psychologique à la romance, en passant par le roman fantastique, ses livres renouvellent chaque fois des histoires où, toujours, se mêlent suspense et émotions.

Crimes sous silence

NORA ROBERTS

Lieutenant Eve Dallas – 43
Crimes sous silence

Traduit de l'anglais (États-Unis)
par Guillaume Le Pennec

Titre original
APPRENTICE IN DEATH

Éditeur original
Berkley, an imprint of Penguin Random House, LLC, New York

© Nora Roberts, 2016

Pour la traduction française
© Éditions J'ai lu, 2018

Sur le mal, sur le bien, sur l'homme,
Un frisson des bois au printemps
Nous en apprend plus long, en somme,
Que les sages de tous les temps.

William WORDSWORTH[1]

Dieu et la Nature se querellent-ils donc,
Pour que la Nature engendre des rêves si cruels ?

Lord Alfred TENNYSON

1. Traduction par Émile Legouis. *(N.d.T.)*

Prologue

Ce serait la première mise à mort.

L'élève comprenait que les années de pratique, les innombrables cibles réduites en pièces, l'entraînement, la discipline, les heures de travail acharné, tout menait à ce moment précis.

Cet après-midi froid et lumineux de janvier 2061 marquait le véritable commencement.

Esprit clair et sang-froid.

Deux caractéristiques aussi essentielles, l'élève le savait, que la précision du geste, la direction du vent, l'indice de température et la vitesse. Derrière le sang-froid de façade bouillonnait une excitation impitoyablement étouffée.

Le maître avait tout organisé. Efficacement et avec un souci du détail lui aussi essentiel. La chambre de l'hôtel propre et moyen de gamme sur la Deuxième Avenue était orientée ouest, disposait de panneaux occultants et de fenêtres qui s'ouvraient. Installé sans ostentation sur un pâté de maisons tranquille de Sutton Place, l'hôtel offrait une vue sur Central Park... quoique à plus d'un kilomètre et demi de distance.

Le maître avait bien planifié les choses, prenant soin de louer une chambre à un étage situé bien au-dessus des arbres. À l'œil nu, la patinoire du Wollman Rink n'était qu'une tache blanche réfléchissant l'intense lumière du soleil. Et les gens qui évoluaient sur la glace ressemblaient à de petits points colorés en mouvement.

Ils y avaient déjà patiné – l'élève et le maître – à plusieurs reprises, avaient regardé leur cible filer de-ci de-là en tournoyant, dans la plus parfaite insouciance.

Ils avaient étudié d'autres endroits. Le lieu de travail de la cible, son domicile, ses restaurants préférés, tout ce qui relevait de sa routine de vie. Et ils avaient décidé, ensemble, que la patinoire dans le grand parc correspondait à toutes leurs attentes.

Ils travaillaient bien ensemble, avec fluidité et en silence. Le maître ajusta le bipied près de la fenêtre orientée ouest, l'élève y monta le fusil laser à longue portée et le cala en place.

Un peu d'air hivernal s'immisça sous la vitre levée de quelques centimètres. L'élève, dont le souffle demeurait régulier et dont les mains ne tremblaient pas, regarda par la lunette pour l'ajuster.

La patinoire apparut soudain, toute proche, suffisamment pour distinguer les marques de patin sur la glace.

Tous ces gens, avec leurs bonnets, leurs gants et leurs écharpes aux couleurs vives...

Un couple se tenant par la main riait en s'avançant maladroitement sur la glace. Une fille aux cheveux d'un blond doré, vêtue d'une combinaison moulante et d'un gilet rouges, tournoyait sur elle-même jusqu'à en devenir floue. Un autre couple tenant chacun une main d'un petit garçon souriait d'un air émerveillé.

Les vieux, les jeunes et les entre-deux. Les novices et les frimeurs, les fonceurs et ceux qui avançaient à une allure d'escargot.

Et aucun d'entre eux, absolument aucun, n'avait conscience d'être dans sa ligne de mire, à quelques secondes de la mort. À quelques secondes du choix entre les laisser vivre ou les faire périr.

Quel incroyable sentiment de puissance.

— Tu as la cible ?

Il fallut quelques secondes de plus. Tellement de visages. Tellement de corps.

Puis l'élève hocha la tête. Là : le bon visage, le bon corps. La cible.

En combien d'occasions ce visage et ce corps étaient-ils apparus dans la lunette ? Trop pour les compter. Mais cette fois serait la dernière.

— Tu as sélectionné les deux autres ?

Nouveau hochement de tête, aussi assuré que le premier.

— Dans n'importe quel ordre. Tu as le feu vert.

L'élève vérifia la vitesse du vent et procéda à un minuscule ajustement. Puis, toujours avec sang-froid et l'esprit clair, se mit à l'œuvre.

La fille en combinaison rouge faisait des cercles en pas croisé arrière, gagnant de la vitesse en vue d'un axel. Elle entama sa rotation vers l'avant, fit passer son poids du patin droit vers le gauche et leva les bras.

Le flux mortel la frappa au milieu du dos, son propre élan la projetant vers l'avant. Son corps déjà agonisant percuta la famille avec le petit garçon. Frappés de plein fouet, ils reculèrent et chutèrent violemment.

Premiers cris.

Dans le chaos qui s'ensuivit, un homme qui patinait de l'autre côté de la piste ralentit et lança un coup d'œil en direction du bruit.

Le tir lui transperça le ventre. Alors qu'il s'effondrait, deux patineurs qui arrivaient derrière lui firent une embardée et poursuivirent leur route.

Le couple qui se tenait la main, qui ne s'était pas arrêté, rejoignit maladroitement le bord de la piste. L'homme désigna du doigt les corps étendus pêle-mêle un peu plus loin devant eux.

— Hé. J'ai l'impression qu'ils...

Le rayon l'atteignit entre les deux yeux.

Dans le silence de la chambre d'hôtel, l'élève continua à observer la scène à travers la lunette, imaginant les sons, les hurlements. Il aurait été facile d'abattre une quatrième victime, une cinquième. Ou une dizaine.

Facile et gratifiant. Puissant.

Mais le maître abaissa ses jumelles.

— Trois tirs réussis. Cible abattue.

Une main posée sur l'épaule de l'élève traduisit son approbation. Et signala la fin de l'expérience.

— Beau travail, dit-il.

Avec des gestes vifs et efficaces, l'élève démonta le fusil et le rangea dans sa mallette tandis que le maître repliait le bipode.

Bien qu'aucun mot ne fût échangé, la *joie*, la fierté ressenties dans l'action et dans l'approbation, en disaient long. Voyant cela, le maître s'autorisa un léger, très léger sourire.

— On va d'abord mettre l'équipement en lieu sûr, puis nous irons fêter ça. Tu l'as bien mérité. Nous ferons le débriefing ensuite. On peut se permettre d'attendre demain pour passer à la cible suivante.

En quittant la chambre d'hôtel – nettoyée de fond en comble avant de commencer et de nouveau une fois leur tâche accomplie – l'élève avait déjà hâte d'être au lendemain.

1

En entrant dans la salle commune de la Criminelle après un passage pénible au tribunal, le lieutenant Dallas n'avait qu'une chose en tête : boire un café. Mais l'inspecteur Jenkinson guettait visiblement son arrivée. Il se redressa d'un bond derrière son bureau et s'avança vers elle, son ignoble cravate du jour fièrement nouée autour du cou.

— Ce sont des grenouilles ? demanda-t-elle. Qu'est-ce qui peut bien justifier de porter une cravate où des grenouilles d'un jaune pisseux font des bonds sur – beurk – des nénuphars couleur de vomi verdâtre ?

— Ça porte chance, les grenouilles. C'est feng shui ou une connerie comme ça. Bref, la nouvelle que vous avez fait venir a pris une mandale dans l'œil de la part d'un toxico sur l'Avenue B. L'agent Carmichael et elle l'ont embarqué, ainsi que le dealer. Ils sont en cellule. La nouvelle est dans la salle de pause avec de la glace. Je me suis dit que vous voudriez être mise au courant.

« La nouvelle » faisait référence à l'agent Shelby récemment transférée dans le service.

— Comment a-t-elle géré la chose ?

— Comme un flic. Elle est cool, lieutenant.

— C'est bon à savoir.

Eve avait vraiment envie d'un café. Pas le breuvage infect de la salle de pause mais le *vrai* café qui l'attendait dans l'autochef de son bureau. Cependant, c'était elle qui avait fait entrer l'agent Shelby à la Criminelle et celle-ci s'était pris un coup de poing dans l'œil dès son premier jour.

Eve tourna donc sa silhouette élancée dans son manteau de cuir noir vers la salle de repos.

Shelby s'y trouvait effectivement, une tasse de mauvais café à la main et l'œil gauche plissé vers l'écran de son mini-ordinateur tandis que le droit était recouvert d'un bandeau réfrigéré. Elle fit mine de se lever mais Eve l'en dispensa d'un geste.

— Comment va votre œil, agent Shelby ?

— Ma petite sœur frappe plus fort que ce type, lieutenant.

Sur un mouvement du doigt d'Eve, Shelby souleva son bandeau.

Le blanc de l'œil injecté de sang et les hématomes noirs et violacés autour arrachèrent un hochement de tête à Eve.

— Beau coquard, dit-elle. Gardez le bandeau encore quelque temps.

— Oui, lieutenant.

— Bon boulot.

— Merci, lieutenant.

Sur le chemin de son bureau, Eve s'arrêta au poste de travail de l'agent Carmichael.

— Récapitulez-moi ce qui s'est passé.

— Les inspecteurs Carmichael et Santiago étaient sur une nouvelle affaire sur l'Avenue B. Nous étions sur place en soutien, pour gérer d'éventuels attroupements. Là, on assiste à une vente de drogue à quelques mètres de nous. Impossible de faire comme si de rien n'était mais vu qu'on a un corps qui s'apprête à sortir, on se contente de les séparer en leur disant de s'éloigner. Pas de souci avec le dealer, il s'écarte, mains en l'air. Mais le camé est en manque et, sans prévenir, il balance son poing dans la figure de Shelby. Un coup en traître, lieutenant. Elle l'a neutralisé, et très vite, je dois dire. Peut-être de manière une peu brutale, mais c'est elle qui avait pris un coup dans l'œil. On les a embarqués tous les deux, avec agression contre un représentant des forces de l'ordre en bonus pour le toxico.

» Elle sait encaisser les coups, c'est certain, conclut Carmichael.

— Restez bien auprès d'elle pendant quelques jours et voyons comment elle se comporte.

Avant que quiconque puisse réclamer son attention pour quoi que ce soit d'autre, Eve fila droit vers son bureau. Elle se programma un café noir sans même se donner la peine de retirer son manteau.

Elle demeura debout près de l'étroite fenêtre à siroter son café, ses yeux de flic couleur de whisky scrutant la circulation en contrebas et le trafic aérien au-dessus des rues.

Elle avait de la paperasse à remplir – il y avait toujours de la paperasse à remplir – et elle allait s'y atteler. Mais elle venait tout juste de résoudre une affaire atroce et avait passé la matinée à témoigner dans le cadre d'un autre dossier tout aussi atroce. Sans doute les affaires de meurtres étaient-elles toutes atroces, mais certaines vous secouaient plus que d'autres.

Alors elle tenait à s'offrir une minute en compagnie de son café et de la ville qu'elle avait juré de protéger et de servir.

Peut-être qu'avec de la chance la prochaine nuit serait paisible.

« Rien que moi et Connors, se dit-elle. Du vin, un bon dîner, peut-être un film et des ébats passionnés. »

Quand une femme flic de la Criminelle se mettait en couple avec un homme d'affaires milliardaire et très occupé, les soirées tranquilles à la maison représentaient le plus beau et le plus rare des trésors.

Quelle chance que lui aussi aime ces soirées tranquilles.

Parfois, bien sûr, ils se rendaient à tel ou tel événement chic. Aux yeux d'Eve, cela faisait partie du contrat, des règles du mariage telles qu'elle les concevait. Et plus souvent encore il travaillait avec elle en partageant une pizza dans le bureau qu'il avait aménagé pour elle à leur domicile. Un criminel repenti doté de l'esprit d'analyse d'un flic constituait un outil des plus précieux.

Alors peut-être auraient-ils tous les deux droit à une nuit paisible cette fois...

Elle posa sa tasse sur son bureau, retira son manteau et l'abandonna sur le dossier du siège volontairement inconfortable destiné aux visiteurs.

« Attaquons la paperasse », décida-t-elle en esquissant le geste de se passer la main dans les cheveux.

Ses doigts touchèrent le bonnet décoré d'un joli flocon brodé qu'elle essayait de porter sans succomber à son sentiment d'embarras. Elle le jeta par-dessus le manteau, recoiffa rapidement les mèches courtes et désordonnées de sa chevelure brune et s'assit.

— Ordinateur... commença-t-elle.

Au même moment, son communicateur de bureau sonna.

— Dallas, répondit-elle.

— *Dallas, lieutenant Eve, communication du Central.*

Avant même que la machine dise un mot de plus, elle comprit que le trésor de tranquillité tant espéré devrait attendre encore un moment.

Après avoir garé sa DLE en double file, Eve s'avança sur la Sixième Avenue, suivie de sa coéquipière.

Une écharpe couverte de zigzags verts et violets enroulée autour du cou, Peabody progressait d'un pas lourd sur le trottoir à peu près dégagé en lançant des regards méfiants à la neige qui recouvrait tout le reste.

— Je me suis dit « hé, on sera au tribunal et la température tourne autour des quatre ou cinq degrés, donc pas de problème pour porter mes santiags ». Mais si on commence à devoir piétiner dans la neige…

— On est en janvier. Et quel genre de flic porte du rose durant un procès pour meurtre ?

— Reo avait mis des chaussures rouges, répondit Peabody en faisant référence à la substitut du procureur. Et quand on réfléchit un peu, le rouge, c'est rien d'autre que du rose foncé.

En réfléchissant un peu, Eve se demandait surtout pourquoi diable elles parlaient chaussures alors que trois victimes assassinées les attendaient.

— Prenez sur vous, Peabody, ordonna-t-elle.

Elle dégaina son insigne en arrivant au premier cordon de police puis poursuivit sa route sans prêter attention aux journalistes qui se pressaient contre ledit cordon et l'assaillaient de questions.

Quelqu'un avait fait preuve de jugeote en maintenant les médias à l'écart de la patinoire. Cela ne durerait pas mais aiderait à simplifier un peu le début d'une affaire qui s'annonçait compliquée.

Elle dénombra plus d'une dizaine de policiers en uniforme et au moins cinquante civils. Des voix fortes s'élevaient dans l'air froid, certaines teintées d'un début d'hystérie.

— J'imaginais qu'il y aurait plus de civils, plus de témoins.

Eve balayait toujours la scène du regard.

— Dès qu'une victime s'effondre, les gens détalent, dit-elle. Nous avons sans doute perdu la moitié des témoins avant l'arrivée des premiers agents.

Elle secoua la tête.

— Les médias n'auront pas besoin d'approcher à portée de caméras. Des dizaines de gens vont leur faire parvenir des vidéos.

Comme il n'y avait rien à faire contre cela, Eve chassa cette pensée et présenta son insigne pour passer le cordon suivant.

La voyant, l'un des agents en uniforme se détacha du reste pour s'approcher d'un pas lourd. Elle reconnut le flic, un vétéran ayant plus de trente ans de carrière, et comprit que l'ordre relatif qui régnait sur la scène de crime devait beaucoup à son expérience et à son approche carrée des choses.

— Fericke, dit-elle en guise de salut.

Il lui répondit par un hochement de tête. Il avait un visage de bouledogue à la peau sombre planté sur un large torse. Ses yeux couleur chocolat teintés d'amertume en avaient vu de toutes les couleurs et s'attendaient à tout instant à voir pire encore.

— Sacré bazar, dit-il.

— Racontez-moi ce que vous savez.

— On a reçu le premier appel vers 15 h 20. Je sers de nounou à un bleu que je faisais patrouiller à pied sur la Sixième. On a décollé au pas de course. Je lui ai fait poser un premier cordon à bonne distance, pour garder les curieux à l'écart. Mais soyons réalistes : on peut pas verrouiller un parc entier.

— Vous étiez donc les premiers sur place.

— Ouais. Les secours ont vite débarqué, ainsi que les flics, mais les gens se barraient déjà loin de la scène de crime quand je suis arrivé. J'ai dû me faire aider par les vigiles du parc pour garder ceux qu'on pouvait sur place. Il y a eu des blessés. On a fait venir des urgentistes pour s'occuper des trucs mineurs mais il y avait un gamin d'environ six ans avec une jambe cassée. Les descriptions des témoins sont raccord, une fois qu'on a fait le tri dans leurs exagérations : la première victime serait entrée en collision avec le gamin et ses parents, et le petit s'est cassé la jambe durant la chute. J'ai leurs coordonnées et celles de l'hôpital à votre disposition.

— Peabody.

— Laissez-moi noter toutes ces informations, agent Fericke, dit celle-ci.

Il lui récita les détails sans avoir besoin de consulter son carnet.

— Les techniciens de la police scientifique vont pas être contents de l'état de la scène de crime, reprit-il. Il y a des gens partout et les corps ont été déplacés. Il y avait un médecin parmi les patineurs, ainsi qu'un véto. Ils sont intervenus auprès des victimes et des blessés.

» La première victime a été touchée dans le dos. C'est la femme en rouge, là-bas, dit-il en désignant le corps d'un mouvement de son menton de bouledogue. Les témoignages ne sont pas clairs quand il s'agit de savoir qui a été abattu en deuxième. Mais les deux autres victimes sont masculines : l'un touché au ventre, l'autre pile entre les deux yeux. Si vous voulez mon avis, lieutenant, ça ressemble à un tir de laser. Mais je ne vais pas vous apprendre votre boulot. Et attendez-vous à ce que certains de ces témoins vous parlent de coups de couteau donnés par des types louches, les foutaises habituelles.

On ne devenait pas lieutenant sans apprendre à reconnaître et à esquiver lesdites foutaises.

— Très bien. Vous avez les médecins à disposition ?

— Ouais. Ils sont dans les vestiaires, ainsi qu'un autre couple qui a déclaré être arrivé en premier auprès d'une des victimes masculines. Et la femme de l'une des victimes en question. Elle est convaincue qu'il a été tué en dernier et j'aurais tendance à la croire.

— Peabody, occupez-vous d'eux. Je vais me mettre au travail sur les corps. Je veux les enregistrements des caméras de sécurité, tout de suite.

— Ils ont déjà sorti les disques pour vous, lui assura Fericke. Demandez Spicher. C'est le responsable de la sécurité de la patinoire et pas tout à fait un manche.

— Je m'en charge.

Peabody s'éloigna en prenant soin de ne pas marcher dans la neige.

— Vous devriez vous munir de patins antidérapants, dit Fericke à Eve. Il y en a des tas empilés là-bas. Voir un crack de la Criminelle s'étaler sur la glace ne rassurerait pas le public.

— Veillez à ce que personne ne franchisse le cordon, Fericke.

— Comptez sur moi.

Elle fit le tour pour rejoindre l'accès à la patinoire et enfila une paire de patins rugueux avant d'ouvrir son kit de terrain et de passer ses mains et ses bottes à la bombe Seal-It.

— Hé ! Hé ! C'est vous, la responsable ? Est-ce qu'il y a un foutu responsable quelque part ?

Eve tourna la tête pour planter son regard dans celui d'un homme d'une quarantaine d'années au visage rougeaud, vêtu d'un épais pull blanc et d'un pantalon noir moulant.

— Je suis la responsable.

— Vous n'avez pas le droit de me retenir ici ! J'ai un rendez-vous.

— Monsieur… ?

— Granger. Wayne Granger. Et je connais mes droits !

— Monsieur Granger, vous voyez ces trois personnes gisant sur le sol de la patinoire ?

— Bien sûr que je les vois.

— Leurs droits priment sur les vôtres.

Il cria après elle tandis qu'elle trouvait son chemin jusqu'à la victime féminine, des paroles confuses où il était question d'État policier et de procès. Baissant les yeux sur la jeune femme en rouge – laquelle ne pouvait pas avoir plus de vingt ans – Eve n'accorda plus la moindre attention à Granger.

Une flaque de sang s'était accumulée autour de la victime, comme un renfort macabre au rouge de ses vêtements sur le blanc de la glace. La jeune femme gisait sur le flanc et Eve voyait clairement les traces ensanglantées laissées par le passage d'autres patineurs, puis des équipes médicales.

Ses yeux d'un bleu de ciel d'été déjà rendus vitreux par la mort contemplaient le vide. L'une de ses mains reposait dans son propre sang, paume vers le haut.

Non, décidément, Eve n'avait que faire de Granger et de son rendez-vous.

Elle s'accroupit, ouvrit son kit de terrain et se mit au travail.

Elle ne se releva pas ni ne se retourna quand Peabody la rejoignit.

— La victime est Ellissa Wyman, dix-neuf ans. Habite toujours chez ses parents, avec sa petite sœur, dans l'Upper Westside. Heure du décès établie à 15 h 15. Le légiste déterminera la cause exacte mais je suis d'accord avec Fericke. On dirait un tir de laser.

— Les deux médecins sont du même avis, dit Peabody. Le vétérinaire a servi dans l'armée, donc il a vu des frappes laser. Ils ne sont pas allés au-delà d'un premier examen superficiel ; il était évident qu'elle était déjà morte. L'un d'eux a essayé de faire quelque chose pour la victime touchée au ventre et l'autre a examiné le tir à la tête. Mais les victimes étaient toutes mortes. Ils se sont donc concentrés sur les blessés.

Eve se redressa avec un hochement de tête.

— Les disques de sécurité.

— Je les ai là.

Eve inséra l'un des disques dans son propre mini-ordinateur, le fit défiler jusqu'à 15 h 14 puis se concentra en premier sur la jeune fille en rouge.

— Elle est douée, commenta Peabody. Pleine de grâce, je veux dire. Là, elle prend de la vitesse et...

Elle se tut comme la jeune fille se retrouvait propulsée dans les airs, toute sa grâce envolée, et heurtait la petite famille.

Eve revint en arrière, une minute plus tôt encore, en scrutant à présent les autres patineurs et les badauds autour.

— Les gens lui font de la place, murmura Eve. Certains la regardent patiner. Aucune arme visible.

Elle laissa défiler la vidéo, vit la deuxième victime partir en arrière, les yeux écarquillés, puis tomber à genoux.

Elle rembobina, nota l'heure exacte. Relança la vidéo.

— Moins de six secondes entre les tirs.

Les gens convergeaient vers la première victime et la famille. L'équipe de sécurité arrivait au pas de course. Et le couple qui patinait – assez mal – sur le pourtour de la patinoire ralentit. L'homme jeta un regard en arrière. Troisième frappe.

— À peine plus de six secondes pour le troisième. Trois tirs en à peu près douze secondes, trois morts. Impacts au milieu du dos, au ventre et au front. Ce n'est pas un hasard. Et aucune de ces frappes ne provenait de la patinoire ou de son environnement immédiat. Dites à Fericke, une fois qu'il aura relevé les noms et coordonnées de tout le monde, que tous ceux qui ont déjà fait leur déposition sont libres de s'en aller. À l'exception du personnel médical et de la femme de la troisième victime.

» Enregistrez leurs témoignages et contactez toute personne que l'épouse de la victime vous demandera d'appeler. La jeune patineuse est prête pour être évacuée jusqu'à la morgue. Et on va avoir besoin des vidéos de sécurité du parc.

— De quel secteur ?

— *Toutes* les vidéos.

Sans se soucier de l'air stupéfait de Peabody, Eve se dirigea vers la deuxième victime.

Après en avoir terminé avec les trois corps, elle se rendit dans le bâtiment.

Assis côte à côte sur un banc des vestiaires, les deux médecins buvaient du café dans des gobelets à emporter.

D'un hochement de tête, Eve fit savoir à sa collègue en uniforme qu'elle pouvait les laisser et s'installa sur le banc en face d'eux.

— Je suis le lieutenant Dallas. Ma coéquipière, l'inspecteur Peabody, a pris vos dépositions.

Ils acquiescèrent tous les deux. Celui de gauche – affûté, rasé de près, la trentaine – prit la parole :

— Il n'y avait rien à faire pour les trois qui ont été tués. Le temps qu'on arrive jusqu'à eux, ils étaient décédés.

— Docteur... ?

— Pardon. Je suis le Dr Lansing. J'ai sincèrement pensé que la fille – la jeune femme en combinaison rouge – avait simplement fait une mauvaise chute. Et le petit garçon hurlait. J'étais là, juste derrière eux, je veux dire, quand ça s'est produit. Donc j'ai voulu m'occuper de lui en premier. En voulant déplacer la jeune fille pour atteindre le petit garçon, j'ai pris conscience qu'elle n'était ni blessée ni inconsciente. J'ai entendu Matt crier à tout le monde de sortir de la patinoire, de s'écarter.

— Matt ?

— C'est moi. Matt Brolin. J'ai vu cette fille tournoyer sur elle-même pour faire un saut et se retrouver propulsée contre cette famille. J'allais m'approcher pour les aider quand un type s'est brusquement effondré sur la glace. Même là, je n'avais pas forcément fait le rapprochement. Et puis j'ai vu le troisième, j'ai vu la frappe, et là j'ai compris. J'ai été médecin dans l'armée. C'était il y a vingt-six ans mais ça ne vous quitte jamais. Nous étions attaqués. Là, j'ai crié aux gens de se mettre à couvert.

— Vous vous connaissez, tous les deux.

— Maintenant oui, répondit Brolin. Je savais que le troisième type était mort – un tir d'une sacrée précision – mais j'ai fait ce que je pouvais pour le deuxième. Il était encore vivant, lieutenant. Il m'a regardé. Je me souviens très bien de son regard, et ce n'est pas un souvenir facile. Je savais qu'il ne survivrait pas mais… il faut quand même faire son possible.

— Matt a fait bouclier de son corps, intervint Lansing. Les gens paniquaient et certains n'auraient pas hésité à lui passer dessus, mais Matt l'a protégé.

— Jack était déjà bien occupé avec le gamin. Et les parents aussi avaient pris des coups, non ?

— Ils n'ont pas eu le temps d'amortir leur propre chute, expliqua Lansing. Le père a une légère commotion et la mère s'est foulé le poignet. Ils s'en remettront. Le garçon aussi, mais c'est lui qui a le plus souffert. L'équipe de sécurité avait un kit de premiers soins. Je lui ai donné un analgésique pour la douleur. Les secours sont arrivés en moins de deux minutes. Ça mérite d'être salué. J'ai rejoint Matt pour l'aider. Et puis on est quand même allés voir la troisième victime. Mais comme Matt vous le disait, il était mort. Sans doute avant même d'avoir heurté la glace.

— Nous ne pouvions rien faire de plus si ce n'est prodiguer les premiers soins aux gens qui étaient tombés ou s'étaient coupés sur des lames de patin, dit Matt.

Il gratta brièvement sa barbe grise et négligée.

— Ce n'est qu'après qu'on nous a mis ici que ça m'est revenu. Il faut la mettre de côté pendant qu'on bosse.

— Mettre quoi de côté ?

— La peur. La peur de savoir qu'on peut se prendre un tir dans le crâne à tout instant. Je ne sais pas qui est ce tireur, mais il est fort. Ça venait de l'est. Les tirs.

— Qu'est-ce qui vous fait dire ça ?

— J'ai vu la troisième frappe. L'angle, la façon dont le type tournait la tête. Ça venait de l'est.

Il examina Eve de ses yeux étrécis.

— Mais vous le saviez déjà.

— J'ai visionné les vidéos de sécurité. Nous ferons une reconstitution, mais en l'état actuel des choses, je suis d'accord avec vous.

— Sa femme est dans le bureau, là-bas, avec votre équipière. Ses parents viennent d'arriver.

Brolin laissa échapper un soupir.

— Voilà pourquoi j'ai opté pour l'école vétérinaire en sortant de l'armée. Les chiens et les chats, ça se gère quand même plus facilement que les gens.

— Vous avez pourtant très bien géré la situation. Tous les deux. Je tiens à vous remercier pour ce que vous avez fait aujourd'hui. Nous avons vos coordonnées en cas de besoin. Et si vous souhaitez me joindre, vous pouvez contacter le Central. Lieutenant Dallas.

— On peut partir ? demanda Lansing.

— Oui.

— On se la prend, cette bière ?

Brolin parvint à esquisser un sourire.

— Je crois que je vais même en prendre deux, dit-il.

— La première tournée est pour moi, dit Lansing en se relevant. Les gens viennent ici pour profiter du parc, pour emmener leurs enfants vivre une petite aventure. Ou, comme cette jeune fille, pour la joie du patinage. C'était un vrai plaisir de la regarder. Et maintenant...

Il s'interrompit et secoua la tête.

— Ouais, souffla-t-il. La première tournée est pour moi.

Tandis que les deux médecins s'éloignaient, un homme et une femme portant des badges de sécurité autour du cou entrèrent dans la pièce.

— Lieutenant Dallas, je suis Carly Deen, de l'équipe de sécurité de la patinoire. Voici mon collègue Paul Spicher. Y a-t-il autre chose que l'on puisse faire pour vous ? Quoi que ce soit ?

— Qui est le responsable de la sécurité ?

— Moi.

Carly, qui faisait moins d'un mètre soixante et ne devait pas peser plus de quarante-cinq kilos, haussa les épaules.

— Les gens pensent que c'est Paul, dit-elle. À cause de ses muscles.

Elle avait énoncé cela comme une vieille plaisanterie, en s'efforçant de sourire.

— D'accord. Nous allons devoir maintenir la patinoire fermée jusqu'à nouvel ordre, dit Eve.

— C'est déjà arrangé. Les médias nous bombardent d'appels sur la ligne principale mais nous avons mis en place un répondeur automatique. Le message standard : « La patinoire est fermée. » Un journaliste a réussi à se procurer mon numéro personnel mais je l'ai bloqué.

— Continuez comme ça. Je vais aussi vous demander de ne pas aller sur la glace, ni vous ni vos employés, jusqu'à ce que la scène de crime ait été traitée. Les techniciens de la police scientifique ne vont pas tarder. Connaissiez-vous certaines des victimes ?

— Ellissa. Ellissa Wyman. Elle vient presque tous les jours en cette saison. Elle voulait essayer d'intégrer une troupe de patineurs.

Carly leva les mains et les laissa retomber d'un air dépité.

— Elle était gentille. Amicale. Elle venait parfois avec sa petite sœur.

— Je connaissais un peu M. Michaelson, dit Paul.

La deuxième victime, songea Eve. Brent Michaelson, soixante-trois ans, médecin, divorcé, un enfant.

— Vous l'avez connu ici ?

— Il aimait patiner. Il se libérait un après-midi pour venir, un mardi sur deux. Rien d'exceptionnel, il ne patinait pas comme Ellissa, mais il passait régulièrement. De temps en temps, il amenait ses petits-enfants. Le soir ou le samedi. Les après-midi, il était toujours en solo. L'autre type, par contre, je ne l'avais jamais vu, dit Paul avec un coup d'œil en direction du bureau.

— Celui dont la femme se trouve dans mon bureau, précisa Carly. Votre collègue est avec elle. Elle sait s'y prendre. Est-ce qu'on peut faire quelque chose pour vous, lieutenant ?

— Nous laisser occuper votre bureau pendant encore un petit moment.

— Autant que vous voudrez.

— Je suis sûre que mon équipière vous a posé la question mais je vais le faire également. Avez-vous l'un ou l'autre remarqué quelqu'un qui serait venu, soit pour patiner soit en simple spectateur, et qui se serait montré un peu trop curieux à propos d'Ellissa ou de Brent Michaelson ?

— Rien de ce genre. Beaucoup de gens s'attardent quand Ellissa patine. Et il y a eu deux ou trois garçons qui l'ont draguée à quelques reprises. Mais rien de problématique. Nous veillons au grain, poursuivit Carly. Nous ne rencontrons pas beaucoup de problèmes. Des gens qui se poussent ou se gênent mutuellement, quelques collisions.

— Ça peut s'envenimer un peu plus le soir, mais même là... dit Paul avec un haussement d'épaules. C'est juste un connard qui cherche la bagarre. Euh, désolé pour le « connard », ajouta-t-il.

— Je suis rarement désolée pour les connards, commenta Eve. Nous vous préviendrons dès que vous pourrez reprendre vos activités normales. Je recommanderais à vos supérieurs de se coordonner avec le chargé de liaisons de la police pour préparer une déclaration publique.

— Nos chefs vont surtout se faire un sang d'encre à propos des risques de procès.

— C'est ce qu'ils font toujours, assura Eve avant d'entrer dans le bureau.

À l'intérieur, une femme d'une petite trentaine d'années était assise sur une chaise pliante, flanquée d'un homme et d'une femme plus âgés. Chacun d'eux avait passé un bras autour d'elle tandis que Peabody se tenait accroupie auprès d'elle et lui parlait d'une voix douce.

Avisant l'arrivée d'Eve, Peabody prit la main de la femme.

— Jenny, voici le lieutenant Dallas.

Jenny releva vers elle un regard éperdu de douleur.

— On a vu le film, dit-elle. Alan l'a beaucoup aimé. Vous avez le même look que dans le film. Que l'actrice du film, je veux dire... Je ne sais pas quoi faire...

— Toutes mes condoléances, madame Markum. Je sais que l'inspecteur Peabody s'est déjà entretenue avec vous. Si vous pouviez simplement m'accorder quelques minutes supplémentaires.

— On patinait. On est très mauvais en patinage. Et on riait. On s'était pris la journée entière pour nous, et ce soir aussi. C'est notre anniversaire de mariage. Cinq ans aujourd'hui.

Elle blottit son visage contre l'épaule de l'homme.

— C'est ici qu'ils ont eu leur premier rendez-vous, expliqua-t-il.

Il s'éclaircit la voix mais cela ne chassa pas le léger accent irlandais qui, aux oreilles d'Eve, rappelait celui de Connors.

— Je suis Liam O'Dell, le père de Jenny. Voici Kate Hollis, sa mère.

— C'était mon idée... La patinoire. Faisons tout ce qu'on a fait pour notre premier rendez-vous. Je lui ai proposé de venir ici, comme à l'époque. On a tous les deux pris un jour de congé au travail et on avait prévu d'aller se prendre une pizza ensuite, comme lors de notre première rencontre. C'était là que je comptais lui expliquer pourquoi je ne boirais pas de vin, contrairement à cette fois-là. J'allais lui annoncer que j'étais enceinte...

— Oh. Oh, ma chérie...

La mère attira Jenny contre elle et elles s'accrochèrent l'une à l'autre, tremblantes toutes les deux.

— Oh, ma chérie, répéta-t-elle.

— J'allais lui annoncer et ensuite on vous l'aurait dit, à papa et toi, à la mère d'Alan et à son père. Mais on avait prévu de profiter l'un de l'autre aujourd'hui, toute une journée rien qu'à nous.

Comme Peabody, Eve s'accroupit afin d'être face à face avec la jeune femme.

— Jenny, qui d'autre était au courant de votre présence ici aujourd'hui ?

— Mon amie Sherry... et sans doute son mec, Charlie. Ce sont nos amis. Je l'ai aussi dit à ma mère. On s'est décidés il y a deux jours à peine. J'ai insisté en voyant que le test de grossesse était positif.

— Alan avait-il des ennemis, quelqu'un qui lui cherchait des noises ?

— Non. Non. L'inspecteur Peabody m'a déjà posé la question... Mais non. Les gens aiment bien Alan. Il est prof. Nous sommes profs, et il donne aussi un coup de main pour les entraînements de football. Et... Et il est bénévole dans un refuge pour sans-abri. Tout le monde apprécie Alan. Pourquoi voudrait-on lui faire du mal ? Pourquoi ?

— Nous allons tout faire pour le découvrir. L'inspecteur Peabody ou moi-même seront disponibles à tout moment si vous souhaitez nous contacter.

— Je ne sais pas quoi faire...

— Tu devrais rester auprès de ta mère, dit Liam en se penchant pour l'embrasser sur le front. Rentre à la maison avec maman.

— Papa...

— J'y serai aussi. Je vous rejoindrai.

Il chercha du regard celui de Kate, qui répondit par un hochement de tête plein de chagrin.

— Rentre avec ta maman, ma chérie, et je vous rejoindrai au plus vite.

— Peabody.

— Venez avec moi, proposa celle-ci. Un agent va vous escorter jusque chez vous.

Liam demeura assis où il était tandis que Peabody conduisait les deux femmes au-dehors.

— C'est que nous sommes divorcés, dit-il à Eve. Et Kate s'est remariée. Il y a huit ans. Ou neuf ?

Il secoua la tête.

— Mais ce genre de trucs n'a plus d'importance maintenant, si ?

Il se releva et se racla de nouveau la gorge.

— C'était un homme bien, notre Alan. Quelqu'un de bien et de stable qui aimait notre fille de tout son cœur. Vous retrouverez celui qui nous l'a pris, qui a arraché Alan à ma fille et au bébé qu'elle porte ?

— Nous ferons le maximum.

— J'ai vu le film et j'ai aussi lu le livre. *L'affaire Icove*. Je sais que vous retrouverez la personne qui a ôté la vie à ce jeune homme qui n'avait rien fait de mal.

Il sortit en hâte, les yeux embués de larmes.

Eve s'assit et prit quelques instants pour laisser se dissiper le sentiment de peine qui imprégnait l'air. Puis elle sortit son communicateur.

— Lowenbaum, dit-elle. J'ai besoin d'un avis.

Lowenbaum était commandant au sein de l'escouade du SWAT, le meilleur qu'elle ait jamais rencontré.

— J'ai entendu des rumeurs à propos d'un problème à Central Park, dit-il.

— Je vous les confirme. J'ai besoin d'un avis d'expert.

— Et dire que j'étais sur le départ. Je peux vous retrouver à la patinoire dans...

— Pas à la patinoire, pas encore. J'ai des vidéos de sécurité et j'ai besoin d'un bon écran. Mon domicile n'est pas très loin. Vous pourriez vous y rendre ?

— Au Dallas Palace ?

— Ne poussez pas trop le bouchon, Lowenbaum.

Il éclata de rire puis la gratifia d'un grand sourire.

— Ouais, je peux m'y rendre, dit-il.

Son sourire disparut.

— Les infos sur le nombre de victimes sont contradictoires, ajouta-t-il.

— Il y en a trois. Et mon intuition me souffle que ça aurait pu être bien pire.

— Quand une situation peut empirer, c'est généralement ce qui arrive.

— Raison pour laquelle je souhaite vous voir. Je pense que le pire est potentiellement à venir. Je dois encore informer les familles de victimes. On se retrouve sur place dans une heure ?

— Ça me va.

— Merci.

Peabody réapparut alors qu'Eve raccrochait.

— Je vais vous demander d'aller à l'hôpital, dit Eve. Ou en tout cas de vérifier si le gamin à la jambe cassée et ses parents y sont toujours. Où qu'ils soient, rendez-vous sur place. Notez ce qu'ils ont vu. Je me charge d'annoncer les décès aux familles.

— Je n'ai pas terminé de récupérer les vidéos de sécurité. Le parc est vaste.

— Faites-les envoyer sur mes terminaux, chez moi et à la Criminelle. Nous commencerons par les secteurs situés à l'est de la patinoire. Faites aussi le transfert sur vos propres terminaux. Je veux que vous les regardiez de près. Demandez à McNab de vous aider. Signalez-moi toute personne ou objet dont la présence semble incongrue. Si l'attaque venait de l'intérieur du parc, on cherche un individu équipé d'un sac ou d'une valise.

— Si ?

Eve ressortit du bureau et balaya les vestiaires vides du regard.

— Parce que je parie que cela venait de l'extérieur du parc. Nous allons nous intéresser aux immeubles équipés de fenêtres orientées ouest, en commençant par la Sixième Avenue et en remontant vers l'est jusqu'à ce que Lowenbaum me dise de m'arrêter.

— Lowenbaum ?

— Il va me rejoindre pour me donner son avis. Je veux que les vidéos soient disponibles sur les écrans de mon domicile, sur du matériel qui ne me donne pas de fil à retordre.

— Lowenbaum, hein ? Il est vraiment mignon.

Face au regard d'acier d'Eve, Peabody rentra la tête dans les épaules.

— Je suis avec McNab, à la vie à la mort, dit-elle, mais ça n'empêche pas mes yeux et mon mignono-mètre de repérer les mecs mignons. Et vous devez admettre que Lowenbaum fait grimper le migno-nomètre.

— « Mignon » est un terme adapté aux enfants et aux chiots... pour qui apprécie les enfants et les chiots. Mais je veux bien admettre qu'il est plutôt pas mal.

— Carrément. Je vais accélérer le mouvement pour les vidéos et voir si je peux apprendre quelque chose de neuf auprès du petit garçon et de ses parents.

Peabody enroula sa longue écharpe autour de son cou tout en parlant.

— On va patauger dans une tonne de témoignages, dit-elle.

— Prenez les dix premiers. Je me pencherai sur les autres. Voyons si nous pouvons identifier un lien entre les victimes en dehors de ce passage à la patinoire. Et espérons que ce sera le cas. Si ces meurtres ont été commis purement au hasard, alors c'est déjà pire qu'on ne l'imaginait.

En ressortant, Eve tourna les yeux vers l'est, balayant l'horizon du regard au-dessus des techniciens au travail sur la scène de crime.

Une pensée lui revint :

« Le pire est peut-être à venir. »

2

Difficile de dire, songeait Eve en rentrant enfin chez elle, si informer les familles des victimes était pire en personne ou par communicateur. Quoi qu'il en soit, elle venait de briser le cœur des parents d'Ellissa Wyman, les yeux dans les yeux, avant de faire de même avec la fille de Brent Michaelson, qui se trouvait en voyage d'affaires à Philadelphie, via communicateur.

Leurs vies ne seraient plus jamais les mêmes. La mort changeait tout, elle le savait, et le meurtre imprégnait ce changement d'un parfum de sang.

Eve ne pouvait cependant pas se laisser aller à la peine, au risque de ne plus pouvoir se concentrer.

Ni ennemis, ni menaces, ni ennuis d'aucune sorte. Pas d'ex en colère ni de grosses sommes d'argent attisant les convoitises. À ce stade, les trois victimes semblaient avoir été des citoyens ordinaires et respectueux des lois.

Au mauvais endroit et au mauvais moment.

Mais pourquoi ces trois-là, dont deux étaient des habitués de la patinoire ? Parmi les dizaines et les dizaines de gens présents, pourquoi ceux-là précisément ?

Il y avait toujours une raison, se remémora Eve. Même quand la raison était complètement dingue.

Elle franchit le portail en songeant à différentes explications potentielles puis emprunta la route sinueuse menant à la maison.

La remarque de Lowenbaum vint interrompre le train de ses pensées.

Le *Dallas Palace* ? Vraiment ? Était-ce ainsi que certains flics voyaient les choses ?

D'accord, la maison ressemblait un peu à un château (mais était-ce la même chose qu'un palace ?) avec ses grands murs de pierre captant l'éclat des premières étoiles dans le ciel hivernal. Elle était dotée de tours et de tourelles, et au milieu des grandes étendues neigeuses et de la glace qui chatoyait sur les branches d'arbres dénudés, peut-être évoquait-elle un lieu sorti d'une autre époque, d'un autre monde.

Mais c'était le fait de Connors. C'était lui qui l'avait bâtie, telle sa forteresse personnelle au cœur de la ville. Et Eve s'y était effectivement sentie impressionnée et intimidée au départ… et même un certain temps après. Mais aujourd'hui ?

Aujourd'hui, c'était chez elle.

Un endroit où crépitaient les cheminées, où l'homme qu'elle aimait la regarderait d'une manière qui lui prouvait, en un instant, à quel point elle comptait. Où un chat viendrait se frotter contre ses jambes pour la saluer.

Où, songea-t-elle en se garant devant l'entrée principale, Summerset l'attendrait en embuscade dans l'entrée telle une goule malveillante. Comme s'il s'attendait à ce qu'elle laisse derrière elle des traces de boue et de sang sur les sols immaculés. D'accord, c'était déjà arrivé, et plus d'une fois. Mais pas aujourd'hui.

Elle vérifia l'état de ses semelles en sortant de la voiture, au cas où. Elle n'avait pas le temps pour lancer ou recevoir des piques.

Lorsqu'elle passa le seuil, il était là : décharné, vêtu de noir, la mine sévère, le chat replet assis à ses pieds.

— Épargnez-moi vos sarcasmes, dit-elle avant qu'il ouvre le bal avec l'insulte qu'il avait sans doute déjà fourbie. L'un de mes collègues doit passer. Lowenbaum. Faites-le monter directement.

— Et votre invité se joindra-t-il à nous pour le dîner ?

Elle supposa que son ton mielleux remplaçait l'insulte. Mais la question elle-même la déstabilisa.

— Je...

Quelle heure pouvait-il bien être ? Elle se retint de consulter sa montre. Elle refusait de lui donner cette satisfaction.

— Ce n'est pas un invité mais un policier. Il vient pour travailler.

Pour reprendre l'avantage, elle enjamba le chat qui se frottait contre ses jambes, retira son manteau et le jeta négligemment sur le poteau sculpté de l'escalier.

— Naturellement, répondit Summerset.

Elle ne lui prêta pas attention et monta les marches, le chat dans son sillage. Elle se dirigea droit vers son bureau et s'arrêta net en découvrant Connors appuyé contre la table.

À sa seule vue, le cœur d'Eve se figea dans sa poitrine puis se mit à battre la chamade. Cela faisait deux ans qu'ils étaient mariés, se rappela-t-elle. L'effet n'aurait-il pas dû s'estomper avec le temps ? Qu'en disaient les règles du mariage ?

Mais quand un homme avait le physique de Connors, les règles ne s'appliquaient plus.

Ce visage à la beauté presque absurde rehaussée par des yeux d'un bleu sauvage dignes de quelque dieu irlandais et une bouche parfaite imaginée par un poète. Cette chevelure noire, plus soyeuse que le ton doucereux de Summerset, nouée en arrière en mode travail. Cette silhouette haute et fine toute de noir vêtue : ni cravate ni veste de costume, les manches de sa chemise retroussées jusqu'aux coudes.

Il était donc rentré – et au boulot – depuis un moment.

Oui, son apparence même défiait les règles et vous figeait le cœur. Mais c'était cet instant, cette seconde précise où ces incroyables yeux bleus croisaient ceux d'Eve, qui lui faisait battre la chamade.

Des yeux habités par l'amour. C'était aussi simple que cela… et aussi extraordinaire.

— Tu arrives juste à temps, dit-il avec une délicieuse pointe d'accent irlandais.

— Je… À temps pour quoi ?

Il lui tendit simplement la main.

Elle s'approcha et la première chose qu'il fit fut de l'attirer à lui, ses mains expertes remontant le long du dos d'Eve tandis qu'il effleurait ses lèvres du bout des siennes.

« Chez moi », songea-t-elle de nouveau.

Et le poids des dernières heures lui retomba dessus, l'incitant à se lover contre Connors, à se reposer sur lui. En sachant que c'était sans risque, qu'elle pouvait s'appuyer contre lui sans perdre son identité.

— Tu es sur une nouvelle affaire, murmura-t-il. Les meurtres à la patinoire de Wollman Rink, c'est ça ? J'ai pensé à toi dès que j'ai entendu l'info.

— Oui. Je sors de chez la première victime. Ses parents et sa petite sœur de quatorze ans sont anéantis.

— La partie la plus difficile d'un dur métier. Je suis désolé que tu aies à faire ça.

— Moi aussi.

Il lui inclina la tête en arrière et posa les lèvres sur son front.

— Tu vas me raconter ça. D'abord un verre de vin. Tu boiras tout le café que tu voudras ensuite, mais prends un instant pour te poser un peu.

— Je n'ai pas vraiment le temps. Lowenbaum ne va pas tarder à arriver. Je voudrais qu'il regarde les vidéos de sécurité avec moi. J'ai besoin de son avis d'expert. Il fait partie du SWAT, expliqua-t-elle.

— Oui, je me souviens de lui, très bien même. L'enquête du Cheval Roux, l'année dernière. Pourquoi lui en particulier ?

— Il s'agit de frappes laser. Un tir par victime, mortel à chaque fois. Et je pense qu'ils provenaient de l'extérieur de Central Park.

— De l'extérieur ? Je vois.

Parce qu'il comprenait, parce qu'il avait cette capacité, Eve se voyait régulièrement épargnée de longues explications.

— Peut-être que l'une d'entre elles était une cible spécifique et que les deux autres ne servaient que de couverture. Peut-être que je trouverai un lien entre les trois. Mais…

Elle secoua la tête.

— Il faut que j'installe mon tableau de meurtre et que je mette mes notes au propre.

— Je peux t'aider.

— Oui, merci. Peut-être que si tu…

Elle pivota sur elle-même et de nouveau son cœur cessa de battre. Mais pas pour une bonne raison, cette fois.

L'écran mural de son bureau affichait un cauchemar rose et mauve.

Des murs roses décorés de gribouillis mauves faisaient le tour d'une pièce envahie par pire encore. Au centre se dressait une sorte de sofa en S – mauve décoré de gribouillis roses celui-là – recouvert d'un amas de coussins multicolores aux motifs à vous donner le tournis. Et des franges, partout.

Un fauteuil accompagnait le S, rose lui aussi, avec de gros pois verts et… Était-ce des plumes ? Oui, des plumes formaient un éventail multicolore derrière le dossier.

Sous la fenêtre elle aussi encadrée de plumes était installée une table vert vif brillante flanquée de deux chaises roses… à pois mauves. Un énorme vase mauve plein de fleurs étranges était posé sur la table.

Le cœur d'Eve repartit dans un sursaut lorsqu'elle repéra une station de travail en U, rose bonbon avec des garnitures mauves.

— Dis-moi que ce n'est pas un vrai projet !

— Charmaine a conçu cette maquette comme une blague, répondit Connors.

Il se décala afin de pouvoir tenir le visage d'Eve entre ses mains.

— Laquelle nous amuserait plus, tous les deux, si tu n'avais pas une affaire de meurtres à l'esprit.

— Une blague.

— En concevant l'exact opposé de ce que tu désires et ce dont tu as besoin pour le réagencement de ton bureau.

— L'opposé.

— L'opposé total. J'ajouterai que quand elle me l'a envoyé, en même temps que ses trois réelles propositions, elle m'a dit qu'elle pensait que le choc associé à cette vision faciliterait la transition avec les autres.

Il sourit et fit courir son doigt sur la fossette aux creux du menton d'Eve.

— Prenons un moment pour regarder brièvement les autres et voir si elle disait vrai. Juste un petit coup d'œil. Ça t'évitera de t'inquiéter à l'idée que je t'aie poussée à faire quelque chose que tu vas détester.

— Tu n'y arriverais pas, même avec un pistolet paralysant réglé à son intensité maximale. Mais je ne sais pas si…

— Ordinateur, proposition numéro un, sur l'écran. Et comme je te l'ai dit lorsque nous avons discuté de la mise à niveau de ton espace personnel, nous ne ferons rien sans ton accord.

Eve était sur le point de protester lorsqu'elle vit l'image. Une pièce aux couleurs discrètes et aux lignes simples et – raison pour laquelle elle était revenue sur son refus initial – un centre de contrôle massif et suréquipé.

— Pas une once de rose… ni de plumes ou de froufrous, commenta Connors. Proposition numéro deux, à l'écran.

Des couleurs plus marquées mais riches plutôt que criardes. Quelques courbes supplémentaires, sans doute, et des sièges un peu plus luxueux, mais rien d'embarrassant.

— Et proposition numéro trois, à l'écran.

Eve estima que celle-ci trouvait le juste milieu. Les couleurs étaient plus feutrées et le mobilier simplifié.

— C'est mieux ? s'enquit Connors.

— Tout serait mieux que ce cauchemar en rose.

— Tu les examineras plus tard, quand tu auras la tête moins encombrée.

— D'accord. Retire ça, tu veux ? J'entends quelqu'un monter. Ce doit être Lowenbaum.

Connors savait que son flic préféré, comme il appelait Eve, serait mortifié si un autre policier découvrait qu'elle envisageait de faire appel à un architecte d'intérieur. Il fit disparaître les images tandis qu'Eve se rendait jusqu'à la porte pour accueillir le visiteur.

— Lieutenant Lowenbaum, annonça Summerset avant de se reculer.

Lowenbaum franchit le seuil en souriant. Eve en restait à son appréciation de « pas mal » mais elle comprenait que Peabody dégaine son mignonomètre.

— Je dois dire, waouh, quel endroit !

Il balaya les alentours du regard, ses yeux d'un gris tranquille captant chaque détail.

— Ça vous arrive de vous perdre ? demanda-t-il.

— Parfois.

— J'imagine. Bonjour, Connors.

— Lowenbaum.

— Je viens moi-même d'arriver, précisa Eve. Je n'ai encore rien installé.

— Y a pas d'urgence. Et qui voilà ?

Il s'accroupit pour gratter la tête du chat qui s'était approché pour l'examiner.

— Galahad.

— Ah, ouais, ouais, j'en ai entendu parler. C'est le chat qui a fait trébucher le salopard et vous a sauvé la couenne. Vous aviez été blessée.

— Vous en avez entendu parler ?

— Quand on fait tomber un sénateur en place, Dallas, l'histoire se propage. Il a les yeux de différentes couleurs. Cool.

— C'est un chat plutôt chouette, concéda Eve tandis que Galahad faisait le beau sous la paume de Lowenbaum.

— Ma préférence va plutôt aux chiens mais oui, il est chouette comme chat.

Lowenbaum se redressa.

— Bon...

— Vous voulez une bière ? Un verre de vin ? proposa Connors.

Eve fronça les sourcils.

— On travaille, dit-elle.

— Est-ce qu'une bière vous empêchera de vous concentrer, Lowenbaum ?

Le sourire de l'interpellé fit apparaître deux petites fossettes.

— Je ne crois pas. Et je ne dirais pas non.

— Il se trouve que nous avons justement reçu un arrivage particulier. La bière brassée par la famille de l'adjoint Banner, dit Connors. Comme promis, ajouta-t-il à l'intention d'Eve.

— Un policier venu d'Arkansas, expliqua Eve. Il nous a aidés à appréhender un jeune couple de meurtriers.

— Ça aussi, j'en ai entendu parler. Goûtons cette bière artisanale et voyons ce que vous avez à me montrer.

— Donnez-moi une seconde.

Eve se rendit à son bureau tandis que Connors s'éloignait d'un pas tranquille vers la cuisine adjacente.

— C'est une vidéo prise à la patinoire, dit-elle. Peabody est en train de récupérer toutes les autres dans le parc mais celle-ci montre les trois tirs.

Elle inséra le disque et désigna du geste l'écran mural.

— Lancement du disque à l'emplacement préenregistré, sur l'écran. Vous voyez la fille en rouge ?

— Difficile de la rater. Elle est canon et elle sait patiner.

— « Était » et « savait ».

Lowenbaum hocha le menton en direction de l'écran tandis qu'Ellissa s'envolait pour la dernière fois. Il étrécit les yeux au moment de la deuxième attaque, puis un peu plus à la troisième.

— Relancez l'enregistrement, au ralenti.

Connors réapparut, deux bières dans une main et une troisième dans l'autre. Il se figea, les yeux tournés vers l'écran.

— D'accord. Améliorez l'image pour le dernier tir. Commencez quelques secondes avant et ralentissez encore.

Eve ordonna l'amélioration d'image et réduisit la vitesse de défilement. Elle aussi plissa les yeux en captant ce qui ressemblait à un flash très bref.

— Votre tireur a fait son nid à l'est de la patinoire. Et pour atteindre un tel niveau de précision, il a reçu un sérieux entraînement. Ce n'est pas un coup de chance. Il se trouve à l'est et en hauteur.

— En hauteur.

— Le légiste devrait vous le confirmer, sauf si je me goure sur toute la ligne. Merci, ajouta Lowenbaum en prenant la bière que Connors lui tendait. Je serais étonné que l'équipe de sécurité du parc trouve quoi que ce soit. Même à New York, quelqu'un aurait forcément remarqué un individu en train de grimper dans un arbre armé d'un fusil. Et je pense qu'il est plus haut que ça de toute façon. Relancez la vidéo, regardez bien.

— J'ai cru voir un flash, un… reflet rouge.

— Le rayon, dit Connors. Pardon.

— Non, vous avez raison, répondit Lowenbaum en opinant du chef sans détourner son regard de l'écran. Une frappe laser émet un rayon. Difficile à capter, très rapide. Si vous transférez la vidéo au labo, ils pourront la clarifier un peu plus, faire ressortir les détails. Mais là.

Eve figea l'image.

— Oui. Je le vois. Et, oui, on peut distinguer l'angle approximatif. À l'est et en hauteur.

— Mon estimation, même en admettant que ce salopard soit monté au sommet du plus grand arbre du parc, est qu'il utilise un fusil laser tactique.

— Quelle est la portée d'un tel engin ?

— Ça dépendra déjà du modèle et surtout du tireur. Mais s'il est suffisamment bon et bien équipé, je dirais deux kilomètres, peut-être trois. Voire plus.

— Une arme comme celle-ci est forcément réservée aux forces de l'ordre ou à l'armée. Impossible de dégoter ça à la supérette du coin. Au marché noir, peut-être, chez un trafiquant d'armes. Mais les prix montent vite dès qu'il ne s'agit pas de matériel merdique.

— Vingt mille, facile, confirma Lowenbaum. Même un collectionneur accrédité aurait du mal à s'en procurer un… par les voies légales.

— Une procédure compliquée, dit Connors. Mais c'est faisable.

Eve se tourna vers lui.

— Tu en as un.

— Trois, en fait. Un LZR Furtif…

— Vous avez un LZR ? s'enthousiasma Lowenbaum, avec le regard brillant d'un enfant le matin de Noël. Le premier fusil laser portable. Tir pulsé. Fabriqué entre 2021 et 2023. Lourd, encombrant mais un opérateur bien entraîné pouvait transpercer une pièce de dix cents à près d'un kilomètre et demi.

— Ils se sont largement améliorés depuis. Je dispose aussi d'un Tactical-XT, le même qu'emploient vos équipes, et un Peregrine-XLR.

— Non ?! s'exclama Lowenbaum en pointant Connors du doigt. Vous avez un Peregrine ?

— Oui.

— Ces trucs sont précis jusqu'à huit kilomètres, et même plus entre de bonnes mains. L'armée s'en est équipée l'année dernière. Comment avez-vous… ?

Lowenbaum s'interrompit et but une gorgée de bière.

— Je ne devrais peut-être pas poser la question, hein ?

— Tout est parfaitement légal, lui assura Connors. Il a fallu faire preuve de beaucoup d'astuce, mais j'ai tous les permis requis.

— Bon sang, j'adorerais le voir.

— Mais bien sûr.

— Vraiment ?

— Quelles sont les chances pour que notre tireur dispose de ce genre de fusil ? demanda Eve.

— Si c'était le cas, il pourrait carrément avoir tiré depuis le Queens. J'adorerais vraiment y jeter un coup d'œil.

— Vous avez surtout envie de poser les mains sur un nouveau joujou, dit Eve. Mais d'accord.

— On va prendre l'ascenseur, dit Connors en désignant la cabine.

— Vous devriez vous pencher dessus, vous aussi, dit Lowenbaum à Eve. Pour vous faire une idée.

— J'ai déjà vu votre arme, Lowenbaum. Et je me suis déjà servie une ou deux fois d'un fusil laser.

— Il est plus probable que votre tireur se serve d'un fusil tactique, avec une portée moins extrême, dit Lowenbaum en entrant avec eux dans l'ascenseur. Trois tirs au but en si peu de temps ? Vous avez affaire à un type qui dispose de son propre fusil laser à longue portée, et de l'entraînement qui va avec.

— Membres des forces de l'ordre et militaires, ou l'ayant été. Je vais aussi y ajouter une liste de collectionneurs.

Eve mit les mains dans ses poches comme l'ascenseur s'ouvrait à l'extérieur de l'accès sécurisé de la salle d'armes de Connors.

Celui-ci plaqua sa main sur le capteur d'empreinte palmaire.

Quand les grandes portes coulissèrent, Lowenbaum laissa échapper le genre de soupir qu'un homme pouvait faire en découvrant une femme nue.

Difficile de lui en vouloir. La collection de Connors constituait un véritable historique des armes à travers les âges. Glaives, pistolets paralysants, minces fleurets argentés, mousquets, revolvers, masses d'armes, blasters, mitrailleuses, couteaux de combat.

Les vitrines couvraient plusieurs siècles d'instruments de mort.

Eve accorda une minute à Lowenbaum pour se promener au milieu des présentoirs, bouche bée.

— Vous et Connors aurez tout le temps de vous amuser avec ces jouets de destruction massive par la suite. Pour l'heure…

Elle désigna du geste la vitrine des armes laser.

Obéissant, Connors désactiva les verrous, ouvrit le présentoir et sortit le Peregrine.

Eve ne l'avait jamais vu, ni aucune arme semblable. Et elle dut admettre – intérieurement – qu'elle aurait aimé l'essayer. Mais elle resta silencieuse quand Connors le décrocha de son socle pour le tendre à Lowenbaum.

— Il est chargé ?

— Non. Ce serait… enfreindre les règles, répondit Connors avec un petit sourire.

Lowenbaum laissa échapper un petit rire et épaula le fusil aussi noir que la mort et aussi lisse qu'un serpent.

— Léger, commenta-t-il. Nos fusils tactiques pèsent deux kilos quatre. Plus deux cent vingt grammes supplémentaires avec la lunette optimale. La batterie de rechange ajoute quatre-vingt-cinq grammes de plus. Celui-ci fait, quoi, un kilo quatre cents et quelque ?

— Mille quatre cent dix grammes précisément. Il se synchronise avec un mini-ordinateur, ou bien vous pouvez utiliser sa liaison infrarouge.

Connors ouvrit la porte du présentoir pour récupérer un petit appareil qui tenait au creux de sa paume.

— Ce module a une portée de vingt-cinq kilomètres. La batterie tient soixante-douze heures en usage intensif, même si on m'a prévenu qu'elle commencera à chauffer au bout de quarante-huit heures si on ne la laisse pas se reposer. La recharge prend moins de deux minutes.

Lowenbaum baissa le fusil et le fit pivoter entre ses mains.

— Vous l'avez déjà testé ?

— Tout à fait. Il y a un gros recul mais on m'a dit qu'ils y travaillaient.

— Un tir au but ?

— En simulation uniquement. La cible la plus éloignée que j'aie touchée était à deux kilomètres.

Lowenbaum rendit l'arme à Connors à contre-cœur.

— Il est magnifique, dit-il. Mais voici notre suspect le plus probable.

Il désigna le fusil plus massif également en vitrine.

— Modèle tactique destiné à l'armée ou à la police. Ils n'ont pas beaucoup changé durant ces cinq ou six dernières années. Je dirais que le plus probable est que l'arme lui appartient. Ce n'est pas le genre de truc qu'on ramène chez soi à la fin de la journée, comme une arme de service. Ces fusils sont prêtés et puis rendus après chaque intervention. Le plus probable, là encore, pour trois tirs au but en si peu de temps, est qu'il disposait d'un bi ou d'un tripode. Cibles mouvantes. Et le premier tir ? La fille filait à bonne allure. Un tir de ce type d'arme à, disons, un kilomètre et demi de distance met deux secondes et demie pour parcourir la distance entre le canon et la cible. Il faut tenir compte de la vitesse du vent, mais c'est à peu près ça.

Eve hocha la tête.

— Il faut en tenir compte au moment de tirer. Distance, vitesse et direction du vent, vitesse de déplacement de la cible.

Tout cela indiquait que le tireur avait observé ses cibles pendant un moment et évalué leur vitesse relative sur la glace.

— Je n'ai jamais employé de bipied, reprit-elle. En tout cas pas depuis les cours de tir. Quel poids, quel volume ?

— Un peu moins d'un kilo et ils se rétractent jusqu'à faire moins de trente centimètres.

— Le fusil aussi se démonte, non ?

— Bien sûr. Je peux vous montrer, proposa Lowenbaum après un coup d'œil à Connors.

Connors décrocha le fusil et le lui remit.

Lowenbaum vérifia la jauge de batterie, constata qu'elle était vide mais actionna néanmoins l'interrupteur qui coupait l'alimentation.

— La sécurité avant tout, dit-il.

Il fit ensuite coulisser un petit levier et sépara le canon, le chargeur et la lunette, divisant l'arme en quatre pièces compactes en à peine dix secondes.

— Il rentre sans mal dans une mallette ordinaire une fois démonté, fit remarquer Eve.

— Exact. Mais quiconque ayant un minimum de respect pour son arme disposera d'une mallette garnie de mousse avec des emplacements prédécoupés pour chaque partie.

— Elle ne passerait pas les mesures de sécurité dans un bâtiment gouvernemental, un musée ou autre lieu public du même genre.

— Aucune chance, confirma Lowenbaum.

— D'accord. Donc il s'agit plus probablement d'un immeuble résidentiel, d'un hôtel, d'une boutique ou de locaux à louer.

Elle s'éloigna, plongée dans ses pensées, pendant que Lowenbaum remontait habilement le fusil.

— Qui au labo est le plus doué pour ce genre de reconstitution ? demanda-t-elle.

— Je dirais Dickhead, affirma Lowenbaum.

— Vraiment ? On va devoir passer par lui ?

Le technicien en chef du labo n'avait pas hérité de son surnom[1] sans raison.

— Pas le choix. Confiez-lui le boulot, je m'occuperai du suivi dès que j'aurai un moment.

— Je ne dis pas non. Merci.

— Inutile de me remercier. Parce qu'à moins que je me goure dans les grandes largeurs, Dallas, vous êtes tombée sur un TSLD.

— Un TSLD ? demanda Connors.

Eve se tourna vers lui.

— Tueur en Série à Longue Distance.

— Les flics, murmura-t-il. Qui d'autre aurait un acronyme déjà prêt pour ce genre de situation ?

— On n'en aurait pas besoin s'il n'y avait pas autant de tordus dans ce monde. Qui connaissez-vous qui soit capable de ces trois tirs au but ? demanda Eve.

Lowenbaum gonfla les joues et soupira.

— Moi, dit-il. Et j'ai deux ou trois types dans mon équipe qui ont les capacités nécessaires. Et, oui, je sais bien que vous allez devoir enquêter sur eux, mais aucune chance pour que ce soit eux. Je vois quelques autres mecs et je vous ferai une liste. Je précise que si je connais quelques personnes

---

1. Le terme argotique *dickhead* peut être traduit par « tête de nœud ». *(N.d.T.)*

capables de telles frappes, je n'en connais aucune qui ferait un truc pareil.

— Les noms me seront quand même utiles.

— Et il peut s'agit d'un tueur professionnel, Dallas. Là, vous êtes aussi bien placée que moi pour établir une liste.

— Et je le ferai. Mais qui engagerait un professionnel pour tuer une étudiante serveuse à mi-temps, un obstétricien gynécologue ou un professeur d'histoire de lycée, nos trois victimes ?

— Le monde est plein de tordus, lui rappela Lowenbaum.

— C'est vrai.

— C'est vous, l'enquêtrice de la Criminelle. Je vous laisse faire ça à votre sauce, je ferai de mon mieux du côté tactique. Trois tirs au but comme ça ? ajouta-t-il avec un geste de la tête qui exprimait à la fois l'admiration et l'inquiétude. Le tireur doit être fier de son coup.

— Et après avoir ressenti ça, dit Eve, il va vouloir recommencer.

Une fois Lowenbaum parti, Eve mit en place son tableau de meurtre, puis s'assit pour rassembler ses notes et observations.

— Tu dois dîner, dit Connors d'une voix ferme.

— Oui, oui.

— C'est le ragoût que tu aimes.

Il s'assura d'être entendu en tirant Eve de sa chaise de bureau.

— Tu pourras réfléchir en mangeant et me raconter ce que tu sais ou quelles théories tu envisages.

Ce qui s'avérait souvent utile, Eve le savait. Et le ragoût en question sentait vraiment bon.

— Tu sais, avant que cette affaire me tombe dessus, j'étais en train de me dire qu'on allait passer une bonne petite soirée tranquille à la maison. Un petit verre de vin, un petit dîner, peut-être un petit film... et un petit peu de sexe.

Sachant la quantité de café qu'elle allait ingérer dans les heures à venir, Connors poussa son verre d'eau vers elle.

— On trouvera le temps pour ça, n'est-ce pas ? dit-il.

— La fille, Ellissa Wyman. J'en avais déjà l'intuition mais dès que j'ai vu la vidéo de sécurité, j'ai su. La façon dont elle a été projetée. Il s'agissait d'un impact puissant et personne sur la patinoire ou autour n'a rien remarqué. On ne balance pas trois décharges sans que personne voie rien. Et encore moins quand un flic visionne la vidéo, octet par octet, et ne trouve rien non plus. Quant à ma capacité à retrouver le point d'origine de ces trois tirs... Je ne parierais pas dessus.

Connors tendit la main pour recouvrir la sienne.

— Moi si, dit-il.

— Oui, mais tu es riche et tu craques pour moi. J'espère que Lowenbaum pourra m'aider à réduire la zone de recherche, mais même comme ça...

Elle secoua la tête et prit une bouchée. Le ragoût était aussi délicieux que le promettait son fumet.

— On a là une jeune fille de dix-neuf ans qui vivait chez ses parents. Classe moyenne supérieure. Pas de petit ami. Un ex à l'université en Floride, sans animosité entre eux. En fait, ils ont tenté l'expérience de la relation à distance pendant presque un an avant de s'éloigner. Ils sont restés en bons termes. Elle sort de temps en temps avec des garçons, mais rien de sérieux. Elle patine pour le plaisir, avec l'espoir de rejoindre une troupe d'artistes. Elle a commencé le patin quand elle avait à peu près huit ans et elle en est tombée amoureuse. Elle fréquente régulièrement la patinoire, donc je dois la considérer comme une cible spécifique.

— Elle sortait du lot, dit Connors. Pas sa grâce, son allure.

— Oui, c'est vrai. On ne peut pas en dire autant du premier homme abattu : Brent Michaelson. Un individu d'apparence ordinaire, sans rien de remarquable. Mais lui aussi fréquentait régulièrement la patinoire. Pas autant que la fille, mais il avait ses habitudes. Divorcé il y a des années. Des liens cordiaux avec son ex-femme. Proche de sa fille, par contre, assez pour qu'ils se réunissent tous ensemble chez l'ex-femme pour les anniversaires et les fêtes de fin d'année. Pas de conflits. Il aimait emmener ses petits-enfants patiner de temps en temps. Il pratique depuis longtemps, sans talent exceptionnel. Il disait que ça l'aidait à garder la forme et à réduire son stress.

— Et le dernier ? s'enquit Connors. Celui qui a été tué alors qu'il tenait la main de sa femme ?

— Oui. Tu es attentif, à ce que je vois. C'était leur anniversaire de mariage aujourd'hui. Cinq ans. Ils rejouaient leur premier rendez-vous. Peu de gens savaient qu'ils se rendraient à la patinoire, d'après ce que j'ai compris. C'était un projet plutôt intime. Et l'horaire de leur présence sur place n'était pas établi.

— Tu le vois comme une victime prise au hasard. Elles le sont peut-être toutes, mais tu as plus de certitudes à son sujet. Si l'une des autres était ciblée, alors il se peut que deux d'entre elles ne servent que de couverture, afin que l'attaque semble entièrement aléatoire.

— Je pense que c'est le cas pour deux des trois, ou pour les trois. J'espère que c'est deux sur les trois, car dans ce cas le tireur en a terminé. Ou probablement terminé. Comme l'a dit Lowenbaum, il doit se sentir fier de lui. Et puis, si ces tirs visaient une cible particulière, je sais que je finirai par découvrir qui est derrière et pourquoi. Mais si le tireur a sélectionné ses victimes au hasard...

— Si c'était vraiment le hasard, pourquoi la patinoire ?

Il pensait vraiment comme un flic. Mais puisqu'il se montrait si utile, elle n'avait pas envie de l'agacer en le mentionnant.

— Un lieu public, un impact fort. Frénésie médiatique garantie. Un mobile très puissant pour un TSLD. Peut-être qu'il a un problème avec la patinoire en elle-même. Peut-être que sa femme, sa copine, son petit ami l'ont plaqué à cet endroit. Peut-être qu'il faisait autrefois du patin mais qu'il s'est blessé et qu'il en veut désormais à tous les autres patineurs.

Eve prit un air pensif. Cela faisait tellement de « peut-être ».

— Elle est enceinte. La femme de la troisième victime. Elle venait de l'apprendre et ne le lui avait pas encore dit. Elle comptait le faire pendant la reconstitution de leur premier déjeuner en tête à tête.

Connors laissa échapper un soupir.

— Les conséquences se propagent à l'infini, n'est-ce pas ? Tu ne te retrouves jamais seulement confrontée à la victime, à la personne tuée. Il y a aussi tous ceux et celles qu'elle laisse derrière elle.

— Son père est irlandais. Son accent est un petit peu plus marqué que le tien, de pas grand-chose. Je pense que l'ex et lui ont des relations cordiales même si je doute qu'ils partagent leurs repas de fêtes. Quoi qu'il en soit, ils formaient un bloc autour de leur fille. Et lui, le père, est resté en arrière quelques instants pour me parler de son beau-fils. On voyait bien qu'il l'aimait.

Elle tendit la main vers son verre d'eau et but avant de reprendre.

— Ça compte, dit-elle, parce que je pense qu'il va être le moins important des trois. Si l'une des deux autres victimes était spécifiquement visée, lui sera la moins importante des trois. Comme un ajout après coup.

— Pas à tes yeux, Eve.

— C'était elle, la première. La fille en rouge. Comme l'a dit Lowenbaum, on ne pouvait pas la rater. Est-ce que tu n'aurais pas abattu ta cible en premier, pour veiller à ce que le boulot soit accompli ? Une part de moi penche pour cette hypothèse. Mais ensuite je me demande : jusqu'où va ton arrogance, espèce de salopard ? Et il me semble que quelqu'un qui est capable de faire ça, qui a fait ça, est forcément plein d'arrogance.

— Alors il aurait pris sa victime en sandwich : une avant, une après.

— Encore une hypothèse.

— Comment puis-je t'aider ?

Elle tourna son attention vers lui.

— Tu travaillais quand je suis rentrée.

— En fait non. Les propositions de Charmaine sont arrivées alors que je venais de terminer mon boulot en cours. J'étais en train de les regarder un peu plus en profondeur quand tu es arrivée. Je n'ai plus aucune tâche urgente pour ce soir.

Il lui prit de nouveau la main.

— Je suis désolé pour la femme, les parents et toutes les autres personnes affectées. Mais c'est cette fille, la jeune fille en rouge, qui va hanter mon esprit pendant un long moment. Son visage exprimait une telle joie, ses gestes une telle liberté... Il y a mis fin. J'aimerais t'aider à trouver celui qui y a mis fin.

« Chez moi », pensa de nouveau Eve.

Et auprès de lui. L'homme sur qui elle pouvait s'appuyer sans pour autant perdre ce qu'elle était, qui elle était.

— Les collectionneurs. De fusils tactiques, puisque Lowenbaum estime que c'est le plus probable, mais aussi de n'importe quelle arme susceptible d'effectuer ce type de frappe depuis l'extérieur du parc.

— Ça sera facile. Tu n'as pas un défi un peu plus relevé ?

— D'accord. Les immeubles à l'est du parc, disons entre la 57e et la 61e, en remontant jusqu'au fleuve. On éliminera tous ceux dotés de vitres inamovibles. La liste sera déjà bien assez longue comme ça. Et Lowenbaum a parlé de hauteurs, donc des bâtiments de plus de trois étages. On pourra préciser le chiffre si le labo nous fournit plus de précisions sur l'angle de tir.

Elle mangea un peu plus de ragoût puis inclina la tête sur le côté.

— D'après toi, combien de ces immeubles feront partie de ton parc immobilier ? demanda-t-elle.

Il souleva son verre de vin avec un sourire.

— Ça va être intéressant de le découvrir.

Une fois Connors installé dans son bureau adjacent, Eve se plongea dans une forme de routine qui n'était jamais vraiment routinière. Vérification des antécédents des victimes, des témoins et des membres du personnel de la patinoire, calculs de probabilités. Elle écrivit un rapport détaillé, le relut et y ajouta des informations complémentaires.

Puis elle se radossa sur son siège, une tasse de café fraîchement préparé à la main, les pieds posés sur son bureau, et examina son tableau.

Pourquoi seulement trois ? La question revenait sans cesse. La vitesse et la précision de l'attaque montraient que le tireur aurait pu abattre une dizaine de personnes, voire plus, en quelques minutes. Si le mobile – le plus courant lorsque l'on avait affaire à un TSLD – consistait à causer la peur et déclencher la panique, pourquoi se contenter de trois ?

Et pourquoi ces trois-là ?

La fille en rouge constituait une cible repérable. Par la couleur, par sa jeunesse, son talent, sa vitesse et sa grâce. C'était peut-être une cible spécifique mais tous ces éléments incitaient Eve à penser qu'elle avait été choisie sur le moment.

La troisième victime faisait partie d'un couple. Pas des habitués. Personne en dehors de leur cercle très proche ne savait qu'ils seraient présents sur la glace ce jour-là, à cette heure-là.

Choisi sur le moment, lui aussi.

Mais la deuxième victime. L'obstétricien, un client régulier. Qui avait l'habitude de venir patiner ce jour-là et à cet horaire-là. Si l'une des cibles avait bien été définie à l'avance, le plus probable aux yeux d'Eve était qu'il s'agisse de Brent Michaelson.

Mais c'était un gros *si*.

Tous tués au hasard ?

Elle se leva, tasse à la main, et fit le tour du tableau en étudiant la position des corps.

Dans ce cas, pourquoi seulement trois ?

— Ordinateur, lance la vidéo de sécurité de la scène de crime, une minute avant l'emplacement marqué.

— *Bien reçu.*

Eve s'appuya en arrière contre le bureau pour regarder les patineurs. Elle observa les trois victimes qui évoluaient sur la glace. Puis la première frappe, la deuxième, la troisième.

Des gens avaient continué à patiner pendant plusieurs secondes supplémentaires, offrant de belles cibles potentielles. D'autres, pris de panique, s'étaient précipités maladroitement vers la sortie, voire par-dessus la rambarde. Encore des cibles supplémentaires. Les deux bons samaritains étaient ensuite intervenus, offrant des cibles plus faciles encore que les trois victimes elles-mêmes ne l'avaient été.

Mais il n'y avait eu que trois personnes tuées. Ces trois personnes en particulier.

L'affaire aurait du retentissement, bien sûr. Les médias allaient s'en emparer et ces meurtres occuperaient la une pendant au moins quelques jours. Mais une dizaine de personnes abattues – tuées ou blessées – auraient garanti une couverture médiatique maximale pendant des semaines.

Une information relayée dans le monde entier.

Trois morts pousseraient beaucoup de gens à éviter la patinoire. Donc le mobile concernait peut-être le Wollman Rink lui-même. Si Eve avait eu le fusil laser entre les mains et une dent contre la patinoire, elle aurait peut-être abattu la fille en rouge, voire une autre cible, mais elle s'en serait surtout prise à l'équipe de sécurité et à l'un des médecins au moins.

— Trois personnes éliminées, murmura-t-elle, les yeux toujours rivés à l'écran. Le tireur est organisé, entraîné et il devait avoir planifié tout ça à l'avance. Donc l'objectif consistait à en tuer trois. Ni plus ni moins.

Elle figea le défilement de l'image et retourna à son bureau pour étudier de nouveau les antécédents des victimes.

Quand Connors lui fit parvenir la liste des collectionneurs de New York et du New Jersey disposant d'armes enregistrées susceptibles d'avoir été utilisées, elle entama des recherches sur les vingt-huit d'entre eux, en quête d'un lien possible avec les trois victimes ou la patinoire elle-même.

Avec l'aide de plusieurs cafés supplémentaires, elle parvint à passer en revue la moitié de la liste avant que Connors réapparaisse.

— Un permis de collectionneur pour un fusil laser – quels que soient la marque, le modèle ou l'année – revient à vingt-cinq mille dollars, dit-elle.

— Je sais.

— La plupart des permis que j'ai épluchés ont été accordés à des richards. Jusqu'à maintenant, j'en ai trouvé deux qui ont été hérités d'un proche sans vérification supplémentaire. Le processus de sélection est complet mais ça ne veut pas dire qu'un criminel violent n'est pas passé entre les mailles du filet.

— Un problème dans tous les domaines de la vie, commenta Connors.

Plutôt que de se servir un café, il opta pour deux doigts de whisky.

— J'ai ta liste d'immeubles.

— Déjà ?

— Le plus long a été de concevoir un programme qui tienne compte de tous tes critères. Après ça...

Il haussa les épaules et but une gorgée.

— Tu as conçu un programme ?

La moitié du temps, Eve était à peine capable d'en utiliser un sans s'arracher les cheveux.

— Oui. Une expérience intéressante.

— C'est pratique d'avoir un geek sous la main. Tu as la liste des bâtiments potentiels ?

— Absolument. Mais j'ai pensé que tu aimerais avoir un visuel. Quand ton bureau sera rénové, on pourra faire ça par hologrammes mais pour l'instant...

Il posa son whisky, fit signe à Eve de se lever, prit sa place et pianota sur le clavier.

Une section de Manhattan apparut à l'écran.

— Nous sommes dans le cadre que tu m'as donné, qui s'étend de la scène de crime au fleuve, avec les rues au nord et au sud. Et ici...

Il appuya sur quelques touches supplémentaires et les immeubles disparurent progressivement.

— D'accord, d'accord, je vois. On élimine tous les bâtiments de haute sécurité. Excellent.

— Et les immeubles de moins de trois étages.

— Oui. Donc ceux qui restent constituent une cachette potentielle pour le tueur. Je vais avoir besoin...

— Ce n'est pas tout.

En agissant rapidement, et parce qu'elle était concentrée sur l'écran, il avait réussi à l'attirer sur ses genoux avant qu'elle puisse protester.

— Je travaille, champion, dit-elle.

— Moi aussi. Ce que tu vois ici sont les immeubles offrant une ligne de mire raisonnablement dégagée vers les cibles. Mais...

Tout en gardant un bras autour de la taille d'Eve, il actionna des commandes supplémentaires. Plusieurs autres constructions s'effacèrent.

— J'ai éliminé ceux qui disposent de mesures de sécurité correctes ou élevées. Tu auras peut-être besoin de les réintégrer à un moment, car il y a toujours moyen de contourner des mesures de sécurité, mais pour le moment ceux qui restent sont les bâtiments qui en sont totalement ou quasiment dénués. Appartements, hôtels moyens de gamme, immeubles de studettes, logements à bas prix, un ou deux studios pour la danse, les arts plastiques et autres, et deux espaces de bureaux à louer.

— Pourquoi prendre des risques avec un lieu sécurisé quand d'autres ne le sont pas ? Mais oui, gardons-les sous le coude au cas où aucune autre piste ne se dessinerait. Si tu me laissais...

— Je n'ai pas fini.

La pression d'une touche fit apparaître de fines lignes rouges et bleues.

— Le bleu indique les trajectoires possibles, depuis les fenêtres ou les toits de ces bâtiments. Le rouge représente les plus hautes probabilités, encore une fois en prenant en compte ta théorie et celle de Lowenbaum, des tirs venus de l'est depuis un immeuble peu sécurisé.

Eve fit mine de se lever pour y regarder de plus près mais Connors la retint. Tout compte fait, elle décida de s'abandonner entre ses bras.

— Le programme contient un algorithme qui exploite ta vidéo de la scène de crime, avec les calculs intégrés pour la vitesse du vent, la température, la vélocité et l'angle probables du tir et... tout plein d'autres trucs mathématiques que tu n'aurais pas envie que je détaille.

— Tu as conçu un programme qui prend en compte les variables en conjonction avec les données connues et nous fournit des probabilités sous forme visuelle.

— En termes simples, c'est un bon résumé.

— Là, ton côté geek n'est plus simplement pratique, ça confine au génie.

— Ma modestie ne m'empêche pas d'être d'accord. Pour être honnête, c'était très intéressant de bosser là-dessus.

Cela faisait beaucoup de bâtiments. Un sacré paquet même, se dit Eve. Mais nettement moins que ce qu'elle envisageait deux heures plus tôt.

Elle lui passa un bras autour du cou et pivota de manière à pouvoir le regarder.

— Je parie que ce ne sera pas gratuit, dit-elle.

— Ma chère, ta gratitude constitue le seul paiement dont j'ai besoin.

— Ça et du sexe.

— L'un ne va pas sans l'autre, répondit Connors en souriant avant de l'embrasser.

— Le service fourni mérite effectivement toute ma gratitude, dit-elle.

Pour l'heure, cependant, elle pivota de nouveau vers l'écran pour examiner l'image.

— Et si on veut voir tous les immeubles à haute probabilité qui disposent également de panneaux occultants, en standard ?

— Ah, maligne que tu es. Le tireur n'aura pas voulu qu'un passant ou un touriste ébahi armé d'un appareil photo l'aperçoive à la fenêtre, son arme à la main.

— Et des fenêtres qui s'ouvrent. Pourquoi tirer à travers une vitre, ou devoir découper le verre ? À moins que notre TSLD n'utilise son propre bureau ou la fenêtre de son domicile. Mais ça constituerait une piste que la police risquerait de remonter.

— Donne-moi une minute. Non, reste assise, je peux bosser en te gardant sur mes genoux, dit-il alors qu'elle s'apprêtait à se lever. Même si ton futur centre de contrôle simplifiera aussi ce genre de choses.

Il programma manuellement les nouveaux paramètres, avec une aisance et une rapidité qu'Eve ne comprendrait jamais, puis commanda à l'ordinateur d'afficher les nouveaux résultats.

— Ça en élimine cinq de plus, ou peut-être six. Combien de... ?

— Attends. Ordinateur, divise l'écran avec les données identifiantes sur l'affichage actuel.

— *Bien reçu. Analyse...*

— Alors je pourrai faire ça de manière holographique ?

— Absolument. Ou en tout cas je le ferai pour toi jusqu'à ce que tu maîtrises l'outil.

— Je sais utiliser les hologrammes, répliqua Eve. « Plus ou moins. »

— Même avec cette installation, précisa-t-elle.

— Ce sera plus simple et plus évolué que ce que tu peux faire d'ici ou, selon moi, au Central. Et voilà le résultat.

S'affichaient à présent les adresses et les types d'immeubles. Pour chaque adresse étaient mentionnés les étages correspondants aux critères. Le total se montait à vingt-trois bâtiments.

— Vingt-trois, c'est gérable, dit-elle. Et si ça me conduit vers la cachette de notre tireur, tu auras droit à un témoignage de ma plus grande gratitude.

— Qui impliquera des costumes et des accessoires ?

Eve leva les yeux au ciel.

— On verra. Pour l'instant, ça ne m'a encore menée nulle part.

— Peut-être pourrais-je avoir une petite avance ? souffla-t-il en lui mordillant la nuque.

— Arrête de penser au sexe.

— C'est au-delà de mes capacités de programmeur. Mais en attendant de recevoir le paiement qui m'est dû, je te dirai de croiser les autorisations de possession d'arme, et les victimes, avec les vingt-trois bâtiments.

— Tout à fait. Avant de faire ça, laisse-moi te poser une question : imagine que tu es un TSLD. Organisé, entraîné, maître de lui-même.

— Tu supposes qu'il est maître de lui-même ?

— Il n'y a que trois victimes. Alors que des dizaines d'autres auraient littéralement pu être tuées ou blessées, ce qui aurait causé un impact d'autant plus grand et généré un frisson d'autant plus fort.

En admettant que l'impact et le frisson constituent ses mobiles. Donc, oui, je l'imagine maître de lui-même. Que ces trois victimes, ou certaines d'entre elles seulement, soient ou non spécifiquement visées, est-ce que tu te servirais de ton propre domicile – ton appartement, éventuellement ton bureau – comme poste de tir ?

— Question intéressante.

Il reprit son verre de whisky pour réfléchir.

— L'avantage serait lié au temps. Tu aurais tout le temps du monde pour observer la zone visée depuis un tel emplacement. Intimité totale garantie et la possibilité d'opérer des frappes d'essai depuis la position en question.

— Hmm... Je n'avais pas encore pensé à ce dernier point mais c'est juste. L'occasion de répéter l'attaque dans les conditions exactement identiques. Ça compte. Inconvénients ?

— Des flics malins – comme mon flic préféré – qui mèneraient ensuite diligemment l'enquête sur les emplacements potentiels. Avec le risque que le flic malin fasse ensuite le lien. Pour ce qui est d'un bureau... Cela impliquerait la présence d'autres personnes travaillant sur place, au minimum un assistant, une équipe de ménage, et ainsi de suite. Si c'est son domicile... Est-ce que ton tueur vit seul, ou est-ce que la ou les personnes avec qui il habite partagent son envie de tuer ?

» Je serais plus enclin à louer un endroit sous une fausse identité. Ça demande du travail, ajouta-t-il, mais ça en vaudrait la peine. Bureaux à louer, petit appartement, chambre d'hôtel. Que j'abandonnerais une fois mon forfait commis.

Eve hocha la tête. Ses propres réflexions avaient suivi un cheminement semblable.

— Pareil, dit-elle. On ne peut pas écarter l'autre possibilité mais je ferais comme toi. J'échangerais les aspects pratiques d'une opération menée depuis chez moi pour le risque moindre à employer un espace temporaire. Hôtels, espaces de travail ou de vie loués dans les six derniers mois. Il est maître de lui-même mais je ne l'imagine pas louer un endroit pour plus longtemps que ça. Bien.

Connors la maintint en place pendant quelques secondes de plus avant de la libérer.

— Pourquoi tu ne t'occupes pas de la recherche croisée, proposa-t-il. Je ferai le reste.

Elle se leva et il l'imita, mais elle se tourna vers lui.

— Une fois qu'on aura réaménagé le bureau, tu pourras travailler ici sur ce genre de choses, si tu préfères. Ne plus faire des trucs de flic dans ton espace personnel.

— Les trucs de flic ne me dérangent pas.

— Je sais. Et j'en tiendrai compte au moment de montrer ma gratitude. Je me pencherai de nouveau sur les propositions d'aménagement dès que j'aurai terminé, pour en choisir une.

— Si l'une d'elles te convient.

— Oui, si l'une d'elles me convient.

Elle reprit possession de son bureau, en solo cette fois, et lança la recherche croisée. Pendant que l'ordinateur travaillait, elle parvint à trouver comment envoyer à Peabody le programme compliqué que Connors avait écrit et fait fonctionner en moins de deux heures.

Elle imagina que McNab, en bon geek lui aussi, ferait une danse de la joie en le voyant.

Après avoir mis son rapport à jour, elle se rendit à la cuisine pour se programmer un nouveau café. Elle se souvint alors que cet espace aussi changerait.

« Pas la peine de t'accrocher aux vieux trucs du passé », se dit-elle.

D'autant qu'en réalité même les trucs du passé avaient changé puisque Mavis et Leonardo occupaient à présent son ancien logement.

Il ne subsistait plus rien là-bas de l'appartement de flic spartiate dans lequel elle avait vécu. Pas avec toutes ces couleurs et ce désordre, pas avec la petite.

La petite.

L'image de Bella lui rappela la fête. Elle devait se rendre à la fête d'anniversaire du bébé, à laquelle participeraient sans doute d'autres bébés. À ramper et marcher comme de minuscules ivrognes en émettant leurs bruits bizarres. Et à la contempler avec leurs regards fixes de poupées.

Pourquoi faisaient-ils ça ?

Elle chassa cette pensée, récupéra son café et retourna à son affaire de meurtre.

Un message de Connors lui parvint quelques instants avant que lui-même revienne.

— Les hôtels, y compris un qui loue des studettes, et plusieurs appartements loués durant les six derniers mois. J'ai mis ceux qui ont été loués à des familles avec enfants et les bureaux partagés ou avec plus de trois employés en bas de la liste.

— Tu as lancé des recherches sur les occupants ?

— C'est l'étape suivante, n'est-ce pas ?

— Oui. J'ai trouvé deux concordances, dit-elle, mais elles ne m'inspirent pas grand-chose. L'un des types ayant un permis a une tante qui habite dans l'un de ces immeubles. Mais elle se trouve en dessous de l'étage viable d'après ton analyse. Par ailleurs, il n'est passé ni par la police ni par l'armée et ne semble pas avoir la moindre formation de tireur. On vérifiera tout ça mais ce n'est pas notre homme.

Elle s'appuya contre le dossier de son siège, son café à la main, et reposa les pieds sur le bureau. Une posture qu'elle adoptait souvent pour réfléchir.

— L'autre possède un grand immeuble résidentiel sur Park Avenue et il participe à des chasses organisées. Ça ne colle pas vraiment : il n'est pas spécialement doué d'après les antécédents que j'ai trouvés, mais il a pu cacher ses vraies capacités. Par ailleurs, il vit avec sa troisième épouse, emploie une nounou à plein temps pour l'enfant qu'il a eu avec elle. Et une gouvernante à plein temps également. Pas une droïde. Quoi qu'il en soit, je te parie qu'il dispose d'un espace personnel quelque part, donc on vérifiera.

Elle laissa retomber ses pieds et se redressa.

— Aucun casier criminel pour l'un ni pour l'autre. Et je n'ai trouvé aucun lien avec la patinoire ou avec les victimes.

Il se leva et s'approcha du tableau.

— Si ces exécutions ne constituaient pas sa seule mission, il frappera de nouveau, et sous peu. Trois tirs, trois morts. Une trop belle réussite pour ne pas recommencer. Pas à la patinoire, c'est du passé maintenant. À moins que tout tourne autour de cet endroit.

— Mais tu estimes – et je suis d'accord – que si c'était à propos de la patinoire, il y aurait plus de trois photos d'identité sur ton tableau.

— Oui, c'est ce que je me dis. Un autre lieu public, une autre série de frappes. Si c'est son plan, alors il a déjà sélectionné le lieu, fait les repérages et trouvé sa cachette. N'importe qui, n'importe où, à n'importe quel moment. C'est lui qui a les cartes en main.

— Tu en as quelques-unes dans ta manche, toi aussi.

— Mais je n'en ajouterai pas d'autres ce soir, pas avec ce que nous avons là. Morris et Berenski m'en fourniront peut-être demain. Peabody et McNab travaillent de leur côté. Je demanderai aussi à Mira d'établir un profil psychologique pour voir si ça affine un peu les choses. Ce n'est pas un tueur à gages professionnel.

Elle contempla de nouveau le tableau, les yeux plissés.

— Un pro n'abattrait pas trois cibles sans lien entre elles, or il n'y en a aucun. Correction : un pro en activité ne ferait pas ça. On pourrait avoir affaire à un pro qui débloque. Mais il ne s'agissait pas d'un assassinat commandité. En tout cas c'est peu probable. Bon, le client pourrait éventuellement avoir payé pour trois meurtres, dont deux servant de couverture. Une possibilité à ne pas écarter.

— Vous tournez en rond, lieutenant.

— Oui, oui, je sais...

Elle consacra un dernier regard appuyé à la fille en rouge. Comme Connors l'avait dit, l'image de la jeune femme vous hantait.

— Bon. Remontre-moi un peu les propositions de réaménagement.

— Tu n'as pas à t'en occuper ce soir.

— Ça va me trotter dans la tête jusqu'à ce que ce soit fait. Et puis ça ne peut pas être si compliqué de simplement faire un choix, si ?

— Tu es une femme d'exception, ma chérie, car non seulement tu y crois mais en plus tu en es réellement capable.

Il afficha la première maquette à l'écran.

— Je n'aime pas trop, dit Eve. Les couleurs font un peu trop fille et le mobilier est un peu... comment dire... anguleux et... sophistiqué. Si simple que ça fait chic. Je ne trouve pas le bon terme mais c'est ce que je ressens. Je veux dire, l'agencement – là où elle a placé les différents éléments – est bien mais les meubles me donneront l'impression d'être dans le bureau de quelqu'un d'autre.

— Alors on passe à la suite. Numéro deux.

Eve passa d'un pied sur l'autre en examinant le visuel. Elle se sentait bête et ingrate.

— Là, l'équipement est bien. Il n'y a pas ce côté « je suis à la pointe du design et j'assure grave ». Je pourrais travailler là sans avoir l'impression qu'un dénommé Summerset me fusillerait du regard si je mettais le bazar ou renversais quelque chose.

— Mais ?

— Eh bien, les couleurs sont marquées. Ce qui peut être bien, j'imagine, mais c'est un peu ostentatoire. Et ça peut nuire à la concentration.

— Et celle-ci ? demanda Connors en affichant la troisième option.

Eve ignorait par quels noms probablement compliqués les architectes d'intérieur désignaient ces couleurs. Probablement des appellations prétentieuses comme « fauve alangui », « retraite zen » ou « bruine au chocolat ».

À ses yeux, il s'agissait de bruns, d'espèces de verts et de blancs qui n'étaient ni pétants ni lumineux.

— Oui, tu vois, là, les couleurs sont bien. C'est discret sans être girly. Rien de tape-à-l'œil. On dirait plutôt qu'elles sont là depuis un moment. Et le centre de contrôle en impose. Pas de fioritures inutiles. Par contre, le reste du mobilier ne donne pas l'impression que quelqu'un vit là.

— Essayons ça.

Il se pencha sur l'ordinateur d'Eve et composa un code. Le deuxième visuel apparut à l'écran... doté des couleurs du troisième.

— Oh. Tu peux simplement... D'accord, oui, là, c'est...

— Si tu n'es pas sûre, pas satisfaite, on attend. Je lui ferai passer ton retour et elle incorporera ce que tu aimes en retirant ce qui ne te plaît pas.

— C'est plutôt que... Ça me plaît. Ça me plaît vraiment et je ne m'y attendais pas. Le mobilier ne paraît plus, disons, aussi snob dans ces tons-là qu'avec les coloris pétants de départ. Ça fait plus... vrai, je dirais. J'aime bien. Je comptais me contenter de la moins pire des propositions. Mais ça me plaît. C'est efficace, ni chargé ni bizarre.

Elle se tourna vers lui, sincèrement étonnée.

— Ça me plaît, répéta-t-elle. Waouh, ma démonstration de gratitude va être carrément torride.

— C'est mon vœu le plus cher.

Debout à côté d'Eve, il examina l'image qu'elle avait choisie et eut la satisfaction de constater qu'elle lui plaisait beaucoup également. Pourtant...

— Est-ce que tu veux prendre quelques jours pour y réfléchir, faire les changements qui pourraient te venir à l'esprit ?

— Non. Vraiment pas. Ça me rendrait dingue. Démarrons directement là-dessus. Par contre, pas question de mettre le bureau sens dessus dessous et d'avoir des ouvriers dans les pattes pendant que je travaille sur cette enquête.

— Laisse-moi m'en charger, dit-il.

Il se tourna vers elle, la prit par les épaules et lui déposa un baiser sur le front.

— Ce sera une bonne chose pour nous deux, assura-t-il.

— J'en ai bien conscience. Le bureau ne me manquera pas. Je me souviens de ce que j'ai ressenti la première fois que tu m'as amenée ici, quand j'ai vu ce que tu avais fait pour moi. Ça ne changera pas.

— La raison pour laquelle j'ai fait ça pour toi ne change pas non plus.

Il lui passa un bras autour de la taille pour la guider vers la sortie.

— Avec un peu de chance, tu te souviens de ce que tu as ressenti la première fois que je t'ai emmenée dans la chambre à coucher.

— C'est gravé au fer rouge.

— Tant mieux, car elle aura des propositions pour la chambre à nous montrer d'ici un jour ou deux.

— Tu étais sérieux à ce sujet ?

— Absolument.

— Mais la chambre...

— Est à nous, mais c'est moi qui l'ai conçue. À présent, elle nous reflétera tous les deux : nos besoins, nos envies, nos goûts.

— Nous n'avons pas les mêmes goûts, pas tout à fait. Je ne sais même pas vraiment si j'ai des goûts précis.

— Tu sais ce que tu aimes et ce que tu n'aimes pas. Et ce sera intéressant de voir comment tout cela se combine, non ? Tout comme pour ton bureau, il faudra que cela te convienne. Et à moi également, ce qui signifie que nous y passerons peut-être un peu plus que les deux minutes qu'il t'a fallu pour choisir le design de ton nouveau bureau.

Cela ne prendrait pas deux minutes, non, pas en prenant en compte l'avis de Connors.

— Est-ce qu'on va se disputer pour des questions, genre, de choix de tissu ?

— J'en doute sincèrement. Mais si c'est le cas, je suis certain que nous nous rabibocherons sur la nouvelle literie que nous aurons choisie ensemble.

Eve entra dans la chambre, songeuse. Elle contempla l'énorme lit sur sa plate-forme sous le vasistas.

Elle n'arrivait pas à imaginer quelque chose qui lui convienne mieux.

— J'aime notre literie telle qu'elle est.

— Et nous finirons peut-être par concevoir le reste autour d'elle, mais dans le cas contraire, nous devrions lui dire adieu, comme nous l'avons fait avec ton bureau. Par avance.

— Te connaissant, on aura fait cinquante parties de galipettes sur ce lit avant qu'il dégage.

— Tu n'as qu'à voir ça comme un hommage à Adam et Eve, répondit-il en la soulevant dans ses bras.

Il était difficile de rire et protester en même temps. Elle se laissa faire et, une fois retombée sur le lit, enroula ses jambes encore bottées autour de lui.

— Je ne suis pas vraiment en tenue d'Eve, fit-elle remarquer.

— Ça peut s'arranger. Dans un instant, ajouta-t-il avant de s'emparer de sa bouche.

C'était la récompense à la fin d'une journée aussi longue que difficile. Connors pressa son corps contre le sien, sa bouche magique provoquant en elle une alternance de frissons et de vagues de chaleur. Plus de pensées obscures appuyant tels des doigts ensanglantés contre la paroi de verre de son esprit, insistant pour y pénétrer. Ici, elle pouvait recevoir – et donner – de l'amour.

Elle entendit un clic quand les doigts de Connors – aussi habiles que sa bouche – détachèrent son holster. Elle se souleva de manière à ce qu'il puisse le lui retirer et le jeter sur le côté.

— Vous voilà désarmée, lieutenant.

— Ce n'est pas ma seule arme.

— J'en ai bien conscience. Mais j'en ai moi aussi quelques-unes.

« Tu peux le dire », songea-t-elle quand il lui mordilla le cou du bout des dents.

En guise de réponse, elle se cambra jusqu'à ce que leurs entrejambes se touchent.

— Et, comme d'habitude, la tienne est déjà chargée et prête à servir, dit-elle.

Elle sentit les lèvres de Connors s'incurver contre sa peau.

— On dirait que quelqu'un a avalé un clown.

— Et je n'ai pas l'intention de m'arrêter là, répliqua Eve.

Elle parvint à retirer ses boots sans se servir de ses mains. Les contorsions de ses hanches contre lui aiguisèrent encore leur désir. Plutôt que de lui enlever son pull, Connors passa les mains sous le tissu et les fit courir sur le débardeur qu'elle portait en dessous. Sentant ses mamelons se durcir contre le tissu moulant, il descendit pour défaire sa ceinture puis remonta pour reprendre ses seins au creux de ses paumes.

Il baissa les doigts pour défaire un bouton et lentement, très lentement, libérer la fermeture Éclair.

Il aurait pu passer des heures rien qu'à faire courir ses mains sur elle. Sur ses seins fermes et son torse élancé sous le débardeur tout simple, sur son ventre plat, ses hanches fines.

Il lui baissa un peu le pantalon, sur un ou deux centimètres, et caressa du bout du doigt l'élastique d'une culotte tout aussi simple que le débardeur.

Son flic préféré n'était pas du genre à porter des dentelles et des froufrous. Et pourtant ces sous-vêtements unis et dépouillés ne manquaient jamais de l'aguicher.

Il savait ce qui se trouvait en dessous.

Tout comme il savait qu'elle s'était détendue, qu'elle avait tout mis de côté – le sang et la mort – pour ça. Pour lui. Pour eux. Raison pour laquelle il lui donnerait tout ce qu'il avait durant ce moment suspendu à l'écart du froid et de l'obscurité.

Cette fois il lui retira son pull et son débardeur dans un même mouvement. Quand il lui prit les seins au creux des mains, elle referma les siennes sur son visage. Et sourit.

— C'est agréable.

— Agréable, hein ?

— Oui.

Elle baissa les mains afin de déboutonner la chemise de Connors.

— C'est agréable, répéta-t-elle.

— Je peux faire mieux qu'*agréable*.

— Je sais, dit-elle.

Ce qui le fit rire tandis qu'il effleurait ses lèvres du bout des siennes.

Elle aussi pouvait faire mieux mais ce rythme lent ne la dérangeait pas. Pour l'instant. C'était comme se laisser glisser dans un cocon confortable. Sous la chemise, le corps dur et discipliné de Connors était offert à ses doigts, à ses envies. Toute cette peau chaude, si chaude, et ses muscles ciselés.

Ils étaient tout à elle, se dit-elle tandis qu'il intensifiait son baiser. Un feu s'alluma sous sa peau. Les jambes de nouveau refermées autour de lui, elle se redressa de façon à inverser leurs positions. À présent à califourchon sur lui, elle se pencha vers l'avant et distribua de petits coups de dent sur ses lèvres et sa langue tout en le chevauchant jusqu'à les faire frissonner de désir.

Au moment où elle défit la ceinture de Connors, il la plaqua de nouveau sur le lit. Il la débarrassa ensuite de son pantalon, ses doigts frôlant le petit pistolet de secours attaché à sa cheville. La présence de l'arme ajoutait une dose d'excitation et de danger.

Il la laissa en place et employa de nouveau sa bouche et ses mains à faire tourner la tête d'Eve.

Elle poussa des cris, s'agita sur le lit comme la langue de Connors balayait son corps et s'enfonçait en elle. Elle crispa ses doigts dans les draps puis griffa le dos de Connors qui la poussait toujours plus haut vers le septième ciel.

L'orgasme la transperça, décharge vive et violente de plaisir qui laissa son esprit vacillant. Puis vinrent les répliques qui firent trembler son corps, son être, tandis que Connors la poussait de nouveau vers le plaisir.

Haletante, tâtonnante, elle l'attira à elle et ils roulèrent ensemble sur l'étendue bleue du lit tandis qu'elle se démenait pour lui retirer le reste de ses vêtements.

Lorsqu'il plongea en elle, le monde trembla.

La bouche de Connors – Dieu qu'elle aimait sa bouche ! – s'empara de nouveau de la sienne avec toute l'ardeur d'un homme affamé. Puis il prit possession d'elle, ils prirent possession l'un de l'autre, de leurs mains jointes, de leurs corps plaqués l'un contre l'autre. Leur plaisir enfla, enfla, jusqu'à la limite, prêt à exploser.

Eve jouit de nouveau, incapable de distinguer autre chose que les yeux d'un bleu sauvage de Connors.

Après un long moment où ils restèrent étendus, inertes, tels les rescapés d'un naufrage brutal, il tourna la tête de manière à pouvoir lui effleurer la gorge du bout des lèvres.

— Agréable, non ?

— Disons que ça ne m'a pas déplu. Ma dette de gratitude ?

— Entièrement remboursée.

— Ça alors. Et sans déguisements ni accessoires.

— Tu as toujours ton pistolet de secours.

Elle ouvrit brusquement les paupières.

— Quoi ?

— Et ça ne m'a pas déplu.

Avec un grognement, il roula à l'écart d'Eve et s'assit sur le lit. Il fit courir son regard sur sa silhouette étendue sur les draps, nue à l'exception du gros diamant autour de son cou et de l'arme accrochée à sa cheville.

— Et je ne dirais pas non à l'idée de recommencer.

— Les hommes sont vraiment tordus.

Il se contenta de sourire puis se leva pour aller chercher une bouteille d'eau. Il but puis la lui proposa.

— Il faut t'hydrater.

Elle se redressa sur un coude et but à son tour. Mais lorsqu'elle tendit la main vers son pistolet de secours, il lui saisit les poignets.

— Pas encore, dit-il.

— Je ne vais pas dormir avec mon arme.

— Qui parle de dormir ?

Il tendit le bras pour récupérer le harnais d'Eve. Il fit mine de le lui enfiler mais elle le repoussa des deux mains.

— Qu'est-ce que tu fabriques ?

— Laisse-moi juste satisfaire ma curiosité.

Avec des gestes rapides et précis, il referma les boucles du harnais puis s'écarta de nouveau du lit pour la regarder longuement.

Redressée sur les coudes, une expression merveilleusement déconcertée sur le visage, ses yeux encore vitreux à la suite de ses orgasmes, elle sentait s'accélérer les pulsations de son cœur.

Et ainsi équipée, une arme à sa cheville et une autre passée sur les épaules de ce corps svelte de guerrière, elle accélérait les pulsations d'un tout autre organe.

— Oui, j'avais souvent imaginé cette scène.

— Tu m'imaginais munie de mes armes mais sans haut ? Sans pantalon ?

— Je constate que même mon exceptionnelle imagination n'était pas au niveau. Donc, chère lieutenant...

La perplexité d'Eve se changea en stupeur quand il s'installa à califourchon sur elle.

— Tu plaisantes, n'est-ce pas ?

— Au contraire, je suis on ne peut plus sérieux.

— Tu ne peux pas être déjà...

Elle baissa les yeux et vit qu'il pouvait tout à fait.

— Comment fais-tu ça ? demanda-t-elle.

— J'imagine qu'il y a un lien avec mon côté tordu.

Lorsqu'il s'enfonça en elle, elle poussa un cri et jouit instantanément.

— Oh, mon Dieu !

— Je veux te regarder, mon flic bien armé, dit-il en allant et venant avec force. Te contempler pendant que je te prends, encore et encore, jusqu'à ce que nous soyons vidés tous les deux.

Il la prit lentement au cœur de l'obscurité, noyant son corps sous un flot de sensations, jusqu'à la saturation. Il abattit toutes ses défenses et l'emmena jusqu'au point où cela n'avait plus la moindre importance. Elle s'abandonna tout entière à ces ténèbres vertigineuses, le corps flasque mais pas encore rassasié.

Il la fit sienne dans le noir, jusqu'à ce qu'elle soit vidée, jusqu'à ce qu'il s'abandonne à son tour et se laisse aller en elle.

3

Eve s'éveilla lentement, par paliers, comme si elle avait été droguée. Une fois son cerveau suffisamment réveillé pour faire fonctionner ses paupières, elle les ouvrit. Son nez, lui, n'avait pas attendu ce moment pour capter l'odeur du café.

Connors sirotait sa tasse, assis sur le sofa du coin détente, une tablette à la main, le cours matinal des actions en bourse défilant sur l'écran mural.

Il portait déjà ses habits de souverain du monde des affaires. Un costume gris foncé, en l'occurrence, par-dessus une chemise quelques nuances plus claires, avec une cravate nouée à la perfection qui reprenait le gris sous la forme de fines rayures sur un fond bleu marine.

Constatant que ses bottines étaient exactement de la même couleur que le costume, Eve supposa que celui-ci avait été conçu spécialement pour lui, ou l'inverse. Elle songea qu'il portait sans doute aussi des chaussettes assorties.

Et même s'il était un peu moins de 6 heures, elle était prête à parier qu'il avait déjà négocié quelques accords commerciaux ou pris des décisions et donné des ordres destinés à plusieurs pays étrangers et autres projets hors-planète.

Elle, par contre, dut rassembler toute sa volonté pour se redresser et se résoudre à sortir du lit, le tout sans gémir.

— Bonjour, ma chérie.

Elle émit un grognement – c'était le mieux qu'elle puisse faire – et tituba jusqu'à l'autochef pour un café régénérant puis, après l'avoir vidé d'un trait, se dirigea maladroitement vers la salle de bains et la douche.

— Jets à puissance maxi, trente-huit degrés.

Elle engloutit un second café pendant que la merveilleuse caféine et les jets d'eau chaude œuvraient à finir de la ranimer.

Si la bonne marche du monde en dépendait, peut-être pourrait-elle envisager de revenir un jour à toutes ces années de faux café et de filets d'eau façon jet d'urine sous la douche.

Peut-être.

Sans doute était-ce une bonne chose, ceci dit, qu'elle ne soit pas responsable de la bonne marche du monde mais seulement d'un meurtre commis à New York. Puis elle songea que si elle était en mesure de se lancer dans de telles réflexions philosophiques, elle devait être bel et bien réveillée.

Dix minutes plus tard, elle émergea de la salle de bains vêtue de son peignoir, avec l'impression d'être redevenue humaine. Elle constata que Connors avait disposé deux assiettes sous cloche et une carafe de café sur la table. Cet homme, comme il l'avait prouvé en d'innombrables occasions et d'innombrables manières, travaillait à la vitesse de l'éclair.

Il abaissa sa tablette aussitôt et la referma avec un empressement qui mit légèrement en alerte l'instinct de flic d'Eve.

— Qu'est-ce qu'il y a sur la tablette ? demanda-t-elle en s'approchant pour se joindre à lui.

— Ma tablette ? Beaucoup de choses.

Elle lui fit un signe du doigt tout en se versant du café.

— Montre un peu, mon pote.

— Ça pourrait être une photo licencieuse de mon amante secrète, Angelique.

— Oui, oui. On la mettra sous verre avec un cliché de mes amants, Julio et Raoul, les jumeaux du sexe. En attendant...

Dans une tentative pour gagner du temps, il souleva les cloches au-dessus des assiettes, ce qui détourna brièvement son attention.

Du porridge. Elle aurait dû s'en douter. Au moins avait-il disposé autour des tranches de bacon, une portion d'œufs brouillés qui semblaient garnis de fromage, et il y avait un petit ramequin de baies et un autre de sucre brun. Du vrai sucre.

Mais quand même...

— Voilà qui devrait nous permettre à tous les deux de bien commencer la journée, dit-il.

— Ta journée a commencé il y a facilement deux heures.

— Pas ma journée avec toi.

— Hmm.

Elle s'attaqua en premier au bacon et vit s'agiter les moustaches de Galahad qui se rapprochait de la table d'un air faussement décontracté.

— Tablette, ordonna-t-elle.

Connors décocha d'abord à Galahad un regard qui poussa le chat à s'asseoir pour entamer une toilette vigoureuse.

— Charmaine m'a envoyé sa première maquette du design pour la chambre, hier soir tard semble-t-il. Pendant que nous étions occupés à autre chose. Elle souhaite simplement savoir si elle est partie dans la bonne direction. Je ne pensais pas que tu voudrais t'y intéresser si tôt dans le projet, ni même y réfléchir.

Eve se contenta d'un nouvel appel du doigt tout en ajoutant de grosses cuillerées de sucre brun et de baies à son porridge.

— Je vais l'afficher sur l'écran mural, dit Connors.

Il fit courir ses doigts sur la tablette. Le défilement des symboles boursiers incompréhensibles cessa, remplacé par la proposition de Charmaine.

Eve se mit à manger tout en l'examinant, sourcils froncés.

— Déjà, ces espèces de rideaux sont trop sophistiqués. Ça fait trop... comment dire... trop royal ou je ne sais quoi.

— Je suis d'accord.

— Je crois que j'aime surtout la manière dont elle a aménagé cette zone. Le canapé offre plus de place mais il est...

— Trop chargé. En fait, j'en ai repéré un qui me plaît dans le catalogue de Sotheby's. Je vous enverrai l'info à toutes les deux et on verra. Et le lit proprement dit ? demanda-t-il.

« Chargé » semblait également être le bon terme pour le décrire. Et « massif », avec quatre montants hauts et robustes, une grande tête de lit et un long pied de lit tous deux décorés de motifs celtiques. Le tout sculpté dans un bois sombre, riche et vernis qui semblait ancien... et pompeux.

Et pourtant...

— Je...

— Si ça ne te plaît pas...

— C'est le truc. Ça me plaît. Beaucoup. Je ne sais pas pourquoi. Il n'a rien de simple et je m'étais dit que je te convaincrais de choisir un mobilier épuré. Mais... Tu sais qu'en général je ne m'intéresse pas à ce genre de choses mais, waouh, ça, c'est un lit. Où a-t-elle dégoté ça ?

— C'est moi qui l'ai trouvé, il y a plusieurs mois. Il est dans un garde-meuble car je l'ai acheté sur un coup de tête puis j'ai pris conscience que tu préférerais sans doute quelque chose de plus simple.

Il reprit sa tasse pendant qu'Eve continuait d'examiner l'image.

— Il y a une histoire derrière ce lit, si jamais tu veux l'entendre.

— Vas-y.

— Eh bien... Il était une fois un Irlandais doté d'un certain statut social et d'une belle fortune qui fit construire ce meuble comme son lit conjugal, alors même qu'il n'avait pas encore trouvé sa future épouse.

— Un optimiste.

— On peut dire ça. Au moment où l'ouvrage fut terminé et installé dans son manoir, il était toujours célibataire. Il fit donc fermer la chambre où se trouvait le lit. Les années passèrent. Il n'était plus jeune, il ne croyait plus trouver la femme qu'il attendait pour partager avec lui ce lit, sa vie, son foyer et la famille qu'il avait rêvé de fonder.

— Ce lit n'a pas l'air de porter chance.

— Eh bien, attends la suite. Un jour, alors qu'il se baladait dans la forêt de sa propriété, il aperçut une femme assise au bord de la rivière. Ce n'était pas la jeune beauté qu'il s'imaginait épouser bien des années plus tôt mais une femme agréable qui charmait son esprit. Une femme qui habitait une jolie chaumière non loin du manoir.

Eve prit une nouvelle cuillerée de porridge sucré et garni de fruits, songeuse.

— Il aurait dû la croiser auparavant. Franchement, combien de gens habitaient dans le coin et...

— Et pourtant il ne l'avait pas croisée aupara-vant, si ?

— Peut-être que s'il sortait un peu plus souvent pour arpenter ses propres terres il se serait trouvé une épouse.

Connors secoua la tête et goûta ses œufs brouillés.

— Peut-être cela devait-il arriver à ce moment et cet endroit précis. Quoi qu'il en soit, reprit-il avant qu'Eve puisse de nouveau l'interrompre pour récla-mer plus de logique, ils se rencontrèrent et discu-tèrent. Et prirent l'habitude de marcher ensemble de temps à autre durant le printemps et l'été qui suivirent. Il apprit qu'elle s'était retrouvée veuve un mois à peine après avoir épousé un jeune homme et ne s'était jamais remariée. Ils discutaient de son jardin à elle, de ses affaires à lui, et des ragots et histoires politiques du moment.

— Et ils tombèrent amoureux et vécurent heureux pour le restant de leurs jours.

Connors la gratifia du regard qu'il lançait souvent à Galahad.

— Ils forgèrent une amitié, une belle et forte amitié. L'idée d'un amour ne vint jamais à l'homme pendant cette année, car il était convaincu que ce temps-là était révolu pour lui. Mais il appréciait cette femme, sa personne, son esprit, ses manières, son humour. Alors il le lui dit et lui demanda si elle voulait l'épouser, afin qu'ils se tiennent compagnie pour le restant de leurs jours. Lorsqu'elle donna son accord, il s'en réjouit mais ne songea pas à faire ouvrir la chambre et utiliser le lit qu'il avait autrefois fait fabriquer.

» Ce fut pourtant dans cette chambre qu'elle le conduisit le soir de leur nuit de noces. Le lit cha-toyait sous le clair de lune et le printemps – un nou-veau printemps – entrait par les fenêtres. Les draps étaient blancs et fraîchement lavés, des fleurs du jardin de la femme disposés dans des vases, des bougies allumées. Alors il vit en elle l'épouse qu'il avait autrefois imaginée. Pas la jeune beauté mais la femme, la substance, la constance, l'esprit et la bonté. Et dans ce lit de mariage, l'amitié forte et vraie se changea en amour fort et vrai. On dit qu'à présent ceux qui partageront ce lit connaîtront la même chose.

Une jolie histoire. Complètement fausse, évidemment, mais jolie. Eve hocha donc la tête.

— On garde ce lit, c'est sûr, dit-elle.

Elle s'aperçut alors qu'elle avait avalé toute l'assiette de cet affreux porridge sans y penser.

— C'est quoi, cette couleur ? Le dessus-de-lit ?

— Bronze, avec des reflets de cuivre.

Elle acquiesça de nouveau tout en terminant son bacon.

— Ça me rappelle le tissu et la couleur de ma robe de mariée.

— Parce que c'est le cas.

— Nigaud.

— Nigaud et tordu, je te rappelle.

— J'aime la couleur, et le lit, donc c'est un bon début.

— Moi aussi. Je dirai à Charmaine de travailler à partir de ça.

— Ça me va.

Eve se leva et se dirigea vers son dressing.

— Il va faire plus froid aujourd'hui, la prévint-il. Avec de forts risques de pluie glacée d'ici à cet après-midi.

— Chouette… commenta Eve.

Elle repassa la tête au-dehors.

— Pourquoi on dit « chouette » et pas « hibou », « buse » ou « coucou » ?

Il la dévisagea, sa chère épouse cynique et souvent littérale. Puis il eut un simple haussement d'épaules.

— Je n'y ai jamais réfléchi, je ne saurais pas te dire.

— Exactement.

Elle disparut de nouveau à l'intérieur du dressing.

— Je vais d'abord passer à la morgue, puis au labo. Il faut que je fasse appel à Dickhead. Apparemment c'est lui, l'expert en laser.

Elle sélectionna un pull vert foncé et un épais pantalon marron. Au moment de récupérer une veste, elle songea que si elle se trompait dans son choix, Connors se lèverait pour lui en trouver une autre. Elle prit donc une minute, puis deux, pour examiner les options qui s'offraient à elle.

Pourquoi avait-elle autant de vêtements ? Pourquoi avait-elle l'impression que les choix se faisaient plus nombreux à chaque nouveau passage dans le dressing ?

À sa propre surprise, elle mit la main sur une veste d'un marron quelques nuances plus sombres que celui de son pantalon et rehaussé de discrets motifs vert foncé. Elle s'empara ensuite d'une paire de boots et d'une ceinture et considéra qu'elle avait terminé.

— Je passerai le plus gros de la journée dans Midtown, lui dit-il quand elle ressortit pour s'habiller. Je vais visiter An Didean cet après-midi.

Eve repensa au refuge pour adolescents qu'il avait fait construire.

— Comment ça avance ? demanda-t-elle.

— On verra ça durant la visite, mais tout se passe très bien. Nous devrions pouvoir accueillir des pensionnaires d'ici avril.

— Bien.

Elle boucla son harnais, passa la veste par-dessus puis s'assit pour enfiler les boots... et croisa le regard de Connors.

— Quoi ? Qu'est-ce qui cloche dans mes vêtements, cette fois ?

— Absolument rien. Ton look est impeccable et
tu as totalement l'air d'un flic.

— Je suis totalement flic.

— Précisément. Mon flic préféré, d'ailleurs. Donc
fais attention à toi.

Il termina son café, tranquillement assis, le chat
étalé au sol près de lui. Et il lui sourit, de cette
manière si particulière...

Elle marcha vers lui, lui prit le visage entre ses
mains et l'embrassa.

— On se retrouve ce soir, dit Eve.

— Allez capturer les méchants, lieutenant. Mais
soyez prudente.

— C'est l'idée.

Sur le poteau de l'escalier, elle récupéra son manteau, le bonnet au flocon auquel elle s'était étrange-
ment attachée, une écharpe fabriquée par Peabody
et une paire de gants neufs.

Sa voiture l'attendait dehors, moteur allumé.

Elle lança un dernier regard vers la chaleur et
le confort de son foyer puis prit la direction de la
morgue et des morts qu'elle abritait.

Les pluies mentionnées par Connors n'attendirent
pas l'après-midi mais se mirent à tomber, mélange de
neige fondue et de petits morceaux de glace friable,
alors qu'elle se frayait un chemin vers le centre-ville.

Cela n'empêchait pas les dirigeables publicitaires
de vanter leurs tenues de croisière, les ventes de
blanc et autres soldes avant inventaire, mais les
pluies ralentissaient les maxibus déjà patauds jusqu'à
une allure d'escargot. Et puisque l'idée même de
précipitations hivernales faisait perdre à la majo-
rité des conducteurs le peu d'habileté dont ils dis-
posaient, elle passa l'essentiel du trajet à esquiver,

sauter par-dessus et maudire chaque taxi et autre banlieusard qui se rendait au boulot.

Le long tunnel blanc menant chez les morts lui apporta un certain soulagement, même quand, passant devant une porte ouverte, elle entendit quelqu'un glousser bêtement. Selon Eve, les gloussements n'avaient pas leur place dans ce lieu dédié aux défunts. Un petit rire retenu, à l'occasion, peut-être. Mais un gloussement était franchement déplacé.

Elle poussa les portes de la salle d'autopsie et s'avança dans l'air frais traversé de discrets filets de musique classique.

Les trois victimes gisaient sur des tables d'examen, presque côte à côte.

Morris avait passé une cape protectrice par-dessus son costume gris acier. Il portait une chemise bleu roi qui reprenait les lignes ultrafines de sa veste et avait tressé une cordelette de la même couleur au sein de la natte complexe qui rassemblait ses cheveux foncés.

Penché sur le corps d'Ellissa Wyman, il releva la tête. Ses microlunettes lui faisaient des yeux énormes.

— Triste et froide matinée pour commencer notre journée, dit-il.

— Ça va sans doute empirer.

— C'est souvent le cas. Mais pour nos invités ici présents, le pire est passé. Si jeune, dit-il. Elle m'a fait penser à Mozart.

Relevant ses lunettes, il ordonna à l'ordinateur de baisser la musique pour n'en laisser qu'un murmure. Il avait déjà ouvert la dépouille. D'une main gantée tachée de sang, il désigna son écran.

— Elle était en bonne santé, avec une tonicité musculaire exceptionnelle. Je n'ai vu aucun signe de consommation de drogue ou d'alcool. Elle avait bu un chocolat chaud – lait de soja et substitut de cacao – accompagné d'une brioche dans l'heure précédant sa mort.

— Une petite collation avant de se lancer sur la glace. Des vendeurs proposent des viennoiseries et des boissons chaudes juste à l'entrée du parc. Elle a pu patiner un peu moins de vingt-cinq minutes avant d'être fauchée par le tir.

— Frappe au laser, au milieu du dos, qui a pratiquement sectionné la colonne vertébrale entre la T6 et la T7. Les vertèbres thoraciques.

— Oui, j'avais compris. Sectionné, vous dites ?

— Pas loin. L'arme employée dispose donc d'une grande puissance de feu. Si elle avait survécu, et en l'absence d'un traitement long, coûteux et exécuté par les meilleurs chirurgiens, elle serait devenue paraplégique. Mais étant donné l'intensité de la frappe, elle est décédée en quelques secondes.

— Le classique « morte avant de comprendre ce qui lui arrivait ».

— Exactement. Et tant mieux car même si j'ai à peine entamé l'examen de ses organes internes, j'ai constaté d'importants dommages.

Elle avait beau ne pas être spécialement fan desdits organes internes, Eve avait depuis longtemps dépassé le stade du malaise face à une autopsie. Elle accepta donc les microlunettes que lui tendait Morris pour y regarder de plus près.

— Il y a une énorme hémorragie interne, non ?

— Tout à fait. Sa rate a éclaté… de même que son foie, ajouta-t-il en pointant du doigt la balance de précision sur laquelle était posé l'organe en question.

— Ce genre de blessure est normal avec un tir de laser ?

— J'en ai déjà vu. Mais il s'agit le plus souvent de blessures infligées en zones de guerre, quand l'ennemi cherche à abattre le plus de monde possible aussi vite que possible.

— Le rayon pulse – une sorte de vibration – une fois qu'il a touché la cible, c'est bien ça ?

Eve se redressa et retira ses lunettes.

— J'en ai entendu parler, dit-elle. C'est considéré comme illégal pour les armes de la police et les armes de collection.

— Il me semble, en effet. Mais c'est Berenski le spécialiste en la matière.

— Oui, on me l'a dit. J'ai prévu de passer le voir après.

Après avoir reposé ses lunettes, Eve examina le corps de Wyman puis se tourna vers les deux autres dépouilles qui attendaient encore Morris.

— Donc quelqu'un a mis la main sur une arme militaire, ou modifié un fusil pour en faire l'équivalent d'une arme militaire. Et ce quelqu'un voulait être certain que ces trois personnes ne se relèvent pas.

— Difficile d'imaginer pourquoi qui que ce soit voudrait mettre fin aux jours de cette jeune femme. Évidemment, il s'agissait peut-être d'une garce absolue avec une liste d'ennemis longue comme le bras.

— Ça n'en a pas l'air. Une famille unie, auprès de qui elle vivait encore, des études universitaires financées par un petit boulot et une passion pour le patinage.

Tout en parlant, Eve faisait le tour du corps de la jeune fille élancée qui n'avait pas eu le temps de comprendre ce qui lui arrivait.

— Elle était toujours en bons termes avec son ancien petit ami. J'ai jeté un coup d'œil à sa chambre hier en allant annoncer la mauvaise nouvelle aux parents. Un petit côté girly mais rien d'extravagant. Pas de drogues planquées dans la chambre ni de trucs bizarres sur ses ordinateurs, même si j'attends que la DDE y regarde de plus près.

— Bref, l'existence normale d'une personne pas encore tout à fait adulte qui n'avait pas décidé ce qu'elle ferait de sa vie et pensait avoir tout le temps du monde pour le découvrir.

— C'est aussi comme ça que je le vois, dit Eve. Pour le moment, en tout cas. Sa famille va prendre contact avec vous pour voir la dépouille.

— Nous nous sommes parlé hier soir. Ils seront là en milieu de matinée. Je m'occuperai bien d'eux.

— Je n'en doute pas.

Eve détourna son regard de Wyman pour porter son attention sur les deux autres victimes.

— Si une personne en particulier était visée, je pense qu'il s'agit de la deuxième victime.

— Michaelson.

— Oui. Mais ce n'est qu'une théorie, une intuition venue des tripes. Je n'ai aucun élément de preuve pour l'étayer.

— Dans la mesure où vos tripes sont généralement fiables, et en bien meilleur état que celles de Michaelson, je garderai cette idée à l'esprit au moment de l'examiner.

— Lui a eu le temps de comprendre ce qui lui arrivait. D'après les témoins qui ont tenté de l'aider, il est resté vivant et conscient pendant une minute ou deux.

— Une ou deux minutes d'agonie douloureuse, ajouta Morris en hochant la tête. Ce qui expliquerait en partie votre intuition à son sujet.

— En partie.

— J'ai vu dans votre rapport que vous faisiez appel à l'expertise de Lowenbaum. Je lui enverrai une copie de toutes mes conclusions.

— Très bien. Sur combien d'enquête impliquant des TSLD avez-vous travaillé ?

— Celle-ci sera ma troisième… et la première en tant que légiste en chef.

Abaissant ses propres lunettes, il posa sur elle le regard amical de ses yeux en amande.

— J'ai, quoi, une dizaine d'années de plus que vous ?

— Je ne sais pas. Vous diriez ça ?

Il lui sourit, sachant qu'elle prenait grand soin – surtout pour un flic – de se tenir à l'écart des affaires personnelles et des données personnelles de ses collègues.

— En gros, ce qui fait que nous sommes un peu jeunes pour avoir de vrais souvenirs des Guerres Urbaines, à l'époque où ce genre de choses n'était que trop fréquent. La technologie qui a donné naissance aux armes employées sur ces trois personnes augmente ce que nous pourrions appeler « la science de la mise à mort ». Et les restrictions appliquées à ces armes réduisent leur accessibilité et l'utilisation que l'on peut en faire dans ce but.

— Mais tôt ou tard…

— Oui, tôt ou tard. Je n'en sais pas beaucoup sur ce type d'armement mais je vais apprendre.

Il baissa de nouveau les yeux vers Ellissa.

— Afin que nous puissions faire le maximum en son nom, et au nom des autres.

— Je vais aller voir si Dickhead en sait autant sur les fusils laser que Lowenbaum le prétend.

— Bonne chance. Oh, Garnet m'a dit que vous alliez prendre un verre.

— Quoi ? Qui ?

— DeWinter.

— Oh, DeWinter.

Le Dr DeWinter, l'anthropologue judiciaire. Intelligente... et vaguement agaçante.

— Nous sommes amis, Dallas... et rien de plus.

Eve fourra les mains dans ses poches, mal à l'aise.

— Ça ne me regarde pas, dit-elle.

— Vous m'avez soutenu quand j'ai perdu Amaryllis, et votre présence m'a aidé à traverser les jours les plus sombres de mon existence. Donc même si cela ne vous regarde pas, je comprends que vous vous en souciiez. Nous apprécions notre compagnie mutuelle, en particulier grâce à l'absence de tension sexuelle. D'ailleurs, elle, Chale et moi avons dîné ensemble hier soir.

— Le prêtre, le spécialiste des défunts et l'experte en ossements.

Il éclata de rire et Eve se détendit.

— Sacré trio, dit comme ça. Bref, elle a mentionné vous avoir convaincue d'aller prendre un verre avec elle.

— Peut-être. Un de ces quatre.

Elle le vit hausser un sourcil.

— Oui, d'accord, siffla-t-elle. Je lui suis redevable de m'avoir épargné beaucoup de paperasseries administratives. Elle vous a demandé de me faire une petite piqûre de rappel ?

Il se contenta de sourire.

— Vous la verrez à la fête de Bella.

— Comment... ? Elle s'est fait inviter au truc de la gamine de Mavis ?

— Mavis est une charmante experte lorsqu'il s'agit de pousser les gens à sortir. Elle m'administre ma propre piqûre de rappel toutes les trois ou quatre semaines, histoire d'être sûre que je ne m'apitoie pas sur mon sort. Nous sommes allés à *L'Écureuil Bleu* il y a quinze jours.

— À *L'Écureuil Bleu* ? Volontairement ?

— C'est une expérience. Quoi qu'il en soit, Leonardo et elle ont invité Garnet et sa fille à leur fête. Cela promet d'être un événement d'ampleur.

— Vous dites ça comme si c'était une bonne chose. Je m'inquiète pour vous, Morris, ajouta-t-elle sur un ton qui ne tenait pas tout à fait de la plaisanterie.

Elle le laissa en compagnie des victimes. Elle était presque ressortie lorsqu'elle vit débarquer Peabody, les joues rosies par le froid et toujours chaussée de ses bottes roses tarabiscotées.

— Je ne suis pas en retard, dit Peabody, c'est vous qui êtes en avance.

— Je voulais m'y mettre au plus vite.

Voyant Eve filer vers la sortie, Peabody fit demi-tour et la suivit.

— Morris a trouvé quelque chose ?

— Il travaillait sur la première victime. Il faudra corroborer ça auprès de Berenski mais on a sans doute affaire à une arme militaire.

— McNab a fait des recherches là-dessus hier soir.

Peabody se hâta vers la voiture et laissa échapper un « ahhh » de contentement audible en s'installant sur le siège.

— Ça l'a complètement fasciné, ajouta-t-elle. C'est quoi, ce truc qu'ont les hommes avec les armes ?

— Je ne suis pas un homme et j'aime pourtant les armes.

— Ah oui. Bref. Il a fait des recherches sur l'arme utilisée, ou potentiellement utilisée, et a commencé à faire des calculs. Les maths, je comprends bien, c'est son côté geek. Puis vous avez envoyé le programme écrit par Connors et là, pour lui, c'était comme un mix de Noël, d'une partie torride de jambes en l'air et d'un gâteau au chocolat. Comme de batifoler en étant couvert de chocolat le soir de Noël. Miam.

— Oubliez tout de suite cette métaphore.

— Pas de souci, je me la garde pour plus tard. Donc il s'est plongé là-dedans et je me suis intéressée à la liste des témoins. Comme je l'ai dit dans mon rapport, le pauvre gamin à la jambe cassée et ses parents n'ont rien vu venir avant de se retrouver les quatre fers en l'air. Et là ils n'ont vu qu'une chose : le petit et la fille qui lui était tombée dessus. Tout s'est passé tellement vite. Ils étaient sur le point de sortir de la patinoire quand ça s'est produit. Ils regardaient dans l'autre sens et *boum !*

— Nous irons au bout de cette liste mais l'affaire n'a rien à voir avec les témoins sur place. Les tirs proviennent de trop loin pour ça. Je n'ai pas trouvé de lien entre les victimes et je ne crois pas qu'il y en ait.

— S'ils ont été tués complètement au hasard...

Peabody releva les yeux sur les passants dans la rue, sur les immeubles aux innombrables fenêtres qui se dressaient vers le ciel.

— Je n'ai pas dit qu'ils avaient été ciblés au hasard. J'attends le rapport détaillé de Morris. Nous commencerons à examiner la courte liste de bâtiments établie par Connors. La première victime a été frappée au milieu du dos par un impact puissant suivi d'échos.

— Ça, je sais ce que ça veut dire ! McNab m'a expliqué ça hier soir. « Échos » signifie que la frappe est conçue pour s'élargir une fois qu'elle a atteint la cible.

— Elle n'y aurait pas survécu de toute façon. En tout cas ses chances étaient très faibles. Sa colonne vertébrale a presque été coupée en deux. D'où j'en déduis que la cible devait impérativement mourir, pas seulement être touchée. Et que c'est peut-être pour cela qu'il s'en est tenu à trois victimes.

La panique se répand, les gens fuient se mettre à couvert, ou se baissent, se recroquevillent sur eux-mêmes. Il reste sans doute des opportunités solides de les toucher mais pas forcément assez pour être sûr de tuer. En s'y prenant comme il l'a fait, c'est trois tirs, trois morts.

— Ne pas prendre de risques abaisse le pourcentage d'échec.

Peabody expira bruyamment tandis qu'Eve se tournait vers le labo.

— Il y a combien d'immeubles sur votre liste ?

— Suffisamment pour que je réquisitionne quiconque ne travaille pas sur une affaire urgente. On aura besoin d'aide pour les vérifier tous.

Pénétrant dans le labyrinthe du laboratoire, Eve se dirigea vers le bureau de Dickhead.

Au milieu d'une nuée de techniciens tous revêtus de blouses blanches, les mèches brunes ramenées en arrière au sommet de sa tête en forme d'œuf le rendaient facile à repérer, penché au-dessus de son poste de travail.

Elle s'imagina ses longs doigts pianotant sur son clavier ou son écran telles des pattes d'araignée. Dickhead était un type désagréable et vaguement dégoûtant mais il avait de réels talents. Des talents dont elle avait à présent besoin.

Lorsqu'il leva la tête en l'entendant approcher, elle faillit s'arrêter net. L'ersatz de barbe qu'il tentait désespérément de se laisser pousser sur le visage évoquait à présent une chenille anémique au-dessus de sa lèvre supérieure complétée par une toile d'araignée en lambeaux sur le menton.

S'il avait développé ce nouveau look dans l'espoir d'attirer les femmes – ce qui constituait son souhait le plus cher – Eve lui prédisait une déception brutale.

— TSLD, épela-t-il avec ce qui semblait être un certain plaisir.

— Tout à fait.

— Ce n'est pas tous les jours que ça arrive. Fusil laser à longue portée. Probablement le modèle suggéré par Lowenbaum.

— De type militaire, visiblement. Lors de son examen préliminaire, Morris a constaté que les organes internes de la victime étaient endommagés.

— Des échos. Ouais, ouais. Je m'en doutais.

Il se propulsa sur son tabouret à l'autre bout du plan de travail et tapota sur un écran.

— Vous voyez ça ? C'est une simulation informatique d'une frappe à l'aide d'un Tactical-XT militaire. Le rayon laser est en rouge et la portée est ici de mille mètres. Une seconde et trois dixièmes entre la pression sur la détente et l'impact. Vous voyez la façon dont le rouge touche le corps puis dont la frappe s'enfonce et se diffuse ? C'est l'écho. On voit qu'il se déploie au moment de l'impact.

Il leva les mains devant lui, les paumes jointes et tournées vers le haut, puis les sépara d'un geste vif.

— Le genre de tir dont on ne réchappe pas.

— J'ai trois personnes à la morgue qui n'y ont pas réchappé.

— Vous vous occupez des morts. Moi, c'est l'arme qui m'intéresse. Le légiste parle d'une arme de classe militaire et d'échos, ça pose les choses pour moi. Et c'est bien ce que je vois sur les enregistrements vidéo. J'en ai parlé à Lowenbaum et on est d'accord.

— Je ne dis pas le contraire.

Il se contenta d'un geste dédaigneux de la main.

— Il faut savoir que la portée d'un Tact-XT de classe militaire – le record connu – est de cinq virgule huit kilomètres.

— J'avais bien compris, Berenski, ce qu'il me faut...

— Entre de bonnes mains, ces frappes ont pu être faites depuis une barge sur l'East River, carrément. C'est *ça* qu'il faut que vous compreniez. Mais je voudrais rencontrer le salopard capable d'un tir pareil, en plein New York, en tenant compte des lignes de tir, des variations du vent et de la température, sans parler du mouvement des cibles.

— Je vous présenterai le salopard en question dès que j'aurai mis la main dessus.

— Une promesse que je ne manquerai pas de vous rappeler. Mais je ne crois pas qu'on ait affaire à un tir d'une telle portée. Je bosse pour réduire le périmètre. Je travaille sur un programme qui déterminera les meilleurs postes de tir en fonction des angles, de la vélocité et tout ça.

— Je m'en suis déjà occupée. J'ai un programme.

— Celui dont on s'est servi n'est pas...

— Je parle d'un nouveau programme.

Il retint un nouveau geste dédaigneux et la regarda, l'air renfrogné.

— Lequel ?

— Peabody.

— Je l'ai ici sur mon mini-ordinateur, dit-elle. Et maintenant... il a été téléchargé sur votre terminal, ajouta-t-elle après avoir pressé quelques touches.

Berenski lança le programme une première fois et se pencha vers l'écran. Il l'exécuta de nouveau.

— Où avez-vous eu ça ? s'enquit-il. La NSA ?

— Connors.

— Oh. Ses ingénieurs ont passé combien de temps dessus ?

— Il a fait ça tout seul. La nuit dernière.

Il pivota brusquement sur son tabouret.

— Vous vous payez ma tête ?

— Pourquoi ferais-je ça ? Je vous rappelle que j'ai trois cadavres sur les bras.

— C'est du pur génie, dit Berenski.

Il lança de nouveau le programme en se frottant la nuque.

— Je vois où on pourrait optimiser un peu les choses.

— Ne touchez à rien, dit Eve.

— Je n'en avais pas l'intention. Je dis simplement que si lui ou ses ingénieurs affinaient un peu le truc, il pourrait le vendre pour une... J'imagine qu'il n'a pas besoin de ça.

— Ce n'est pas une question de besoin, maugréa Eve.

— Vous avez montré ça à Lowenbaum ?

— Je le lui ai envoyé mais tard hier soir. Il ne l'a peut-être pas encore vu.

— Il dira la même chose que moi en le voyant. Je ne vois pas comment vous pourriez obtenir un résultat plus précis. Regardez, là, il a calculé les variations du vent au moment des tirs, la température, l'humidité, les angles des frappes, le temps écoulé entre chaque, l'élévation, la ligne de tir. Tout y est. Vous allez galérer pendant des semaines à vérifier tous ces immeubles mais vous tenez le bon bout.

— Éliminez les bâtiments disposant de mesures de sécurité allant de modérées à fortes, dit Eve en lançant un nouveau coup d'œil à Peabody.

— Je peux ?

Sans attendre, Peabody se pencha sur le plan de travail et enclencha la phase suivante du programme.

— Malin. Ouais, ouais, difficile de faire passer ce genre d'arme sous un portique de sécurité.

— Pour l'instant, écartons aussi les bureaux comportant plusieurs employés et les résidences où habitent des familles.

Berenski hocha la tête en voyant de nouveaux immeubles disparaître.

— D'accord. S'il n'a pas utilisé de silencieux, vous tomberez sur quelqu'un qui aura entendu trois déflagrations aiguës. Vous avez déjà entendu un fusil laser ?

— J'ai déjà tiré avec.

— Alors vous voyez le truc. S'il en a employé un, par contre, il aura limité un peu la portée de tir mais personne n'aura rien entendu. Ça va dépendre de la façon dont il aura voulu gérer les choses, c'est tout. Ce qui est sûr, c'est que vous avez affaire à quelqu'un qui connaît son métier. Il est doué, Dallas. Vraiment doué. Le dernier tir ? Ce n'était pas seulement une preuve de talent, c'était carrément de la frime.

Même si l'idée d'être d'accord avec Dickhead lui faisait un peu de peine, Eve s'était fait la même réflexion.

— Un frimeur est plus susceptible de commettre une erreur.

— Possible.

— Bossez sur le programme. Si vous parvenez à écarter d'autres endroits, prévenez-moi.

Voyant que Berenski avait déjà relancé le programme, elle le laissa à son travail.

— Vous n'avez pas eu à le menacer ni à lui graisser la patte, s'étonna Peabody.

— Parce que je lui ai offert l'équivalent geek d'un bon porno et qu'il s'amuse beaucoup trop pour se plaindre.

Mais en son for intérieur, Eve devait admettre que le petit manège habituel entre Dickhead et elle lui manquait presque.

4

Eve repartit directement vers le Central. Il fallait qu'elle installe son tableau de meurtre et réquisitionne tous les flics disponibles pour commencer à vérifier les immeubles. Et puis elle espérait obtenir une consultation rapide auprès de Mira.

Ce qui impliquait d'affronter l'intraitable assistante de celle-ci. Mais l'avis de la meilleure profileuse et psychologue du NYPSD était on ne peut plus précieux.

À peine entrée dans la salle commune, elle balaya les lieux du regard. Ni Baxter ni Trueheart n'étaient présents, ce qui signifiait qu'ils se trouvaient sans doute sur le terrain. La posture de Carmichael, assis sur le rebord du bureau de Santiago, évoquait plus la consultation professionnelle que l'échange des derniers ragots.

Jenkinson travaillait sur son écran, l'air renfrogné. Reineke émergea de la salle de repos, une tasse de café à la main.

— Pas d'affaire en cours ? demanda Eve à Jenkinson.

— Je suis dans la paperasse. On a tiré à pile ou face. J'ai perdu.

— On se retrouve dans mon bureau d'ici cinq minutes. Peabody, mettez-les au parfum.

Une fois dans son bureau, elle ouvrit le programme de Connors puis installa son tableau, centré sur les trois victimes. Pour tromper la vigilance du dragon de Mira, elle envoya un bref e-mail directement à la psychologue. Un texto risquait plus d'être filtré par l'assistante.

Lorsque Jenkinson et Reineke entrèrent, elle était debout, une tasse de vrai café à la main, le regard rivé à son écran.

Elle aurait pu jurer que la lumière avait changé dans la pièce depuis que Jenkinson et sa cravate aux couleurs aveuglantes avaient franchi le seuil. Du point de vue de l'inspecteur, supposa-t-elle, les pois vert et or sur fond rouge vif constituaient le summum du bon goût classique, voire de la subtilité.

— Vous commencerez dans ce secteur, en poursuivant vers l'est à partir de Madison Avenue. Peabody vous fournira la liste des immeubles ciblés, basée sur ce programme. C'est un coup de poker.

— Un tireur embusqué, dit Reineke. Vous pensez qu'il travaille seul.

— C'est le plus probable. Je cherche à obtenir un rendez-vous avec Mira mais, si l'on se base sur les pourcentages et les probabilités, je pencherai pour un homme seul formé au sein de la police ou de l'armée. Un solitaire. Ce n'est pas le genre de tirs que l'on peut faire sans préparation, donc cuisinez les témoins là-dessus. Dans les hôtels et les motels, cherchez quelqu'un qui serait arrivé avec peu de bagages. Il se sera équipé d'une mallette pour transporter son arme mais je l'imagine mal se balader avec beaucoup plus que ça. Il aura aussi eu besoin d'une fenêtre pouvant s'ouvrir… ou l'aura endommagée pour pouvoir tirer. Et il l'aura choisie dotée de panneaux occultants. En l'absence de silencieux, une arme comme celle-ci émet un sifflement aigu : trois tirs, trois sifflements, en succession rapide.

— Les chances que quelqu'un ait entendu ça...

— ... sont proches de zéro, termina Eve avec un hochement de tête à l'intention de Jenkinson. Peut-être dans un motel, ou un appartement à bas prix, un lieu dénué d'insonorisation.

— Sans parler des chances de trouver quelqu'un qui ait envie de répondre quand un flic lui posera la question.

— Aussi, concéda Eve.

— Il aurait pu faire ça depuis chez lui, suggéra Jenkinson. La patinoire l'obsède, pour je ne sais quelle raison débile, et il décide de se lancer dans le tir au pigeon.

— À nous de le découvrir. Peabody et moi nous chargerons du secteur le plus à l'est pour revenir vers vous. Nous aurons sans doute une heure de retard sur vous. On doit se rendre au bureau de la deuxième victime et...

Elle s'interrompit en entendant l'arrivée d'un message et se tourna vers son bureau.

— Bon, Mira vient d'arriver au Central et elle va passer par ici. Si elle me fournit des infos utiles supplémentaires, je vous tiendrai au courant. Au boulot.

» Peabody, affinez géographiquement notre liste et contactez le bureau de Michaelson, dites-leur que nous arrivons pour les interroger.

Elle jeta un coup d'œil à sa montre.

— Je veux un rapide entretien avec Feeney avant qu'on parte. Je peux me rendre à son bureau.

— Je m'en occupe.

Une fois seule, Eve s'approcha de la fenêtre pour regarder au-dehors. Elle estimait être une tireuse correcte avec un fusil laser entre les mains. Elle était meilleure, bien meilleure, avec une arme de poing mais se débrouillait avec une arme à longue portée.

En quelques instants, elle calcula qu'en moins d'une minute elle pourrait facilement tuer, estropier ou blesser une dizaine de cibles depuis l'étroite fenêtre de son bureau.

Comment faire pour protéger qui que ce soit dans ces conditions ?

Elle se retourna en entendant arriver Mira, trahie par le staccato typique de ses classieux talons hauts.

Les classieux talons soutenaient des bottines rouges tout aussi classieuses dont les motifs texturés se retrouvaient à l'identique sur une minuscule et inutile ceinture complétant un tailleur de cette couleur que les gens appelaient, on ne sait trop pourquoi, « blanc hivernal ».

Les cheveux blond-roux de Mira, coiffés au carré ce jour-là, laissaient voir de petites boucles d'oreilles en pierreries rouges auxquelles était suspendue une minuscule perle.

Comment pouvait-on avoir les pensées suffisamment claires dès le matin pour coordonner sa tenue avec autant de soin, le tout sans avoir l'air non d'une droïde de mode mais bien d'une humaine accessible ?

— Merci d'avoir fait le détour, dit Eve.

— Il y a un prix à payer : une tasse de café. J'allais vous piquer un peu de thé mais j'ai capté les arômes de votre café.

Mira posa son manteau et son sac à main – blanc avec une unique rayure centrale d'un rouge étonnamment vif – et s'avança vers le tableau d'Eve.

— J'ai vu les reportages dans les médias et lu votre rapport. Toujours aucun lien établi entre les victimes en dehors de leur présence à la patinoire ?

— Aucun. Et seules quelques personnes savaient que la troisième victime y serait, et cela avec un horaire des plus vagues.

— Les tueurs de ce genre choisissent souvent leurs cibles au hasard. L'identité des victimes ne compte pas. Seuls comptent l'acte lui-même et la panique qu'il cause. Dans un endroit public, depuis une certaine distance... Merci, ajouta Mira comme Eve lui tendait un café. Les trois victimes sont différentes. Deux hommes, une jeune fille. Les deux hommes couvrent deux générations. L'un était seul, l'autre faisait partie d'un couple. Il ne s'agit pas d'un type de cible spécifique, ce qui fait pencher la balance du côté d'une sélection au hasard.

— La première et la troisième victimes sont mortes instantanément, ou quasiment. La première a été touchée à la colonne vertébrale, presque tranchée. La troisième a été atteinte à la tête. Mais le deuxième homme a été frappé au ventre et il est resté conscient pendant au moins une minute, voire deux, le temps de se vider de son sang. Un et trois n'ont pas su ce qui leur arrivait. Deux, si.

— Je vois. Et cela vous amène à penser que la deuxième victime était spécifiquement visée.

— Ça et le fait que le tireur devait être en place à l'avance, alors que la présence de la troisième victime n'était pas gravée dans le marbre. La première victime... Disons qu'il est difficile de l'imaginer comme la cible d'un tueur. À moins de revenir à un choix fait purement au hasard. Sa tenue rouge, son agilité sur la glace...

— Très bien, dit Mira en appuyant sa hanche contre le bureau d'Eve. Vous savez déjà qu'il est organisé et compétent, qu'il planifie les choses, ce qui signifie que c'est quelqu'un doté d'une certaine maîtrise de soi, en tout cas en situation. Ajoutons à cela que le TSLD qui choisit ses cibles entièrement au hasard a une dent contre la société ou un objectif politique, une colère dirigée vers un type d'endroit : base militaire, école, église. Le but serait alors de tuer ou blesser autant de gens que possible, pour causer la panique et l'inquiétude, et souvent mourir en martyr pour la cause qu'il défend.

— « Autant de gens que possible ». Ces trois frappes ont demandé un talent certain et il se contenterait de trois victimes ? Je n'arrête pas de buter sur cette idée, dit Eve. C'est pour cette raison que je ne crois pas beaucoup à l'idée de la colère ou de la rancune envers un endroit. Si nous étions dans ce cas de figure, je doute qu'il se serait arrêté après trois victimes en environ douze secondes. C'est tout le temps qu'il lui a fallu. Je vois bien le principe de se suicider en tombant sous les balles des flics ou en retournant l'arme contre soi une fois les dégâts causés. Mais notre homme ne ferait pas ça. En tout cas pas encore.

— Il n'est peut-être pas encore allé au bout de son plan ou de sa rancune.

— Oui… Oui, ça aussi je n'arrête pas d'y revenir, admit Eve avec un soupir.

— Je suis d'accord avec vous pour dire qu'on penche plutôt vers une ou plusieurs cibles spécifiques du fait du faible nombre de victimes.

L'air aussi concentré qu'Eve, Mira but une gorgée de café.

— Et puis le deuxième tir n'a pas instantanément tué sa cible, contrairement aux autres. S'il souhaitait voir souffrir la deuxième victime, cela donne du poids à votre théorie.

— Cela pourrait tenir uniquement à la nature du tir, étant donné la distance et la cible en mouvement, mais ça ne me paraît pas anodin.

— Si une victime était précisément visée, le tueur a choisi ce lieu public, a tué d'autres personnes pour couvrir sa véritable cible et opté pour un tir difficile. Nous savons toutes les deux qu'il existe des façons beaucoup plus simples et directes d'ôter la vie à quelqu'un, mais la méthode fait partie de l'intention et de la pathologie du tueur. Il n'est pas simplement doué pour le tir, ce don participe de son estime de lui, de son ego.

— Voilà, murmura Eve en ajoutant l'information au portrait qu'elle devait élaborer dans sa tête.

— Je dirais que causer la panique et l'agitation médiatique faisait certainement partie du mobile. Par ailleurs, la distance – pas seulement l'habileté qu'elle requiert mais la distance elle-même – ajoute un côté dépassionné. Il s'agit d'une cible, non d'un être humain. C'est ainsi que doit penser un tireur d'élite de l'armée… ou un assassin professionnel.

— Je n'ai pas écarté l'idée qu'il s'agisse d'un pro mais ça arrive en bas de ma liste. Et si c'est bien un professionnel, qui l'a engagé et pourquoi ? On en revient à cette fameuse question : pourquoi ces trois victimes-là ? Et, si j'écoute mon intuition, pourquoi Michaelson ?

— C'était un médecin ?

— Oui, un… De ceux qui s'occupent des femmes. Vérifier que tout fonctionne, accoucher les bébés, tous ces trucs.

— Très bien. Vous pourriez vérifier d'éventuels accidents médicaux. Une patiente qui n'aurait pas survécu à son traitement, ou une femme morte en couches, un bébé décédé. C'est extrêmement rare mais cela se produit encore, en particulier dans des situations d'urgence. Ou si la patiente n'a pas suivi les recommandations des médecins.

Eve hocha la tête, en affinant son image mentale.

— À croiser avec des hommes en lien avec elle : époux, amant, frère ou père. Ou, plus rare mais pas impossible, nous avons affaire à une tireuse. Si c'est juste, les meurtres pourraient s'arrêter là. Pourquoi tuer encore, à moins...

— Tout s'est passé comme sur des roulettes, n'est-ce pas ?

Eve reporta son regard sur le tableau.

— Oui, une très bonne journée pour lui. Nous nous rendons au bureau de Michaelson. Nous y trouverons peut-être une piste. Sinon...

— Vous vous attendez à ce qu'il frappe de nouveau.

— S'il a un objectif en tête, il a déjà choisi le prochain emplacement et trouvé son poste de tir. S'il veut générer la panique et la fureur des médias, il a tout intérêt à lancer une autre attaque, et vite. Profiter de l'impulsion initiale.

— Je ne peux qu'être d'accord.

— S'il s'en tient à trois victimes, cela m'indiquera que le chiffre trois revêt une signification pour lui. Sans quoi il abattra plus de monde la prochaine fois. Question d'ego, n'est-ce pas ?

— Oui, l'ego joue un rôle.

— Et quand il prend trop de place, cela mène à commettre des erreurs. Peut-être en a-t-il déjà commis une. Ne me reste qu'à la repérer. Je devrais m'y mettre, d'ailleurs. Merci d'avoir pris le temps de passer.

— Et merci pour le café, répondit Mira, souriante, en lui rendant la tasse vide. J'adore cette veste.

— La mienne ?

Parce qu'elle avait déjà oublié ce qu'elle portait, Eve baissa les yeux sur sa tenue.

— J'adore ces couleurs ocrées, dit Mira. Elles ne m'iraient pas mais sur vous elles sont parfaites.

Je ne veux pas vous retarder, ajouta-t-elle en récupérant ses affaires. Je serai disponible si vous avez besoin de moi sur cette affaire. Et j'en profite pour vous dire que nous avons hâte d'être à la fête de Bella. Cela fera tellement de bien à Dennis, tout ce côté joyeux et coloré.

Eve chassa l'idée de la fête de son esprit.

— Comment va-t-il ? demanda-t-elle.

— Il pleure le cousin qu'il aimait, même si cet homme a cessé d'exister – en admettant qu'il ait un jour existé – bien longtemps avant sa mort. Mais Dennis va bien. Je comptais le pousser à faire un voyage, un petit séjour quelque part tous les deux, mais j'ai pris conscience qu'il avait surtout besoin d'être à la maison et de retrouver une routine rassurante. La fête constitue un extra bienvenu. Quoi de plus heureux qu'une toute première fête d'anniversaire ?

— Je pourrais vous faire une liste.

Mira secoua la tête en riant.

— Bonne chance pour cette journée, dit-elle.

Accompagnée de Peabody, Eve reprit sa voiture en direction de Midtown et du cabinet de Michaelson juste à côté de la Cinquième Avenue, sur la 64e Rue.

De quoi offrir à Michaelson une petite balade agréable jusqu'à la patinoire, songea Eve, et un trajet à pied facile jusqu'à son domicile à quelques rues de là, sur la 61e.

Elle releva le défi consistant à trouver une place de parking, s'éleva dans les airs pour se garer sur un emplacement en hauteur. Peabody retint son souffle jusqu'à ce que la voiture se soit posée dans l'espace étroit, après quoi elle s'éclaircit la voix :

— La responsable administrative s'appelle Marta Beck, dit-elle. Michaelson employait par ailleurs une réceptionniste, une responsable de la facturation, une assistante médicale, une sage-femme, deux infirmiers et deux aides-soignantes à mi-temps.

— Une équipe importante pour un seul médecin.

— Son cabinet est là depuis vingt-deux ans et Michaelson passe deux fois par mois dans la clinique gratuite locale.

Elles descendirent ensemble les marches métalliques menant vers la rue. La neige fondue rendait les surfaces glissantes.

— La vérification superficielle des antécédents montre qu'il avait bonne réputation, professionnellement parlant, et rien de louche au niveau personnel.

Sur la porte d'entrée de la maison de ville austère, une simple plaque affichait : DR BRENT MICHAELSON. En dessous, une autre indiquait : FAITH O'RILEY.

— O'Riley est la sage-femme, expliqua Peabody tandis qu'Eve s'avançait dans l'atmosphère paisible de la réception qui évoquait plus une maison accueillante qu'un cabinet médical.

S'y trouvaient trois femmes enceintes : une accompagnée d'un bambin assis sur la partie encore accessible de ses genoux, une mince jeune femme d'environ vingt-cinq ans qui faisait défiler des images sur l'écran de son mini-ordinateur avec l'air de s'ennuyer et un couple blotti l'un contre l'autre en se tenant par la main.

Eve se dirigea droit vers le comptoir de la réception et, tenant compte de la concentration d'hormones dans la pièce, s'exprima à voix basse.

— Lieutenant Dallas et inspecteur Peabody, nous voudrions parler à Marta Beck.

La réceptionniste, une jolie femme à la peau dorée, se mordit la lèvre. Les larmes lui montèrent aux yeux.

— Si vous voulez bien emprunter la porte de droite, dit-elle.

Elle pivota sur sa chaise pour s'adresser à un homme en blouse de laboratoire bleue.

— George, tu veux bien dire à Marta que la... Que son rendez-vous est arrivé ?

Les yeux de l'homme, de la même couleur que sa blouse, s'embuèrent à leur tour. Il pinça les lèvres plutôt que de les mordiller et s'éloigna rapidement.

La porte donnait sur un couloir menant à des salles d'examen. Le genre d'endroit qui provoquait toujours des nœuds à l'estomac chez Eve. La réceptionniste les devança dans le corridor.

— Je vous y emmène, dit-elle. Nous... Nous sommes tous... C'est une journée difficile.

— Vous n'avez pas fermé.

— Non, le Dr Spicker s'occupe des patientes du Dr Michaelson et Mme O'Riley reçoit les siennes, ainsi que quelques autres. Nous allons essayer d'honorer tous les rendez-vous. Le Dr Michaelson et le Dr Spicker avaient évoqué la possibilité que celui-ci rejoigne le cabinet, donc Marta s'est dit...

Elles passèrent devant une annexe équipée de quelques sièges, d'un plan de travail garni d'éprouvettes et de gobelets et d'une balance où une autre personne en blouse de laboratoire – aux motifs fleuris, celle-ci – pesait une femme enceinte.

— Depuis combien de temps le Dr Michaelson connaissait-il le Dr Spicker ?

— Oh, depuis que celui-ci était enfant. C'est un ami de la famille. Le Dr Spicker vient de terminer son internat. Le bureau de Marta... de Mme Beck est...

Elle s'interrompit en voyant une grande femme large d'épaules apparaître sur le seuil.

— Merci, Holly, dit la femme.

Elle leur tendit la main pour se présenter :

— Marta Beck.

Eve accepta la brève poignée de main.

— Lieutenant Dallas, dit-elle. Et voici l'inspecteur Peabody.

— Entrez, je vous en prie. Voulez-vous du thé ? Je ne peux pas vous proposer de café, nous n'en avons pas dans nos bureaux.

— Non merci.

Marta referma silencieusement la porte.

— Asseyez-vous.

Eve s'assit sur l'une des chaises à dos droit de la pièce agencée avec rigueur. Un lieu néanmoins accueillant, songea-t-elle, en balayant du regard deux plantes vertes florissantes, une rangée de jolies tasses de thé et même un petit sofa décoré de coussins aux motifs fantaisie. L'atmosphère n'en restait pas moins professionnelle avant tout.

Marta s'installa derrière son bureau, les mains jointes.

— Vous avez des suspects ?

— L'enquête est en cours. À votre connaissance, le Dr Michaelson rencontrait-il des problèmes avec certains membres du personnel, des patientes ou qui que ce soit d'autre ?

— Brent était très apprécié. C'était un bon docteur, il prenait soin des gens et ses patientes l'adoraient. Certaines ont déménagé à Brooklyn, Long Island ou dans le New Jersey. Elles continuent à venir ici car il savait tisser de vrais liens. Chaque patiente comptait à ses yeux, lieutenant. Le mur du fond de notre salle de repos est couvert des photos des bébés qu'il a aidé à mettre au monde. Et des photos d'eux devenus grands. J'ai travaillé pour lui pendant vingt ans. C'était un bon médecin et un homme généreux.

Elle s'interrompit et prit une profonde inspiration.

— J'ai cru comprendre, à écouter les informations, que le meurtrier avait frappé au hasard. Qu'il s'agirait d'un cinglé.

— Nous étudions toutes les possibilités.

— Je ne vois personne, absolument personne, qui aurait pu vouloir la mort de Brent. Si c'était le cas, je vous le dirais. En plus d'être mon employeur, je le considérais aussi comme un ami, un bon ami.

— Que va-t-il advenir de son cabinet désormais ?

Elle soupira.

— Il reviendra à Andy – le Dr Spicker – s'il le souhaite. Brent en avait parlé avec moi pendant qu'Andy était encore interne. Les parents d'Andy sont... étaient les plus vieux amis de Brent. Il était le parrain d'Andy et son mentor. Ils sont tous très proches. Brent avait le sentiment qu'il pourrait commencer à alléger sa charge de travail si Andy décidait de rejoindre le cabinet. Il était convaincu de laisser son cabinet dans de bonnes mains avec Andy. Et avec Faith – notre sage-femme – une fois qu'il déciderait de prendre sa retraite, ou simplement de voyager plus souvent.

— Tout médecin, si bon soit-il, qui pratique pendant vingt ans a forcément dû faire face à des pertes.

— Bien sûr.

— Des pertes qui peuvent pousser les proches de la personne décédée à agir de manière irrationnelle.

— Bien sûr, répéta Marta. Il y a plusieurs années, l'une des patientes de Brent a perdu son enfant, elle a fait une fausse couche au septième mois après avoir été rouée de coups par son compagnon. Celui-ci l'a abandonnée par terre, sans connaissance. Le temps qu'elle se réveille et puisse contacter police secours, il était trop tard. L'homme en question a menacé Brent pendant son procès, quand Brent a témoigné.

Mais ce triste individu s'est ensuite fait tuer en prison, il y a deux ans. J'imagine que c'est le genre de situation auquel vous faites référence.

— Tout à fait. Et la victime de la fausse couche ?

— Elle est revenue voir Brent deux ans plus tard après être retombée enceinte avec un très gentil jeune homme qu'elle a épousé peu après. Ils ont une adorable petite fille. Sa photo est sur le mur et sa mère fait toujours partie de nos patientes. Il y en a eu quelques autres et, comme n'importe quel cabinet médical, nous avons fait face à des procès pour faute professionnelle. Mais en ce qui concerne les menaces, c'est la seule dont j'aie entendu parler.

— Des licenciements récents ? Des difficultés avec les employés ?

— Non. Le cabinet peut être délicat à gérer car Brent avait tendance à passer plus de temps avec les patients que ce qui se pratique habituellement. J'ai appris il y a des années à inclure un délai entre les rendez-vous. L'ajout de l'assistante médicale, il y a huit ans maintenant, nous a aidés à diminuer la durée d'attente. Et le projet d'impliquer Andy aurait eu un effet plus positif encore. Mais tout ça n'a plus d'importance maintenant, n'est-ce pas ?

Elle détourna les yeux pendant un bref instant.

— Je dois tenir le cap. Nous ne pouvons pas nous effondrer. Je n'ai jamais connu une situation pareille auparavant. La perte, oui, tout le monde a perdu quelqu'un un jour, mais pas de cette manière. Je n'arrive pas à comprendre ce qui s'est passé. Je sais qu'il vous faut des réponses mais je n'en ai aucune. Je ne vois absolument pas qui aurait pu vouloir faire une telle chose à Brent.

Malgré les propos de la responsable administrative, Eve prit le temps de parler à chacun des employés. Ce n'est qu'une fois convaincue d'avoir posé toutes les questions nécessaires qu'elle ressortit sous la pluie glacée.

— Peut-être que je me trompe, dit-elle à Peabody. Que j'ai tort et que Michaelson a été visé au hasard comme les deux autres victimes. Au mauvais endroit, au mauvais moment.

— Je comprends que vous envisagiez l'idée.

— Mais ? demanda Eve tandis qu'elles retournaient vers la voiture.

— Eh bien, il est quasiment certain que la troisième victime a été choisie au hasard. Mais si je voulais me concentrer sur l'une des deux autres, j'opterais pour la première.

— Pourquoi ?

— Jalousie. Jeune, très jolie et très talentueuse. Et tape-à-l'œil, à sa manière. Peut-être un salaud à qui elle n'aurait pas prêté suffisamment attention à son goût, ou qu'elle aurait rembarré ? Et c'était la première victime. Si je décidais de tirer sur des gens, je m'assurerais d'abattre d'abord ma cible prioritaire.

— Vos arguments se tiennent. Occupez-vous d'elle.

— M'occuper d'elle ?

— Retournez tout de fond en comble, dit Eve. Le boulot, la famille, la fac, les amis. Identifiez ses habitudes. Où elle mangeait et faisait ses courses, quels trajets elle empruntait le plus souvent. Métro ? Bus ? Marche à pied ? Retournez parler à sa famille, à ses proches. Amis au travail, à l'université ou du quartier. Vous vous occupez d'elle, je m'occuperai de Michaelson. Sans oublier nos bâtiments à vérifier. Je vais vous déposer à la fac, vous pourrez commencer là-bas pendant que j'irai au domicile de Michaelson. Puis vous vous chargerez des lieux situés sur York Avenue et la Première Avenue. Je prendrai la Deuxième et la Troisième. Reineke et Jenkinson vont remonter vers l'est depuis Madison Avenue ;

ils devraient couvrir Madison, Park et Lex Avenue. De votre côté, démarrez le plus à l'est possible depuis le fleuve.

— Compris.

— Si on se retrouve dans le même coin, je viendrai vous prendre. Sinon retournez au Central une fois que vous aurez exploré le secteur. On fera le point avec Jenkinson et Reineke. Si l'un d'entre nous tombe sur une piste, on la fait remonter tout de suite.

— D'accord.

Peabody leva les yeux vers le ciel tourmenté en lâchant un petit soupir.

— Je vais prendre le métro d'ici, dit-elle. Ce sera plus rapide que si vous devez m'emmener.

— Bien.

Tandis que Peabody redescendait vers la rue, Eve s'installa derrière le volant, décolla hors de l'emplacement qu'elle occupait et mit le cap sur la 61e Rue.

Le Dr Brent Michaelson avait vécu confortablement, constata Eve en se servant de son passe-partout pour accéder à son immeuble à la très digne façade de briques blanches. Mesures de sécurité à la fois efficaces et discrètes. Cage d'escalier d'une propreté immaculée qu'elle préféra à l'ascenseur pour rejoindre le deuxième étage.

Elle avait déjà demandé à ce que la DDE récupère et examine tous les appareils électroniques, mais elle voulait se faire une idée de l'endroit où Michaelson avait vécu.

Le palier était silencieux ; l'étage n'était partagé qu'avec un seul autre voisin. L'appartement était lui aussi protégé par de bonnes mesures de sécurité, qu'Eve désactiva à l'aide de son passe-partout.

Michaelson disposait d'une salle de séjour spacieuse qui ouvrait sur une petite cuisine bien rangée, ainsi qu'un coin repas doté de deux bougies jamais allumées sur deux gros bougeoirs posés sur la table.

Le mobilier lui apparut comme masculin et simple, confortable et sans chichis. Une longue table accueillait une forêt de photos. Sa fille – à différents âges – et la famille de celle-ci. Des photos d'Andy Spicker et d'un couple qu'Eve devina être les parents de Spicker. Quelques autres de son équipe, et beaucoup de portraits de bébés.

Des photos heureuses et souriantes.

Dans la cuisine, elle examina le contenu de son autochef, du réfrigérateur, des placards. De l'avis d'Eve, rien ne valait la nourriture pour se faire une bonne idée de la façon dont vivaient les gens.

Michaelson avait une faiblesse pour la crème glacée, la vraie. Il préférait le vin rouge mais, ceci mis à part, mangeait sainement.

Son bureau à domicile était aussi simplement décoré et discrètement organisé que le séjour. Comme sur son lieu de travail, un mur était dédié à l'affichage des photos. Eve imagina Michaelson assis à son bureau, occupé à ses activités de médecin, avec sous les yeux ce mur dédié à la vie.

Nombre des bébés – ceux qui venaient à peine de naître – lui paraissaient vaguement inquiétants. Ils ressemblaient soit à des poissons soit à des formes de vie extraterrestres super énervées. Mais elle songea que Michaelson avait sans doute ressenti une grande fierté à l'idée d'avoir participé à les mettre au monde.

Il disposait d'un petit autochef et d'un mini-réfrigérateur. Le premier proposait des en-cas à base de fruits et de légumes, le second de l'eau gazeuse, du jus de fruits et des infusions.

Pas une seule barre chocolatée ni le moindre sachet de chips ou autre source de caféine dans l'appartement.

Comment Michaelson avait-il tenu le coup ?

— La question ne se posera plus, murmura-t-elle en sortant pour aller examiner la chambre à coucher.

Une haute tête de lit rembourrée surplombait un lit recouvert d'une couette blanche toute simple et d'une pile d'oreillers aux taies bleu marine.

Et des livres, constata Eve. De vrais livres en papier. Des romans, facilement une centaine, rangés dans une bibliothèque intégrée au mur ou empilés sur la table de nuit.

Pas de sex-toys, en tout cas pas dans la table de nuit, et rien dans la penderie qui indique la présence d'une femme susceptible de passer la nuit et de laisser un peignoir ou quelques vêtements sur place à des fins pratiques. Ni d'un homme, d'ailleurs, car un rapide examen conduisit Eve à penser que tous les vêtements appartenaient à Michaelson.

Costumes, blouses médicales, vêtements décontractés, tenues de sport. Et des patins à glace. Il en avait deux paires en plus de celle qu'il portait au moment de sa mort.

Elle trouva des pilules pour dysfonctionnement érectile et des préservatifs dans sa salle de bains. Il avait donc une vie sexuelle, ou était en tout cas préparé en cas de besoin. Aucune substance illégale et rien qui sorte de l'ordinaire.

Eve termina son tour du propriétaire par une chambre d'amis bien équipée et autre salle d'eau à la propreté impeccable.

Elle repartit en se représentant Michaelson comme un médecin sérieux et dévoué habité par un amour sincère des bébés, des enfants et des femmes en général. Quelqu'un qui prenait soin de lui, menait une vie paisible, aimait la lecture et le patin à glace et accordait de l'importance à son cercle d'amis.

Rien qui suggère un mobile de meurtre.

De retour dans sa voiture, elle partit vers l'est en réfléchissant aux arguments de Peabody.

Ellissa Wyman. Jeune, gracieuse, très séduisante, visiblement heureuse et bien intégrée. Pas spécialement intéressée par les hommes ou les relations, en tout cas en surface. Mais, oui, quelqu'un avait pu s'intéresser à elle. Quelqu'un qu'elle aurait rabroué ou simplement pas remarqué.

Ou bien peut-être découvriraient-elles, en creusant plus profond, que Wyman entretenait certaines relations ou un style de vie dont sa famille et ses amis ne savaient rien.

L'hypothèse méritait d'être considérée, tout comme pour Michaelson.

Le pire aussi devait l'être. L'idée de cibles désignées purement au hasard. Si le tueur ne s'était pas soucié de qui il abattait, il ne s'en préoccuperait pas plus la prochaine fois.

Même si la journée était mal choisie pour arpenter les rues, Eve s'arrêta dans un parking aux tarifs exagérément élevés et partit à pied en direction du premier bâtiment sur sa liste : un restaurant français donnant sur la rue, une boutique de vêtements pour hommes et un magasin à l'apparence sophistiquée proposant toutes sortes de gadgets nids à poussière tout aussi sophistiqués. Au-dessus se trouvaient trois étages d'appartements, le tout surmonté par un atelier de danse et un autre de yoga. L'ensemble était couronné par un toit accessible à la fois aux occupants et aux utilisateurs desdits ateliers.

Le programme de Connors considérait le toit comme le poste de tir le plus probable, suivi de l'atelier de yoga. Aussi Eve commença-t-elle par le sommet.

Le vent était mordant, la pluie glaciale. Mais après avoir sorti ses jumelles et ajusté sa position, Eve s'aperçut qu'elle jouissait d'une excellente vue sur la patinoire. Celle-ci se trouvait à une sacrée distance mais si elle avait disposé d'une lunette plus puissante... Oui, le tir semblait tout à fait possible.

Debout sur le toit, elle s'efforça de penser de la même manière que le tueur.

Celui-ci avait peut-être dû attendre un moment... Un tabouret, ou une sorte de siège léger et dépliable. En appuyant le fusil sur le rebord, de façon à ce que tout soit bien stable.

Elle s'accroupit à demi, comme si elle était assise sur un tabouret, refermant ses mains sur une arme imaginaire, l'œil rivé sur la lunette. Depuis cette position, elle balaya du regard les immeubles environnants.

Aucune couverture, constata-t-elle, et bien trop de fenêtres, avec un grand risque que quelqu'un regarde au-dehors. Cinglé ou non, pourquoi prendre ce genre de risque ?

Elle n'en sortit pas moins ses microlunettes pour examiner soigneusement le mur et le sol en béton à la recherche de marques potentielles. N'ayant rien trouvé, elle retourna à l'intérieur pour tenter sa chance dans la salle de yoga.

Elle y trouva un groupe en plein cours. Des gens – des femmes, surtout – vêtus de vêtements moulants et colorés se contorsionnaient dans des positions bizarres sur des tapis tout aussi colorés. Le tout en suivant les instructions d'une femme svelte au corps magnifique et à la posture d'une impossible perfection face à un mur recouvert de miroirs.

Eve songea que le groupe méritait un coup de chapeau pour le simple fait d'être là.

Une musique douce et cristalline accompagnait la voix tout aussi douce et cristalline de l'enseignante. Eve se fit la réflexion que si elle avait dû assister au cours, elle n'aurait sans doute pas tenu une heure avant de lui enrouler les jambes autour du cou et de faire un nœud avec ses chevilles pour la faire taire.

Simple ressenti personnel.

Eve battit en retraite pour se rendre à l'atelier de danse adjacent.

Là encore, des miroirs au mur et de la musique à faible volume. Cette fois, par contre, le rythme était endiablé, et la seule femme présente traversait la salle en cadence, tapant du pied, levant la jambe et ondulant du bassin.

Elle exécuta trois roues consécutives puis enchaîna sur un saut de mains et atterrit, pile en rythme, avec les bras en l'air et la tête inclinée en arrière.

— Raaah, c'est pas vrai ! lâcha-t-elle dans un halètement.

— Ça m'a paru bien, dit Eve.

La femme, dont la peau noire luisait de sueur, s'empara d'une serviette et s'essuya tout en dévisageant Eve.

— J'ai raté deux mesures et oublié ce fichu roulement de tête. Mais pardon, vous cherchez un cours ?

Eve dégaina son insigne.

— Non.

— Oh, oh, commenta la femme.

— Je n'ai que quelques questions. Commençons par la première : qui êtes-vous ?

— Donnie Shaddery. C'est ma salle de danse. Enfin, je la loue.

— Vous donniez des cours hier ?

— Tous les jours, sept jours par semaine.

— D'après mes infos, il n'y avait pas cours hier entre 15 heures et 17 heures.

— C'est exact. Les cours ont lieu le matin. De 7 à 8 heures, puis de 8 h 30 à 9 h 30. Reprise de 10 à 11 heures, puis de 11 à 12 heures, avec une pause de midi à 13 heures. Entre 13 heures et 13 h 30 on se fait une sorte de séance en freestyle, puis démarre la classe de l'après-midi de 13 h 30 à 14 h 30. Après quoi je souffle jusqu'à 17 heures, sauf le vendredi.

— C'est vous qui enseignez ?

— Nous sommes deux. Hier, j'ai fait le matin et l'après-midi et ma partenaire a fait le soir. Pourquoi ?

Ce n'était pas l'endroit, se dit Eve. Pas avec un planning aussi chargé. Néanmoins...

— Je voudrais savoir si quelqu'un se trouvait ici, ou dans la salle d'à côté, entre 15 heures et 16 heures.

— J'étais là. J'ai été recontactée aujourd'hui pour une nouvelle comédie musicale. Je travaille sur cette fichue choré dès que j'en ai l'occasion. Je n'ai pas bougé d'ici hier entre 6 h 30 et 17 heures.

— Et l'atelier de yoga ?

— Je sais que Sensa est arrivée avant 7 heures. Et elle a entamé sa méditation de l'après-midi vers 15 heures. Enfin, c'est ce qu'elle fait à chaque fois, je ne suis pas allée vérifier. Elle travaille avec deux autres profs et l'une d'elles – Paula – est passée vers 15 heures, après le cours de l'après-midi. Elle aussi est danseuse, elle est venue me regarder répéter pendant un moment.

— Donc, pour résumer, quelqu'un était présent à l'étage tout l'après-midi.

— Voilà.

— Quelqu'un d'autre est passé durant cette plage horaire ?

— Je n'ai vu personne d'autre. Ni entendu, d'ailleurs. Est-ce qu'on doit s'inquiéter d'une intrusion possible ?

— Je ne crois pas.

Eve s'approcha des fenêtres.

— Sept jours par semaine, répéta-t-elle. Et il y a généralement quelqu'un ici, à l'étage, tous les après-midi.

— C'est ça. On ferme toujours derrière nous quand on part. Sensa et moi partageons le loyer de l'étage, ainsi qu'un minuscule bureau où on range quelques affaires. Des tapis de rechange, des costumes. On donne des cours de danse du ventre ensemble dans cette salle deux fois par semaine. Il n'y a pas grand-chose à voler mais on ferme à clé. Il y a eu un cambriolage ?

Eve examina de nouveau les lieux. Ça ne collait pas.

— Non, je ne pense pas, dit-elle. J'ai une dernière question. Pourquoi « merde » ? C'est un encouragement de se faire traiter de merde ?

— Pardon ? Je ne comprends pas… Oh, le « merde » qu'on se dit avant le spectacle ? Dire « bonne chance » porte malheur alors en disant « merde » on espère se porter bonheur.

— Ça n'a aucun sens.

— C'est vrai, admit Donnie en portant une bouteille d'eau à ses lèvres. Mais c'est ça, le show-biz.

5

Eve couvrit ensuite un immeuble de bureaux et un immeuble résidentiel. Elle estima que l'un des appartements de l'immeuble résidentiel mériterait un second passage et – sans aucun doute – des recherches approfondies sur les antécédents du locataire : un homme d'environ trente-cinq ans ayant servi au sein des forces armées pendant cinq ans.

Les premières infos qu'elle obtint tout en filant vers le bâtiment suivant montraient qu'il avait occupé un poste de commissaire des armées, avec un entraînement minimal au maniement des armes. Elle nota néanmoins de l'interroger, soit chez lui soit sur son lieu de travail.

Les averses incessantes de neige fondue commencèrent à s'atténuer un peu tandis qu'elle progressait vers l'est, de la Troisième à la Deuxième Avenue.

Elle passa par un motel, un atelier d'artiste sans le sou et d'autres bureaux sans que rien éveille son intérêt.

Son prochain arrêt, un hôtel sur la Deuxième Avenue, semblait ancien mais bien tenu. Entre le bas et le moyen de gamme. « Adapté à l'accueil des familles », à en croire une affichette, certaines chambres étant dotées d'une kitchenette.

Le hall d'entrée, exigu et tranquille, comprenait un petit café, une boutique de souvenirs de la taille d'un placard et un unique réceptionniste qui lui fit un grand sourire.

— Bonjour, dit-il. Pas très agréable de devoir marcher sous cette pluie. Que puis-je faire pour vous ?

Il avait un visage si plein de bonhomie, rond et joyeux, avec la voix qui allait avec, qu'Eve se sentit presque navrée de devoir sortir son insigne. L'homme le contempla en clignant les paupières.

— Oh. Il y a un problème, inspecteur ? Non, excusez-moi, je vois que c'est écrit lieutenant. Lieutenant ! s'exclama-t-il avant qu'elle puisse prendre la parole. Bien sûr, lieutenant. Dallas. J'ai adoré *L'Affaire Icove*, le livre et le film. J'espère pouvoir être utile à l'une des fonctionnaires les plus dévouées de la ville.

— Moi aussi. Je cherche quelqu'un qui aurait pris une chambre hier, très probablement au neuvième ou dixième étage, orienté ouest.

— Une arrivée hier. Laissez-moi v...

— L'arrivée ne s'est pas forcément faite hier. Ça peut être antérieur. Mais la personne aurait été présente hier. Nous commencerons par les clients mais je m'intéresserai aussi aux employés, à quiconque aurait pu avoir accès à une chambre vacante.

— Je vois, je vois. Non, soyons francs, je ne vois pas vraiment. Mais laissez-moi voir les réservations.

— C'est sans doute un homme, et sans doute seul. Mais n'écartons pas la possibilité d'une femme, ni d'une personne l'accompagnant.

— Neuvième étage, ouest... Il y a M. et Mme Ernest Hubble. Ils séjournent ici pour quatre jours et doivent partir demain.

— Vous avez l'adresse de leur domicile ?

— Ah oui. À Des Moines. Ce sont des habitués, c'est leur troisième séjour chez nous. Ils viennent pour profiter des soldes et des spectacles.

— Donnez-moi quelqu'un qui serait parti ce matin ou hier en fin de journée.

— D'accord. C'est assez excitant, dit-il, son visage s'empourprant pour souligner le propos. Il y a un M. Reed Bennett, domicilié à Boulder dans le Colorado. Je crois que c'est un commercial de passage pour des réunions professionnelles. Il est arrivé il y a deux jours et reparti ce matin. Il y a une demi-heure à peine, d'ailleurs.

— Je vais examiner sa chambre. Dites aux équipes de ménage de ne pas y entrer. Qui d'autre ?

— Mme Emily Utts et Mme Fry. Des dames d'un certain âge habitant Pittsburgh. Elles sont ici pour des retrouvailles entre anciens élèves d'université. Promotion de 2019.

— Je doute que ce soient elles. D'autres personnes ?

— Un seul. M. Philip Carson, d'East Washington, accompagné par son fils ou sa fille ado. Je ne suis pas complètement sûr ; c'est difficile à dire à cet âge, non ? Surtout quand ils s'emmitouflent dans leurs espèces de grands sweats à capuche. Je vois ici qu'ils ont demandé cette chambre en particulier.

Une alarme retentit sous le crâne d'Eve.

— Une chambre en particulier. Ils avaient déjà séjourné chez vous ?

— Je n'ai pas leur nom dans ma base de données mais le visage de M. Carson m'a paru familier.

— Vous vous souvenez de leurs bagages ?

— Je...

Le réceptionniste ferma les yeux, l'air concentré, puis les rouvrit brusquement.

— Oui ! dit-il. Je m'en souviens parce que j'étais sur le point d'appeler Gino pour les aider mais M. Carson m'a dit qu'ils n'avaient pas besoin d'un porteur. Ils avaient deux valises à roulettes, une chacun, et l'ado portait un sac à dos. M. Carson avait aussi une mallette, grande et métallique.

— Quand sont-ils partis ?

— Hier, même s'ils devaient en théorie rester pour la nuit. Ils sont arrivés vers 17 heures la veille. Je m'en souviens parce que je m'apprêtais à terminer mes heures. Je ne crois pas les avoir revus jusqu'à leur départ vers 15 h 30 hier. M. Carson a mentionné une urgence familiale qui les obligeait à repartir.

— Je dois voir la chambre en question.

— Oh. Oui, bien sûr, mais j'ai bien peur qu'elle ait été nettoyée.

— Je dois quand même la voir.

— Laissez-moi appeler Gino pour me remplacer et je vous y escorterai moi-même. Un instant, je vous prie.

C'était le branle-bas de combat dans l'esprit du réceptionniste. C'est du moins l'impression qu'eut Eve en le voyant se précipiter pour intercepter l'homme en uniforme de groom qui émergeait d'une pièce attenante.

— Je n'ai pas noté votre nom, dit-elle.

— Oh, Henry. Henry Whipple.

Un nom qui lui allait bien, estima Eve, comme ils entraient ensemble dans la cabine d'ascenseur. Un ascenseur suffisamment vieux pour que Henry doive appuyer manuellement sur le bouton du dixième étage.

— Certains clients apprécient les petites touches surannées, dit-il.

« Un établissement à l'ancienne », se dit Eve.

— Les fenêtres s'ouvrent ? Dans les chambres ?

— Oui, quoique pas entièrement. Nous dispo-sons à présent de panneaux occultants. Nos clients le demandent, mais certains apprécient de pouvoir entrouvrir les fenêtres quand il fait beau. Ou parce qu'ils ont envie d'entendre le brouhaha de New York.

— Et l'isolation sonore ?

— Il y en a, oui, mais pas au niveau de ce que l'on trouve dans les établissements plus récents ou plus chers. Notre hôtel appartient à la même famille depuis cinq générations et nous avons essayé de maintenir notre petite « maison loin de la maison » abordable, en particulier pour les familles.

— Je vois.

En émergeant au dixième étage, Eve capta le mur-mure d'un programme de divertissement dans l'une des chambres. Rien de trop bruyant mais le son était audible à travers la porte. Ceci dit, les chambres semblaient correctement sécurisées et le corridor lui-même était aussi propre que le reste du bâtiment.

Elle porta la main à son passe puis s'aperçut que Whipple tenait déjà le sien et le laissa déverrouiller l'accès à la chambre.

— Je vous attends dans le couloir ?

— Juste dans l'entrée. Refermez la porte derrière vous.

Les lumières étaient déclenchées à l'aide d'un interrupteur. Encore une touche surannée. La chambre contenait deux lits, soigneusement faits avec des couettes blanches, des oreillers dans leurs taies immaculées, une armoire de bonne taille et une salle de bains si propre qu'Eve percevait encore les effluves de citron du produit nettoyant. On trouvait aussi une cuisine réduite mais bien conçue dotée d'un placard à la porte vitrée contenant diverses boissons et un autre garni de différents en-cas.

Mais l'attention d'Eve s'était tournée vers les fenêtres.

Elle en actionna une et la souleva. Un espace de dix centimètres, peut-être douze, estima-t-elle.

Suffisant.

Elle approcha l'une des deux chaises, s'assit et sortit ses jumelles.

— Bingo. C'est l'endroit, je le sens.

Elle baissa les yeux vers la moquette. Peu épaisse mais propre. Elle enfila ensuite ses microlunettes pour scruter le rebord de la fenêtre, puis secoua la tête.

— Je voudrais parler à celui ou celle qui a nettoyé cette chambre.

— Il s'agit de Tasha. Excusez-moi, lieutenant, mais vous regardiez vers Central Park, non ? Avec des jumelles. Les médias ont parlé... C'est à propos de ce qui s'est passé hier, n'est-ce pas ? De ces pauvres gens. À la patinoire.

— Gardez tout ça pour vous, Henry.

— Oui, oui, bien sûr. Mais je crois que je vais devoir m'asseoir un instant... Mes jambes...

Pâle, il se laissa tomber sur la deuxième chaise.

— N'allez pas vous évanouir, lui dit Eve.

Elle sortit son mini-ordinateur pour faire une recherche sur un Philip Carson d'East Washington.

— Non, non, j'ai juste besoin d'une minute. Je travaille en hôtel depuis vingt-trois ans. J'ai vu, entendu et géré toutes sortes de choses, comme vous pouvez l'imaginer. Mais de penser que j'ai peut-être... la personne qui a... Mais il avait un enfant avec lui !

— Possible. C'est lui ?

Tout en se tapotant la poitrine, Henry étudia l'image sur l'écran.

— Oh non, il était plus jeune que ça.

— Et celui-ci ?

— Non, pas aussi jeune. Désolé.

— Écarter des suspects est une bonne chose, répondit Eve.

Et son témoignage écartait les deux seuls Philip Carson d'East Washington entre vingt et quatre-vingts ans.

— L'équipe d'entretien, Henry.

Il laissa échapper un long soupir avant de sortir son communicateur et de composer un code.

— Tasha, j'ai besoin de vous dans le 1004, tout de suite.

— Si c'est la bonne chambre, j'ai eu un vrai coup de chance. Mais la chance arrive souvent quand on ne s'y attend pas. Ou alors je me trompe. Vous avez les vidéos de sécurité de la journée d'hier ?

— Nous… Je suis désolé, non, nous n'avons rien du tout.

Une autre raison de choisir cet endroit, se dit Eve.

— Pouvez-vous me décrire cet homme et l'ado qui l'accompagnait ?

— Oui, oui.

Henry avait repris quelques couleurs.

— Oui, absolument, affirma-t-il. Je serais ravi de vous aider.

— D'accord. Vous commencerez par me donner les informations de base puis je vous demanderai de travailler avec un dessinateur de la police. Vous pouvez venir au Central ?

— Je… Il faudrait simplement que quelqu'un vienne me remplacer.

— Et si je vous envoie le dessinateur ?

— Merci. Ce serait plus pratique.

— Vous m'êtes d'une aide précieuse, Henry. J'y vais, dit-elle en entendant frapper à la porte.

Sur le seuil se trouvait une minuscule femme blonde aux immenses yeux bleus.

— Tasha, voici le lieutenant Dallas. Elle a des questions à vous poser à propos des gens qui occupaient cette chambre.

— Et sur la chambre après leur départ.

— D'accord, mais en fait je n'ai pas croisé les clients. Ils avaient actionné la loupiote « Ne pas déranger » donc je ne les ai pas vus.

— Que pouvez-vous me dire au sujet de la chambre une fois qu'ils sont partis ?

— Ils étaient très soigneux. J'ai vu qu'ils s'étaient servis de la cuisine mais ils ont tout nettoyé derrière eux. La plupart des gens ne le font pas. J'ai quand même tout lavé, monsieur Henry. Et ils ont pioché dans le minibar, donc j'ai remplacé ce qui manquait.

— Le tapis, là, près de la fenêtre, avez-vous remarqué quoi que ce soit ?

— C'est marrant que vous me posiez la question. J'ai vu qu'ils avaient dû bouger les chaises pour s'asseoir ici, près de la fenêtre. On voyait les marques sur les poils du tapis. Et j'ai remarqué qu'il y en avait d'autres. Je pense qu'ils avaient peut-être un petit télescope avec eux et qu'ils se sont assis là pour regarder la ville. Les gens font ça, des fois.

— Mon Dieu, souffla Henry. Mon Dieu...

— J'ai bien passé l'aspirateur, monsieur Henry.

— Je n'en doute pas, Tasha. La chambre est impeccable, comme chaque fois que vous vous en occupez.

— Qu'avez-vous fait de la poubelle ? Ils ont dû laisser des détritus.

— Oh, ça va directement au recycleur.

— Les draps, les serviettes ?

— À la laverie.

— J'imagine que vous avez nettoyé chaque centimètre carré de la salle de bains.

— Oh oui, madame. On désinfecte tout.

— Lieutenant, la corrigea Eve d'une voix absente. Vous avez aussi essuyé les traces de doigts sur l'armoire, les plans de travail, la table de nuit.

— Oui, bien sûr. Propre et confortable, c'est la règle de l'hôtel.

— Les interrupteurs ?

— Désinfectés.

— Henry, je vais demander à une équipe de la police scientifique de monter dans la chambre. Au cas où. Merci, dit-elle à Tasha en ouvrant la porte pour l'inciter à sortir. À quoi ressemblaient les deux clients ? Donnez-moi tous les détails dont vous vous souvenez, y compris ce qu'ils portaient.

Convaincue d'avoir obtenu tout ce qu'elle pourrait tirer de lui, Eve laissa repartir Henry et sortit son communicateur. Le visage de Peabody emplit l'écran, les joues rosies par le froid.

— Hé ! J'ai terminé à la fac, annonça-t-elle. Je ferai un rapport écrit mais ça n'a rien donné jusqu'à présent. Je suis en route vers le premier immeuble sur la Première Avenue. Je n'ai rien trouvé d'utile sur York Avenue.

— C'est parce que je suis tombée sur ce que nous cherchons. Deuxième Avenue, l'hôtel *Manhattan East*, chambre 1004. Informez aussi Jenkinson et Reineke.

— Vous avez trouvé le poste de tir du tueur ? Vous êtes sûre ?

— Est-ce que j'interromprais vos recherches dans le cas contraire ? Prenez le chemin de la Deuxième Avenue et retrouvez-moi sur place. Gardez vos questions pour plus tard, ajouta-t-elle avant que Peabody puisse en poser une autre.

Elle mit fin à l'appel, fit sa demande auprès des techniciens de la police scientifique, contacta Yancy, le dessinateur de la police, puis appela Lowenbaum.

— On peut dire que vous avez de la veine, Dallas. Vous devriez miser sur les courses de chevaux.

— Il va falloir que vous voyiez les lieux, Lowenbaum. Et j'aurais besoin que vous vérifiiez que je ne raconte pas n'importe quoi en disant qu'un tireur entraîné a pu abattre ces gens depuis cet emplacement.

— Je suis en route.

— Apportez le fusil laser qui vous semble le plus probable, et un bipied.

— C'est déjà sur ma liste.

Eve remit le communicateur dans sa poche pour se déplacer à travers la pièce.

« Un peu petite, songea-t-elle, mais plus que suffisante. »

Le tueur avait dû visiter la chambre en éclaireur au moins une fois, sans doute seul. Sans compagnon. Il s'était assuré que c'était faisable et que c'était le bon endroit.

Un hôtel tranquille, dénué de caméras, mais avec de solides mesures de sécurité à l'entrée de chaque chambre. Personne ne risquait d'entrer à l'improviste. Rien qu'un type et son gamin ado en voyage à New York. Qui y aurait regardé à deux fois ?

Henry Whipple, semblait-il. Oui, elle avait eu de la chance.

Pour la réservation de la chambre, il avait fallu une fausse carte d'identité. Fausse mais capable de tromper le scanner de l'hôtel, donc de bonne qualité. Le tueur avait lui-même monté ses affaires, fermé la porte à clé, enclenché le signal « Ne pas déranger » puis…

Quelqu'un frappa à la porte. Tout en continuant à dérouler les événements dans sa tête, Eve fit entrer une Peabody au souffle légèrement court.

— Comment avez-vous… ?

— Un réceptionniste plus attentif que la moyenne. D'après Henry, le réceptionniste en question, le suspect voyageait en compagnie d'un mineur, adolescent. Pas sûr de savoir si c'était un garçon ou une fille. La carte d'identité est une fausse mais on creusera un peu. Philip Carson, habitant à East Washington. Il a demandé cette chambre particulière.

Eve sortit ses jumelles.

— Jetez un coup d'œil, dit-elle.

Peabody s'approcha de la fenêtre pour regarder dehors.

— Waouh, c'est super loin mais, ouais, on a une bonne vue sur la patinoire.

— La femme de ménage a tout nettoyé mais elle a remarqué de petites marques sur le tapis près de la fenêtre, telles qu'un siège et un bipied auraient pu en laisser.

— Si c'est bien l'endroit, ils étaient forcément déjà venus auparavant pour s'assurer que le tir était faisable.

— Henry a dit que l'adulte lui semblait familier. Et nous avons une description ; Yancy est en route pour établir un portrait-robot. Homme d'origine caucasienne, fin de quarantaine ou début de cinquantaine, environ un mètre quatre-vingts, plutôt mince aux alentours de soixante-dix kilos, mâchoire carrée, cheveux bruns coupés court. On n'est pas sûr de la couleur de ses yeux mais Henry table sur une couleur claire : bleus, verts ou gris. Et il était peut-être enrhumé, ou en train de se remettre d'une maladie. Il avait les « traits tirés » pour reprendre l'expression de Henry. Et ses yeux semblaient fatigués. Il était vêtu d'une parka noire, d'un bonnet noir et d'un jean. Et portait une grande mallette métallique et une valise à roulettes noire de taille moyenne.

— Ça fait beaucoup d'infos. Si la description de Henry est juste, c'est très complet.

— Ce n'est pas tout. Il y a le jeune suspect. Métis, teint brun clair – avec une belle peau si l'on en croit Henry –, yeux verts, cheveux noirs coiffés en dreads courtes, environ un mètre soixante-cinq et cinquante-cinq kilos. Manteau vert foncé descendant au niveau des genoux, bonnet rayé vert et noir. Le témoin ne lui donne pas plus de seize ans mais cela pourrait être lié à sa taille, sa stature et l'hypothèse qu'il s'agit de l'enfant du suspect adulte.

— Et si c'est bien le cas… Je préfère ne pas y penser, dit Peabody en rendant les jumelles à Eve.

— Nous n'avons pas encore le moyen de le savoir. Ils ont loué cette chambre, sont arrivés en début de soirée, ont monté leurs bagages eux-mêmes et actionné le signal « Ne pas déranger ». Ils ont consommé quelques boissons et en-cas. L'un d'eux a pu sortir chercher de quoi manger – il n'y a pas de caméras dans l'établissement – ou alors ils ont apporté ce qu'ils voulaient avec eux. La femme de ménage dit qu'ils ont tout bien rangé derrière eux.

— Pour ne pas laisser de traces, certainement.

— Certainement, confirma Eve. Mais l'efficacité de la femme de ménage nous aurait privées d'indices, de toute façon. J'ai quand même demandé à la police scientifique d'envoyer quelqu'un mais je ne m'attends pas à ce qu'ils trouvent quoi que ce soit. Les suspects sont partis environ dix minutes après les frappes, sous prétexte d'une urgence familiale car ils étaient censés passer la nuit sur place.

— Au cas où ils auraient raté la cible, et pour leur laisser tout l'après-midi.

— Notons qu'ils avaient loué la chambre il y a plus d'une semaine, ce qui veut dire que la troisième victime ne pouvait pas être spécifiquement visée.

Ajoutons ceci : ils arrivent, s'installent. La patinoire était ouverte mais ils ont attendu, laissé passer la nuit et la matinée avant de frapper.

— OK, je vois, pourquoi ne pas attendre encore un peu. La patinoire est très fréquentée le soir, et bien éclairée. Et les gens paniquent plus le soir, non ? Si c'était leur seule motivation, ils auraient dû attaquer de nuit. Ils ont pourtant passé des heures dans cette chambre. Ce qui laisse penser qu'ils visaient l'une des victimes en particulier.

— Tu grignotes quelques en-cas, tu regardes peut-être un peu la télévision, imagina Eve en se mettant à la place du tireur. Tu regardes par ta lunette en pensant à tous ces gens que tu pourrais abattre depuis cette position. Ceux qui rentrent chez eux, qui sortent dîner, qui se baladent à l'arrière d'une calèche. Ils ne doivent la vie qu'à toi. Et ça te donne un sentiment de puissance.

Elle retourna vers la fenêtre et regarda au-dehors, les mains dans les poches.

— Ils sont vivants parce que tu les as laissés vivre. Et ils en ont aussi peu conscience qu'une colonie de fourmis. Ils ignorent que tu pourrais à tout instant leur marcher dessus. Tu as passé une bonne partie de la nuit assis ici à penser à tout ça. À imaginer ce qui pourrait se passer. À anticiper la suite.

— Vous parlez de quel suspect ?

— Du plus jeune. Ou si ce n'était pas lui, ce le sera.

— Pourquoi ?

— Quel intérêt sinon ? Le témoin, Henry, est fiable. Et il a l'œil. Je veux bien admettre que le second suspect ait la vingtaine, mais pas plus que ça. Henry ne se serait pas trompé de beaucoup. Et nous verrons ce que Henry pourra nous en dire après avoir collaboré avec lui. Alors pourquoi amener un jeune avec lui ? Pas uniquement pour avoir un peu de compagnie. Il y a un objectif derrière... « Voilà comment on fait, gamin, et la prochaine fois, ce sera à toi de jouer. Ou bien c'est à toi de jouer maintenant. Vas-y, tire. »

Après tout, cela ne s'était-il pas passé ainsi entre Feeney et elle ? « Voilà comment on fait, petite. Maintenant à toi. »

— Henry a perçu un lien parent-enfant. C'était peut-être l'effet qu'ils recherchaient. Mais c'est souvent comme ça que ça se passe quand il y a un maître et un élève, surtout avec une telle différence d'âge.

— On pourrait revenir à l'hypothèse des tueurs professionnels, suggéra Peabody. Le pro le plus expérimenté forme le plus jeune, avec ou sans lien de parenté.

— Oui, c'est une possibilité. Sauf quand on regarde les victimes. Il n'y avait tout simplement pas assez à y gagner. Michaelson gagnait bien sa vie mais ne roulait pas sur l'or. Son cabinet va revenir à son filleul... lequel devait déjà y travailler. Jusque-là je n'ai trouvé aucune patiente qui pourrait vouloir sa mort. Son ex s'est remariée et ils ont l'air d'avoir maintenu des liens cordiaux. Il avait de bonnes relations avec sa fille, qui bénéficiera financièrement de sa mort mais n'a aucune dette urgente ni rien de ce genre. L'argent n'a pas l'air de constituer le mobile.

— Le sexe en constitue toujours un bon.

— Rien n'indique qu'il ait eu de partenaire sérieuse sur ce plan. Et tout cela est également vrai, pour autant qu'on le sache, pour Wyman. On va donc continuer à chercher.

— Ouais, j'ai les mêmes résultats sur Wyman. Il n'y avait rien à gagner à la tuer. Personne ne la détestait ni ne connaissait quelqu'un qui lui en voudrait ou l'aurait draguée assez lourdement pour que ça pose problème.

— Pourtant quelqu'un avait bien une dent contre elle ou Michaelson.

On frappa de nouveau à la porte. Eve se déplaça pour faire entrer Lowenbaum. Il franchit le seuil, son manteau noir humide de neige fondu, et retira son bonnet.

— J'étais sérieux en vous disant que vous devriez jouer aux courses, dit-il.

Il balaya la chambre du regard tout en mâchant pensivement son chewing-gum. Il souleva une grande mallette fermée à clé.

— Le réceptionniste est devenu blanc comme un linge en la voyant.

Il la posa sur l'un des lits et la tapota du doigt.

— Quand je lui ai montré mon insigne, il a dit que le locataire de cette chambre avait exactement la même.

« Bingo ! » songea de nouveau Eve.

— Les courses de chevaux, je ne sais pas, dit-elle. Mais je miserai peut-être sur le match des Knicks ce soir.

— Votre mari a acheté les Celtics, non ?

— Exact.

— Cool.

Sans cesser d'examiner les lieux, Lowenbaum déverrouilla la mallette.

— Une chambre correcte dans un hôtel correct. Il aurait pu se trouver un truc beaucoup moins cher qui fasse aussi le job. Un endroit comme celui-ci diminuait nos chances de le trouver.

— Il n'était pas seul, dit Eve.

Lowenbaum tourna son attention vers elle.

— Vraiment ?

— Quelqu'un de plus jeune. Sexe indéterminé. Le réceptionniste pense qu'il s'agissait d'un ou une ado mais on n'a pas encore suffisamment d'infos.

— Voilà qui change la donne.

Eve s'approcha tandis que Lowenbaum ouvrait la mallette et commençait à assembler le fusil avec des gestes vifs et maîtrisés.

— Combien ça pèse ? demanda-t-elle. Mallette incluse.

— Un peu moins de sept kilos avec les batteries de rechange, répondit-il.

Il sortit le bipied et appuya sur un bouton. L'appareil se déploya automatiquement.

— Première fenêtre à droite du lit, indiqua Eve. La femme de ménage a repéré les indentations laissées dans le tapis par le bipied, et par une chaise.

— Vous vous fichez de moi ?

— Non, c'est vrai. Le personnel est très observateur chez *Manhattan East*. Et la fenêtre s'ouvre, sur à peu près douze centimètres de hauteur.

— Pratique.

Après avoir placé le bipied face à la fenêtre, Lowenbaum récupéra le fusil et le mit en place.

— Merci, dit-il quand Peabody lui apporta une chaise.

Il s'assit, regarda par la lunette, effectua quelques ajustements, déplaça la chaise d'un centimètre.

— De quoi les faire tomber comme des mouches, murmura-t-il.

— Vous pourriez abattre les cibles d'ici ?

— Ouais, je pourrais. Je compte deux hommes de mon escouade qui en seraient capables, eux aussi, et trois qui parviendraient au moins à blesser leur cible d'ici.

— Des cibles mobiles, lui rappela Eve.

— J'y arriverais, ainsi que les deux hommes dont je parlais. Avec les cibles mobiles, je donnerais aux trois autres à peu près une chance sur deux à cette distance. Jetez un coup d'œil, dit-il.

Il se leva pour laisser Eve prendre sa place.

Face à cette lunette, ses jumelles avaient l'air de simples jouets. Elle scruta la patinoire désertée, le cordon de sécurité, opéra ses propres réglages pour élargir le champ de vision et regarda les curieux qui prenaient des photos de la patinoire.

Elle mit en joue une femme portant une chapka et une écharpe.

« Un sentiment de puissance », se répéta-t-elle.

— Ça me donne l'impression que j'en serais capable, moi aussi, mais c'est sans compter le vent, la température et tout le bazar. Est-ce que le jeune aurait pu être là pour faire ces calculs ?

— Quand on dispose d'une arme comme celle-ci et des compétences nécessaires pour s'en servir, on fait soi-même les calculs. Ça devient presque inné. Et c'est... J'emploierais le mot « intime ». La relation entre l'arme et vous, je veux dire. Pas vous et la cible.

Eve se leva en hochant la tête.

— Vous confirmez que c'est le bon endroit ?

— Je le pense, mais pourquoi ne pas utiliser les jouets à notre disposition pour nous en assurer ?

Il se rassit et sortit son mini-ordinateur.

— Je peux entrer les coordonnées de cet endroit – la position exacte de l'arme, la position exacte des cibles – et effectuer un calcul inversé.

— C'est faisable ?

— Aujourd'hui oui parce qu'en chemin j'ai eu une conversation avec Connors sur la possibilité de le faire à l'aide de son nouveau programme. Je me suis dit : pourquoi ne pas demander directement au type qui a conçu le logiciel – un truc bien plus avancé que tous ceux qu'on employait jusqu'à maintenant – et tenter le coup ?

— J'aurais dû y penser moi-même.

— Mais alors vous n'auriez plus besoin de moi. Donnez-moi une minute.

Tandis qu'elle attendait, on frappa de nouveau à la porte. Eve fit un geste du pouce à l'intention de Peabody.

— Si c'est la police scientifique, dites-leur que nous serons prêts dans une minute. Qu'ils patientent un instant.

— Je vais avoir besoin d'un peu de temps en plus, l'avertit Lowenbaum. C'est très technique pour moi. Votre génial époux était en chemin vers une réunion – il va peut-être s'offrir l'équipe des Mets – sinon je l'aurais bien appelé pour voir s'il pourrait me régler ça à distance. Mais je pense que je devrais réussir... Voilà, voilà, ça marche. Et ça nous donne une probabilité de quatre-vingt-dix-neuf virgule six pour cent de chances sur cet endroit.

Il tendit son mini-ordinateur à Eve pour qu'elle voie les résultats.

— Voilà qui nous sera utile au procès quand on aura chopé ces salopards.

Lowenbaum replia le bras et rangea son mini-ordinateur.

— J'ai fait ce pour quoi vous aviez besoin de moi. J'aimerais voir à quoi ressemblent ces mecs. Vous me transférez les vidéos de sécurité ?

— Il n'y a pas de caméras dans cet hôtel.

— Votre coup de chance a trouvé ses limites.

— Mais je dispose de descriptions solides et Yancy est en route pour réaliser des portraits.

— Toujours votre bonne étoile. Donnez-moi les infos de base, demanda-t-il tout en démontant son arme aussi efficacement qu'il l'avait assemblée.

— Premier suspect masculin de type caucasien... commença-t-elle.

Elle déroula la description tandis qu'il rangeait son arme et le bipied.

— Je regarderai ça de près quand vous aurez les portraits-robots, dit-il. Je connais des types capables de ce genre de tir, soit de visu soit de réputation, et certains même personnellement. Ça me dira peut-être quelque chose. Ou je pourrai les montrer à des hommes dont je sais qu'ils ne sont pas des cinglés de la gâchette.

— Je vous les ferai passer dès que je les aurai, promit Eve. Merci pour votre aide, Lowenbaum.

— Je vous répondrais bien que je ne fais que mon travail mais... pas cette fois. On se revoit bientôt. Restez sur vos gardes, Peabody.

— Toujours, répondit celle-ci.

Elle lui ouvrit la porte et, une fois Lowenbaum sorti, fit entrer les techniciens de la police scientifique.

Eve leur exposa la situation puis Peabody et elle quittèrent la chambre pour les laisser s'affairer.

— Je vais continuer à creuser à propos d'Ellissa Wyman. Comme on penche pour la piste d'une cible spécifique, les suspects pourraient être en fuite, loin d'ici.

— Vous pensez qu'ils en ont terminé ? rétorqua Eve.

— S'ils ont abattu leur cible...

— Pourquoi ce partenaire, Peabody ? Pourquoi cet individu si jeune ? Un partenaire ou, s'il y a réellement vingt ans de différence entre eux, peut-être un apprenti ? Dans quel but le forme-t-il ? Il y a forcément une relation entre les suspects et l'une des victimes. Mais les gens ne se résument pas à une seule relation. Et des individus capables de nourrir une rancune aussi mortelle en entretiennent sans doute d'autres.

Eve entra dans l'ascenseur et écrasa du doigt le bouton menant au rez-de-chaussée.

— Ils n'en ont pas terminé, affirma-t-elle.

6

Eve tenta de joindre Mira depuis sa voiture et tomba sur son répondeur vidéo.

— Le suspect a un partenaire, plus jeune, potentiellement adolescent, de sexe indéterminé. Mon rapport détaillé suivra mais voyez ce que ça vous inspire.

Elle raccrocha pour appeler Feeney.

— Peabody, contactez le bureau du commandant. Il me faudrait dix minutes avec lui... Plutôt quinze, corrigea-t-elle, et au plus vite. Feeney, poursuivit-elle en voyant apparaître à l'écran le visage de basset de son ancien mentor, je suis en route vers le Central et j'aurais besoin qu'on se voie.

— À propos du TSLD ?

— On a identifié l'endroit d'où il a tiré et j'ai sa description. Je voudrais qu'on en discute.

— Passe donc, on discutera. Je vais te ménager un créneau.

— Merci. À tout à l'heure.

— Le commandant est en vidéoconférence mais j'ai insisté sur l'urgence du rendez-vous. Il vous recevra dans quarante minutes environ, dit Peabody.

— Ça me va. Retournez à la Criminelle, faites un topo à Jenkinson et Reineke. J'aurai peut-être besoin de faire de nouveau appel à eux. Je vous envoie l'enregistrement de mes entretiens avec le personnel de l'hôtel. Commencez à écrire le rapport. Si je ne suis pas revenue, enquêtez plus avant sur l'identité utilisée par le suspect. Il y a peut-être une raison derrière l'usage de ce nom. Et creusez du côté de la carte de crédit.

— Compris. Pourquoi voulez-vous voir Feeney ?

— Il a connu les Guerres Urbaines et il a déjà travaillé sur des affaires de TSLD.

« Et puis, songea Eve, c'est lui qui m'a formée. »

Quand un incident sur la route ralentit la circulation – un conducteur avait dérapé sur la chaussée glissante et se disputait à présent violemment avec le chauffeur de taxi qu'il avait heurté – elle lâcha intérieurement un juron et enclencha les gyrophares.

— Faites intervenir un collègue avant que ça dégénère, dit-elle.

— C'est déjà fait, répondit Peabody.

Tournant au coin de la rue en direction du Central, Eve lança un coup d'œil à sa voisine. C'était elle qui avait formé Peabody. Matière à réflexion.

Elle s'arrêta dans un crissement de pneus sur sa place du garage du Central puis se dirigea d'un pas vif vers l'ascenseur.

— Vous pensez qu'ils vont frapper de nouveau, dit Peabody. D'où la nécessité de faire vite.

— C'est tout à fait ça. Et si je me trompe à ce sujet, ils ont eu une journée pour disparaître. Dans un cas comme dans l'autre, il faut qu'on les rattrape.

Voyant d'autres policiers envahir progressivement l'ascenseur, Eve descendit en même temps que Peabody et prit l'escalier roulant sur le reste du trajet menant à la DDE.

En entrant dans cet étrange royaume de couleurs virevoltantes, elle repéra immédiatement McNab. Difficile de le rater avec son tee-shirt fluorescent rouge et jaune retombant sur un ample baggy vert néon tandis qu'il se déhanchait au rythme d'une musique entendue de lui seul. Toutes sortes de couleurs et de symboles étranges explosaient sur son écran.

Eve esquiva ensuite une jeune femme qui sautillait presque à travers la pièce, vêtue d'un pull rose pelucheux, la poitrine barrée de l'image animée d'un caniche enchaînant les saltos arrière.

Eve se hâta de rejoindre l'îlot de santé mentale que représentait le bureau de Feeney.

Celui-ci se tenait debout face à un écran large sur lequel il travaillait à deux mains. Il ne se déhanchait pas – Dieu merci – et portait l'un de ses costumes marronnasse, déjà froissé, avec une cravate d'un marron un peu plus foncé juchée de travers sur une chemise beige trop grande pour lui.

Ses cheveux roux teintés de gris se dressaient tels des ressorts au-dessus de son visage buriné comme s'il les avait coiffés avec une brosse en métal. La pièce sentait le café et les pralines.

L'entendant saluer son arrivée d'un grommellement, Eve franchit le seuil.

— Je peux fermer la porte ? demanda-t-elle. Toutes ces couleurs me donnent la migraine.

Il lui fit signe de faire comme elle voulait puis, une fois la porte fermée, lui désigna l'autochef d'un geste du pouce.

— Le café est disponible sous l'étiquette « smoothie kale et carotte ».

— Bon choix.

Eve programma deux tasses, attendit que Feeney hoche le menton en direction de l'écran puis se recula.

— Qu'est-ce que t'as trouvé, ma fille ?

— Le poste de tir et une description du suspect. Il a abattu ces gens depuis la Deuxième Avenue, Feeney.

Il haussa les sourcils, laissa échapper un sifflement admiratif et s'affala derrière son bureau.

— Sacré talent.

— Il a un partenaire, sauf que… Le deuxième suspect est jeune, de sexe indéterminé. Potentiellement un adolescent. J'en saurai plus quand Yancy aura terminé avec le témoin. Le suspect adulte a environ cinquante ans.

— Ça n'évoque pas vraiment un partenariat.

— Exactement. Plutôt une relation maître-élève. Le témoin a pu se tromper mais il a vraiment l'air fiable. Quand il parle de seize ans tout au plus, je penche plutôt pour un mineur. Mais qui entraînerait un gamin dans ce genre d'activité si ce n'est pour le former ?

Tout en réfléchissant, Feeney s'empara de quelques pralines dans un bol de guingois.

— Une possibilité que le gamin soit un otage ?

— Ça n'en a pas l'air. Ce témoin aurait remarqué si le jeune était là contre sa volonté. Ils sont arrivés ensemble à l'hôtel après avoir demandé cette chambre en particulier. Ils y ont passé une nuit puis la matinée suivante. Planification, patience et capacité à guetter le bon moment. Donc je m'interroge : pourquoi ce gamin ? Toi, tu m'as pris sous ton aile.

Feeney hocha la tête en sirotant son café.

— Tu avais du potentiel, dit-il.

— J'étais une bleue.

— Tu n'as jamais été très bleue. J'ai vite constaté que tu avais des capacités, des tripes et un cerveau en état de marche. Un cerveau de flic. Peut-être que j'ai vu un peu de moi en toi, à l'époque. Et puis tu voulais bosser à la Criminelle. Et tu as fini par former Peabody, lui rappela-t-il.

— Exact, et quand j'y pense, je ne peux pas dire que je me reconnais en elle, mais j'ai vu son potentiel et son esprit de flic. Je me suis dit « donnons-lui sa chance à la Criminelle », vu que c'était ce qu'elle voulait. Et voyons ce qu'elle donne en tant qu'assistante. Et puis ça a collé, c'est tout. Ça colle entre nous.

— Il y a de toi chez elle. Avec un côté plus insouciant et son éducation free age, mais elle n'abandonne jamais. Et ce n'est pas que la question du boulot, mais aussi de la défense des victimes. Tu as perçu ça chez elle, sans quoi tu aurais pu la laisser derrière un bureau à la Criminelle. Tu ne te serais pas donné la peine de la former.

— Oui, tu as sûrement raison. Oui. Donc il peut y avoir quelque chose du suspect adulte chez le jeune. Un potentiel meurtrier. Tu m'as pris sous ton aile, je me suis occupée de Peabody – et j'ai confié Trueheart à Baxter – mais il y a plus que le potentiel, les trois élèves étaient déjà des flics.

Feeney acquiesça puis avala une lampée de café.

— Tu te demandes si le gamin est déjà un tueur.

— On ne choisit pas un apprenti au hasard. On ne prend pas quelqu'un avec soi juste parce que c'est pratique. Où se sont-ils rencontrés ? Le suspect adulte a été entraîné au sein de la police ou des forces armées ; on peut pratiquement être sûrs qu'il a un jour porté l'uniforme. Alors a-t-il pu récupérer ce gamin dans la rue, dans une zone de guerre ?

— Il y a une autre possibilité.

— Je sais. Un lien du sang. Père et fils, oncle, frère aîné, voire même cousins germains, qui sait ? Quand j'aurai la description, je pourrai la faire passer par le service des personnes disparues, pour voir si quelqu'un cherche un adolescent. Admettons qu'ils soient liés par le sang, pourquoi entraîner quelqu'un à tuer ? Ça n'a pas l'air d'être un travail de tueur professionnel : aucune des trois victimes n'avait quoi que ce soit qui justifie un assassinat. Et il existe des moyens beaucoup moins visibles de mener un exercice d'entraînement pour qui voudrait ouvrir une école pour assassins. Pour moi, l'affaire revêt une dimension personnelle.

— Il y a plein de façons plus simples de tuer quelqu'un pour des raisons personnelles.

— Absolument.

Feeney poussa amicalement le bol de pralines en direction d'Eve.

— À moins que ce soit sa spécialité, dit-il. Pas un tueur à gages mais un tireur d'élite, de la police ou de l'armée. C'est l'hypothèse pour laquelle tu penches en premier, non ?

Eve opina du chef et prit une profonde inspiration. Elle appréciait de le voir suivre le même cheminement qu'elle.

— Je penche pour ça, oui. Tu prends un élève parce que tu veux qu'il partage ton activité, lui transmettre quelque chose, peut-être. Tu veux voir quelque chose de toi en lui. La différence d'âge…

— … fait plus penser à toi et moi, approuva Feeney. Je n'ai jamais bossé sur une affaire de tueur à longue distance ayant un partenaire, ou un élève, mais je dirais que l'élève doit faire preuve de – comment dire ? – d'une inclination pour le métier, et d'un certain talent, et du même sang-froid. Le sang-froid ne s'apprend pas, Dallas. On l'a ou on ne l'a pas.

De nouveau, Eve apprécia de l'entendre exprimer ce que lui soufflait son propre cerveau.

— Comment choisissait-on et formait-on les tireurs durant les Urbaines ?

— De la même manière qu'aujourd'hui, je dirais. Il faut disposer de l'habileté et de la maîtrise de soi nécessaires. Être capable de voir un être humain comme une cible. Une cible que tu n'abats pas avant d'avoir le feu vert. Mais quand tu as le feu vert, tu n'hésites pas.

— Celui qui a tiré à la patinoire n'a pas hésité, dit Eve. Et il n'hésitera pas plus lorsqu'il recevra son prochain feu vert.

Eve se dirigea vers le bureau du commandant Whitney en préparant mentalement le rapport oral qu'elle allait lui faire. L'assistante de Whitney la salua d'un hochement de tête et leva un doigt pour lui dire de patienter. Puis elle porta la main à son oreillette.

— Le lieutenant Dallas est arrivé, commandant. Oui monsieur. Allez-y, lieutenant.

Whitney était assis à son bureau, silhouette massive aux larges épaules supportant le poids de ses responsabilités. Il regarda Eve entrer, une expression austère sur son visage carré à la peau sombre.

— Je vous ai épargné la conférence de presse de ce matin car vous étiez sur le terrain, annonça-t-il. Dites-moi que vous avez un début de piste.

— J'ai localisé l'endroit d'où venaient les tirs et j'ai une description de deux suspects. L'inspecteur Yancy travaille avec le témoin.

Whitney se radossa sur son siège.

— C'est plus qu'un début de piste, constata-t-il. Donnez-moi les détails.

Ce qu'elle fit, de manière claire et concise, sans avoir besoin de consulter ses notes.

— Un successeur adolescent, murmura Whitney. Ce ne serait pas la première fois. On a connu ça avec les tireurs de D.C., au début du XXIe siècle. Puis ceux des Ozarks, entre 2030 et 2031. Des frères, dont le plus jeune avait à peine treize ans quand ils ont commencé.

Eve prit mentalement note de faire des recherches sur les deux affaires.

— Une fois les portraits-robots disponibles, nous les diffuserons. Et cette fois, vous devrez participer à la conférence de presse. Patientez une minute pendant que je m'entretiens avec Kyung. Nous souhaitons organiser ça avec soin.

Elle aurait voulu travailler, se retrouver face à son tableau, repasser toutes les informations au tamis de ses pensées. Mais elle resta sur place, comme il le lui ordonnait, et attendit.

Pendant qu'Eve attendait, l'élève faisait de même. Au sein du flux de son sang-froid palpitait un filet d'anticipation brûlante. Cette fois, ce serait différent. Cette fois, tout serait coloré par la connaissance du ressenti, du sentiment de puissance qui reliait la cible au doigt sur la gâchette.

La piaule sentait la pisse et les cafards. Mais c'était sans importance. La ligne de tir, qui remontait Broadway jusqu'à Times Square, était complètement dégagée. Ni la bruine froide ni le passage occasionnel d'un tram volant ne causaient de distraction.

— Je tiens la cible.

Le maître hocha la tête. Lui aussi avait la cible en vue.

— Tu as le feu vert. Prends ton temps. Élimine la cible.

— J'en veux plus que trois, cette fois. Je peux monter jusqu'à six. J'en veux six.

— Souviens-toi : vitesse et précision. Trois suffiront.

— Mais ça crée une récurrence. Et je peux en abattre six.

Après quelques instants, le maître abaissa ses jumelles.

— Quatre. Ne discute pas. Fais le travail. Si tu discutes, on annule.

Avec un sourire de satisfaction, l'élève considéra les gens qui se bousculaient dans les artères de Times Square, les observa qui marchaient et regardaient tout autour d'eux, faisaient des photos ou des vidéos, avec à la main des sacs pleins de souvenirs de pacotille. Puis commença le travail.

L'agent Kevin Russo était en patrouille avec son amie et collègue Sheridon Jacobs. Ils s'étaient payé deux hot-dogs bien garnis auprès d'un vendeur ambulant durant leur pause et le sien siégeait bien au chaud dans son estomac.

Il aimait bien son itinéraire ; il se passait toujours un truc, il y avait toujours quelque chose à voir. Bien sûr, cela ne faisait que quatre mois qu'il avait été assigné à Times Square, mais il n'imaginait pas s'en lasser de sitôt.

— Voilà Larry Doigts de Fée, dit-il à Jacobs en avisant le voleur à l'arrachée qui scrutait les touristes en quête de victimes potentielles. On ferait sans doute mieux de l'éloigner.

Jacobs secoua la tête.

— Il a de la bouteille et ça se voit, répondit-elle. Ils devraient ouvrir une maison de retraite pour les voleurs trop âgés. Ce type doit approcher les cent ans.

— Je crois qu'il les a dépassés il y a quelques années. Bon sang, il ne nous a même pas vus arriver.

Ils ne se hâtèrent pas. Larry Doigts de Fée n'était pas aussi agile que durant sa jeunesse. La semaine précédente, sa victime l'avait même mis à terre à coups de sac à main. Le même sac à main qu'il espérait voler.

Alors qu'un sourire se peignait sur le visage de Russo à ce souvenir, la proie du jour – une septuagénaire portant un sac rouge vif à l'épaule – s'effondra comme une pierre.

— Ah, merde ! Appelle une ambulance, Sherry.

Comme Russo se précipitait vers la femme à terre, un gamin au milieu d'un petit groupe de jeunes en airboards s'envola et heurta trois passants qui chutèrent comme des quilles.

Russo vit une tache de sang s'élargir dans le dos du blouson bleu clair du garçon.

— Baissez-vous ! À terre ! À couvert !

Avant les premiers cris, avant que les gens autour comprennent ce qui se passait, Russo dégaina son arme. Il bondit vers le gamin avec l'espoir de le protéger d'une autre frappe potentielle. Mais le troisième tir cueillit Russo en plein front, à peine plus de deux centimètres sous la visière de sa casquette. Il mourut avant de heurter le trottoir, avant que tombe un quatrième corps, puis un cinquième.

Tandis que le chaos se répandait à plusieurs pâtés de maisons de là, que retentissaient les hurlements et les crissements de pneus, l'élève se redressa et sourit au maître.

— Cinq, ça fait un bon compromis.

Le maître abaissa ses lunettes, tentant d'arborer un air sévère. Mais la fierté se lisait derrière sa désapprobation de façade.

— Remballe tout. On en a terminé ici.

Dans le bureau de Whitney, la radio d'Eve bourdonna presque au même instant que le communicateur du commandant, indiquant une urgence.

— Je vous rappelle, dit-il au chargé de liaisons avec les médias.

Son regard croisa celui d'Eve comme tous deux répondaient à l'appel.

— Dallas.

— *Dallas, lieutenant Eve, communication du Central. Agent abattu, croisement de Broadway et de la 40ᵉ Rue. Multiples victimes. Quatre morts confirmés. Nombre de blessés non confirmé.*

— Reçu. Je suis en route. Commandant ?

— L'un de nos agents est mort. Je viens avec vous. Allons-y.

Elle appela Peabody sur le chemin.

— Rejoignez-moi au garage ! Immédiatement. Il a frappé de nouveau, à Times Square. Un flic abattu.

Par automatisme, elle prit la direction des escaliers roulants.

— Ce sera plus rapide, monsieur.

Si certains policiers s'étonnèrent de voir le commandant hâter le pas pour parvenir à la suivre, zigzaguant entre les passagers des escaliers roulants, ils restèrent discrets, ne lançant que quelques regards en coin. Et la plupart se contentèrent de se ranger pour les laisser passer.

À mi-chemin, Whitney saisit Eve par le bras.

— L'ascenseur, dit-il. J'ordonnerai un trajet direct.

Quand Whitney s'imposa dans la cabine d'ascenseur pleine à craquer, les flics – sans grande discrétion cette fois – se mirent au garde-à-vous. Et personne ne protesta – pas à voix haute en tout cas – quand il se servit de son passe magnétique pour descendre directement au garage.

— À quel étage ? demanda-t-il à Eve.

— Niveau un.

Il entra la commande puis lui lança un coup d'œil interrogateur :

— Votre grade vous donne accès aux niveaux supérieurs.

— J'aime bien le Niveau un.

— Tout comme vous aimez disposer d'un bureau de la taille d'un placard à balais.

— Oui, j'imagine qu'on peut dire ça. Commandant, ça va être le chaos, là-bas.

Il sortit une écharpe noire de la poche du manteau qu'il avait enfilé en hâte en sortant de son bureau.

— J'ai déjà eu affaire au chaos.

Jugeant préférable de ne pas le questionner, Eve demeura silencieuse.

Ils émergèrent de l'ascenseur. Le garage leur renvoyait l'écho de leur pas. Un simple regard informa Eve qu'ils étaient arrivés plus vite que Peabody, ce qui donna l'occasion à Whitney d'examiner sa voiture.

— Qu'est-ce que c'est que ce véhicule et comment se fait-il que vous n'ayez pas mieux ?

— C'est mon véhicule personnel et il est plus performant qu'il n'y paraît.

Elle déverrouilla rapidement la voiture puis lança un coup d'œil par-dessus son épaule en entendant l'ascenseur.

— Prenez le siège passager, commandant.

Tandis qu'il s'installait, Eve décocha un regard d'avertissement à Peabody.

— Mettez-vous derrière. Le commandant nous accompagne.

Elle se glissa ensuite derrière le volant.

— Il est crucial de faire vite. On fonce.

Comme Eve mettait le contact et partait en marche arrière dans un rugissement de moteur, Peabody se pencha en avant pour murmurer à l'oreille de Whitney :

— Mettez votre ceinture, commandant. Faites-moi confiance.

Toutes sirènes hurlantes, Eve jaillit hors du garage avec à peine un temps d'arrêt pour s'assurer que la voie était libre. Elle esquiva à toute vitesse les voitures qui s'agglutinaient dans la rue et passa à la verticale pour mettre le cap au nord.

— Qu'est-ce que c'est que ce véhicule ? voulut savoir Whitney.

— Une DLE, commandant, lui répondit Peabody, sanglée et agrippant son siège des deux mains. Elle n'est même pas encore sur le marché.

— J'en veux une dès qu'elle le sera.

Sur ces mots, il décrocha son communicateur pour contacter le chef Tibble.

Eve ne se laissa pas distraire par l'échange entre ses supérieurs, enchaînant zigzags et sauts de puce pour se frayer un chemin à travers les rues encombrées.

Tirs multiples dans l'un des secteurs les plus fréquentés de la ville, la fête permanente qu'était Times Square.

Et un flic abattu.

« Chaos » était un terme bien mesuré.

Il fallait qu'elle fasse sécuriser les lieux, que les témoins potentiels soient isolés et interrogés. Que les morts soient protégés et les blessés, s'il y en avait, transportés en lieu sûr.

Elle s'était attendue à une nouvelle attaque mais pas si tôt, moins de vingt-quatre heures après la première... Le tueur avait une idée en tête, un objectif, peut-être même carrément une mission à accomplir. Les tueurs habités par une mission ne s'arrêtaient pas avant de l'avoir menée à son terme.

— Peabody, appelez Yancy et mettez-lui la pression. J'ai besoin de ces portraits-robots... Écartez-vous de mon chemin ! Vous n'entendez pas cette foutue sirène ?!

Elle s'envola d'un coup, flotta au-dessus de deux Rapid Taxis qui semblaient faire la course sur la Huitième Avenue.

Comme elle l'avait supposé, lorsqu'elle traversa la Septième pour débarquer sur Broadway, le chaos l'attendait.

Un petit groupe d'agents en uniforme bataillaient ferme pour garder le contrôle de centaines de gens. Piétons paniqués, véhicules partis en vrille, passants armés d'appareils photo et de communicateurs se bousculant les uns les autres dans l'espoir de mieux voir, commerçants, serveurs, voleurs des rues ; ceux-ci voyant dans ce court moment d'affolement une occasion unique d'amasser du butin.

La clameur était incroyable.

Elle arrêta sa voiture, alluma son panneau EN SERVICE – avant tout pour éviter qu'un gardien de la paix trop zélé ne l'envoie à la fourrière – et se dirigea vers l'attroupement.

— Désolée, commandant...

Elle se lança dans la mêlée, laissant Whitney aux bons soins de Peabody, puis s'empara du mégaphone d'un malheureux agent.

— Faites reculer ces gens ! s'époumona-t-elle. Tout de suite ! Qu'on dresse les cordons de sécurité. Trois agents auprès de chaque victime. *Maintenant !*

Elle saisit un autre policier par la manche.

— Bloquez l'accès à la zone à toute la circulation à l'exception des véhicules officiels ou d'urgence, ordonna-t-elle.

— Mais, lieutenant...

— Il n'y a pas de « mais ». Faites-le.

Elle se retourna pour apostropher un troisième agent en uniforme.

— Des panneaux occultants pour les victimes. Pourquoi sont-elles encore à découvert ? Contenez-moi cet attroupement. Faites votre foutu boulot et tout de suite ! Peabody !

— Lieutenant ?

— Je veux cinquante agents sur place, au plus vite. Il faut reprendre le contrôle de cette foule. Appelez Morris. Qu'il nous rejoigne directement ici.

Elle saisit un voleur par le col de son manteau trop grand pour lui et le secoua avec assez de force pour faire pleuvoir portefeuilles et sacs à main sur le trottoir.

— Un peu de respect, espèce d'enfoiré ! Disparais immédiatement où je veillerai personnellement à ce que tu pourrisses dans une cage pour les vingt prochaines années.

Peut-être était-ce la panique, ou peut-être était-il en colère de voir son butin lui échapper, mais il lui décocha un coup de poing. Le geste la prit à ce point par surprise – le type était littéralement entouré de policiers – qu'il parvint à la toucher à la mâchoire.

Sous l'effet de la colère plus que de la douleur, elle répliqua avec un coup de genou au bas-ventre qui l'étala au sol et résista – de justesse – à l'envie d'y ajouter un coup de pied pour faire bonne mesure.

— Menottez-le et emmenez-le. Tout de suite, bon sang, tout de suite ! Vous êtes des flics ou des incapables ? Et récupérez-moi toutes les vidéos de sécurité de la zone.

Elle se fraya un chemin jusqu'au corps de l'agent Kevin Russo, entouré par une grappe de collègues en uniforme.

— Reculez-vous, laissez-moi passer. Donnez-moi son nom.

— Agent Kevin Russo, répondit Jacobs en ravalant ses larmes. J'étais avec lui. C'est mon équipier. Je...

— Restez ici. Les autres, occupez-vous de gérer cette foule. Sécurisez-moi ce fichu périmètre ! Les renforts arrivent. Agent ?

— Jacobs. Sheridon Jacobs. Nous revenions de notre pause déjeuner, lieutenant. On était...

Elle inspira avec difficulté, tenta de se ressaisir.

— On se dirigeait vers un voleur à l'arraché bien connu, et une femme est tombée à terre. La cible du voleur. Elle s'est écroulée d'un coup. J'ai cru qu'elle s'était évanouie ou qu'elle avait un problème médical. Puis... Le gamin a été le suivant. Sur un air-board. Kevin s'est précipité vers lui en criant aux gens de se mettre à couvert, de se baisser. Et puis lui aussi est tombé, lieutenant. J'ai vu la frappe le toucher en pleine tête. Je... Je me suis approchée pour l'aider et tout a basculé dans la folie. Je suis désolée, lieutenant, c'était dingue et je... Nous... On n'a pas pu gérer. On n'était pas assez nombreux pour faire face.

— Dans quelle direction regardait-il ?

— Lieutenant ?

— Reprenez-vous, Jacobs. Dans quelle direction regardait votre équipier quand il a été touché ?

— Vers le sud, je crois. Au sud. Ça s'est passé si vite, lieutenant. Des gens qui s'effondrent, la foule qui se met à courir, à crier. Les gens se cognaient, se piétinaient les uns les autres ainsi que les corps. J'ai appelé des renforts mais c'était une énorme bousculade.

— D'accord. Restez là.

Eve s'apprêtait à réclamer son kit de terrain quand Peabody le lui tendit.

— Dallas, dit Peabody avec un geste de la main.

Levant les yeux, Eve vit qu'elle apparaissait sur tous les écrans géants, manteau battant dans le vent, l'air sombre. Le bandeau d'informations qui défilait sous son image gigantesque – ainsi que celle du flic abattu à ses pieds – de l'écran du One Times Square affichait :

« Lieutenant Eve Dallas sur les lieux du massacre de Times Square. »

— Bon sang ! Coupez-moi cette retransmission. Coupez-la !
— Je m'en occupe.
Whitney, le communicateur plaqué contre l'oreille, levait les yeux vers les écrans.
— Faites ce que vous avez à faire, dit-il. Je m'en occupe.
— Il a été identifié par son équipière, dit Eve à Peabody. La cause du décès est tristement évidente. Enregistrez l'heure du décès. Et veillez à ce qu'il soit isolé par des panneaux occultants.
Son kit à la main, elle s'accroupit auprès de l'adolescent que l'agent Kevin Russo avait tenté de protéger.
Elle vit au premier coup d'œil qu'il n'avait pas plus de dix-sept ans et qu'il n'atteindrait jamais les dix-huit.
— La victime est métisse, répond au nom de Nathaniel Foster Jarvits, dix-sept ans aujourd'hui même. Tu parles d'un anniversaire. Heure du décès, 13 h 21. Le légiste en déterminera la cause exacte mais l'observation sur les lieux du crime permet de retenir une frappe au laser au milieu du dos. Presque identique au tir contre Ellissa Wyman.
Elle marqua une pause puis se tourna vers Peabody.
— Appelez les parents.

— Dallas, l'heure du décès de l'agent Russo est aussi 13 h 21.

Eve leva les yeux, furieuse de voir son propre visage toujours affiché sur tous les écrans. Les médias n'avaient pas plus de respect que le voleur à la tire, se dit-elle. Elle se leva néanmoins pour se diriger vers la victime suivante.

Elle ne regarda plus les écrans, ne se plaignit pas de devoir encore hausser la voix pour être entendue sur son enregistrement. De rapides coups d'œil lui apprirent que des renforts débarquaient en masse, que l'on érigeait les cordons de sécurité et que des arrestations – bruyantes – étaient en cours car certains passants refusaient de reculer ou de cesser leurs tentatives de filmer l'horreur.

Elle était arrivée à la personne identifiée par Jacobs comme étant la première victime quand Whitney s'accroupit à côté d'elle.

— La retransmission a été coupée mais on ne pourra pas empêcher les médias de rediffuser les images durant leurs flashs d'infos.

— Je m'en moque.

— La scène de crime est désormais sécurisée. Cette victime se trouvait avec un ami qui est actuellement en état de choc mais que l'on pourra interroger une fois traité. Le mineur faisait de l'airboard avec cinq copains. Ils ont tous été escortés en lieu sûr pour être questionnés. Une autre victime n'était accompagnée de personne au moment de l'attaque. Et nous avons un survivant.

Eve tourna vivement la tête.

— Un survivant ?

— Une survivante, plus exactement. Une employée de bureau qui travaille en centre-ville et ne passe généralement pas par ici. Le laser l'a touchée au flanc gauche. Elle a été emmenée par ambulance et va passer sur le billard. C'est du cinquante-cinquante, au mieux.

— De meilleures chances que les quatre autres. Le tireur n'appréciera pas d'avoir échoué à faire cinq tirs, cinq morts. Ça va le foutre en rogne. Commandant, il faudra mettre cette femme sous protection vingt-quatre heures sur vingt-quatre...

— C'est déjà fait, lieutenant. Je suis un flic, pas un incapable.

— Mes excuses, commandant.

— Ce n'est pas nécessaire. Vous avez repris le contrôle aussi vite qu'il était possible de le faire.

Il tourna la tête vers le corps à présent dissimulé de leur collègue.

— Je ne crois pas que les souvenirs de son équipière soient confus. L'agent Russo a donné sa vie dans l'accomplissement de sa mission de policier.

— C'était peut-être lui, la cible.

Elle vit le regard de Whitney se durcir mais poursuivit malgré tout :

— Ou bien la quatrième victime, le pubard qui se rendait à un déjeuner professionnel. Pas le gamin ; en tout cas, ça semble improbable à ce stade. La première victime était une touriste. Mais l'agent Russo ? Il s'agissait de son itinéraire de patrouille, on pouvait s'attendre à le trouver ici à cette heure de la journée. Le publicitaire travaille dans le quartier, donc ce n'est pas impossible non plus. Mais pas les autres, commandant. Les autres ont été ciblés au hasard. Il visait le flic, voilà ce que me souffle mon intuition. Le flic a un lien avec le tireur. Je vais découvrir pourquoi et comment. Ils ne peuvent pas tuer l'un des nôtres et espérer s'en sortir. Ils ne peuvent pas tuer un gamin inoffensif le jour même de son anniversaire et s'en tirer comme ça.

Elle se redressa de toute sa taille.

— Commandant Whitney, j'aurai besoin de savoir tout ce qu'il y a à savoir à propos de l'agent Russo, d'un point de vue personnel comme professionnel. Tout. Votre aide me serait utile. Vous pourriez faire en sorte que ça se fasse au plus vite.

— C'est comme si c'était fait, répondit Whitney.

Le visage dur, il tourna de nouveau son attention vers le panneau occultant et la rangée d'agents en uniforme postés autour telle une garde d'honneur.

— Non, ils ne peuvent pas tuer l'un des nôtres et espérer s'en sortir.

Lui aussi se releva.

— Quels que soient vos besoins en hommes ou en heures supplémentaires, considérez-les comme accordés.

— Pour commencer, je n'aurai pas le temps pour la conférence de presse.

— Je vous remplacerai.

— Et j'aurai besoin d'un accès prioritaire à Mira.

— Entendu.

— L'aide de Nadine Furst me serait utile, pour gérer la communication des médias et mener des recherches.

Il n'hésita qu'un bref instant.

— Soyez prudente mais faites ce que vous jugerez nécessaire. Il serait sage de coordonner vos actions avec Kyung.

Elle hocha la tête en se rappelant « Kyung est un type bien ».

— Connors aussi, s'il est disponible.

— Évidemment, et avec les remerciements de nos services.

— Commandant, si j'ai vu juste et que l'agent Russo ou l'une des autres victimes a un rapport avec Michaelson – parce que c'est forcément Michaelson, d'une façon ou d'une autre – l'affaire ne s'arrêtera pas là. Il ne peut pas y avoir que deux cibles. Ces tueurs se sont lancés dans une sorte de mission. Et le lien entre eux les reliera nécessairement à quelqu'un d'autre. Quelqu'un connaît forcément l'un des tireurs. Quelqu'un va les reconnaître. J'ai besoin que les portraits-robots de Yancy soient largement diffusés. Vous pouvez faire en sorte qu'ils apparaissent partout.

— Faites-moi confiance : dès que nous aurons ces visages, ils seront placardés partout.

— Ils iront peut-être se terrer quelque part quand cela se produira, dit Eve. Mais ils ne trouveront pas de trou assez profond pour m'échapper.

Elle balaya du regard les quatre corps désormais protégés du regard des curieux.

— Aucun trou ne sera assez profond, vous avez ma parole. Pardonnez-moi, commandant, Morris est arrivé. Il faut que je m'entretienne avec lui.

Alors qu'elle s'éloignait, Whitney s'approcha du policier abattu, retira la broche du NYPSD qu'il portait à sa veste et la déposa avec respect sur le drap qui recouvrait la dépouille.

7

Le vent agitait les pans du manteau de Morris, penché sur le corps de la première victime. Il sortit une bombe de Seal-It de son kit de terrain personnel et leva les yeux vers Eve tout en en enduisant ses mains dénuées de gants.

— Je vais les examiner dans l'ordre, dit-il. Savez-vous si elle est bien tombée ici et dans cette position ?

— Les corps et la scène de crime ont pu être compromis, répondit Eve.

Elle s'interrompit et secoua la tête.

— Non, « compromis » n'est pas le bon mot. En réalité, c'est un bordel total. J'ai réclamé qu'on nous fournisse toutes les vidéos de surveillance disponibles afin que nous puissions reconstituer le déroulement des événements. La foule a paniqué et plusieurs personnes – y compris au moins une partie des victimes – ont été piétinées.

— Une attaque sur cette place ? dit-il en sortant les jauges de son sac. On a de la chance que ce ne soit pas pire.

À cet instant, Eve n'avait pas envie d'imaginer quelque chose de pire.

— Identifiée sous le nom de Fern Addison, quatre-vingt-six ans, dit-elle. Elle a été abattue en premier, suivie par le garçon, Nathaniel Jarvits, dix-sept ans, puis l'agent Russo. Enfin nous avons David Chang, trente-neuf ans. Une autre personne a été touchée mais elle a survécu – au moins jusqu'à maintenant – et est actuellement au bloc opératoire.

— Quatre sur cinq, donc, murmura Morris en s'agenouillant près du corps. Vous avez fait les relevés que vous vouliez sur elle ?

— Oui, sur chacun d'eux. Nous avons l'heure du décès pour toutes les victimes. Vous pourrez nous la confirmer.

— Dans ce cas précis, je le ferai. Il est préférable de ne rien laisser au hasard.

Il disposa ses outils de mesure, enclencha son enregistreur et commença la procédure.

— Atteint à mi-corps, tir mortel. Heure du décès, 13 h 21. Je pourrai vous en dire plus une fois qu'elle aura été transportée chez moi. À titre préliminaire, j'estime qu'elle est probablement morte avant même de toucher le sol.

Il fit signe à l'équipe de la morgue.

— Récupérez les corps et placez-les sous housse mortuaire puis emportez-les au fur et à mesure de nos examens, ordonna-t-il.

Il se releva pour se rendre auprès de la deuxième victime.

— Dix-sept ans, vous disiez.

— Oui, aujourd'hui même.

— Ah, la vie peut se montrer cruelle. Il a des parents ?

— Oui, et un frère. Il faisait de l'airboard avec des amis et a été touché dans le dos. Comme pour Ellissa Wyman, la force de l'impact et son propre élan l'ont projeté vers un groupe de passants. Ceux-ci s'en sont sortis avec quelques blessures légères, qui ont été traitées ou sont en cours de traitement.

— Frappé au milieu du dos, encore une similitude avec Ellissa Wyman.

Il vérifia également l'heure du décès.

— D'après son équipière, l'agent Russo a tenté de protéger le garçon, a crié aux gens de se mettre à couvert. Il a été touché quelques secondes plus tard. Si j'en crois l'heure du décès que j'ai relevée, il est mort quelques secondes seulement après l'ado.

Morris releva de nouveau la tête pour scruter les alentours.

— Vous avez rapidement pris le contrôle de la zone.

— Pas assez rapidement.

Elle s'accroupit auprès de lui et décida qu'elle se fichait bien qu'on entende ce qu'elle allait dire sur l'enregistrement officiel.

— Ils m'ont filmée et affichée sur les écrans géants avec les victimes. La mère ou le père du gamin ont très bien pu voir la scène avant qu'on les avertisse. J'ai dû envoyer Peabody.

Morris lui toucha brièvement la main dans un geste de compréhension puis se leva pour s'approcher du policier abattu.

— Lui aussi est jeune.

— Vingt-trois ans.

— Touché à la tête, au milieu du front. Vous soupçonnez le tireur de vouloir faire une démonstration de ses talents, comme pour la troisième victime de la patinoire ?

— Je le soupçonne surtout d'avoir su que l'agent Russo portait un gilet pare-balles, comme le veut la procédure. Il aurait pu blesser Russo en le touchant à la poitrine, mais ça ne l'aurait pas tué. Le but était de l'abattre. Vous verrez que la troisième victime aussi a été touchée à la poitrine et d'après mes informations la survivante a été atteinte à mi-corps, mais au niveau du flanc gauche. Quelques centimètres sur la droite et elle serait étendue ici avec les quatre autres. Et il n'est pas encore certain qu'elle ne finisse pas chez vous.

— Toutes les victimes sont à égalité une fois chez moi, mais...

Morris vérifia l'heure du décès de Russo.

— Quand un policier est tué, ça change tout, termina Eve. Ce tireur en a forcément conscience. Il s'agit d'un choix délibéré. Il a visé un flic... et il est possible qu'il ait visé ce flic en particulier.

— Et pourtant il ne s'est pas arrêté là. Il a tué une autre personne et en a envoyé une cinquième à l'hôpital.

— Je pense...

Eve s'interrompit en entendant des cris, des hurlements hystériques. Elle vit une femme qui se débattait entre deux agents au niveau du cordon de sécurité, agitée et en larmes, répétant en boucle un unique prénom : « Nate. »

Nathaniel Jarvits. La deuxième victime.

— C'est sa mère, dit Morris. Voulez-vous que j'aille... ?

— Non, je m'en occupe. Finissez votre travail et faites emporter les victimes dès que possible.

Elle se leva et s'avança d'un pas rapide.

La mère ne portait même pas de manteau, remarqua Eve. Elle était sortie en courant de l'endroit où elle se trouvait sans prendre le temps de se couvrir.

— Madame Jarvits ! Madame Jarvits ! Regardez par ici, regardez-moi. Je suis le lieutenant Dallas.

— Nate ! Nate... Où est mon bébé ?

— Madame Jarvits, je vais vous demander de venir avec moi.

Où emmener cette femme au milieu de tout ce bazar ? Tout en réfléchissant, Eve fit mine de retirer son manteau. Mais Whitney la prit de vitesse.

— Madame Jarvits, dit-il en enveloppant la femme dans son propre pardessus. Je suis le commandant Whitney. Venez avec moi, je vous prie. Le café, précisa-t-il à l'intention d'Eve. Je l'ai fait évacuer. J'y emmène Mme Jarvits.

— Je vous en prie, dites-moi où est mon fils ! Il est blessé ? Il faut que je voie mon fils. Il s'appelle Nathaniel Foster Jarvits. Mon Nate.

Whitney lui passa un bras sur les épaules et l'emmena à l'écart tandis que Peabody revenait à petites foulées.

— Je n'ai pas pu la joindre, dit-elle. Elle a dû voir le bulletin d'informations. J'ai pu parler au père mais pas à elle. Elle travaille à quelques rues d'ici.

— Elle est partie en courant, comprit Eve. Elle a vu ces fichues images vidéo et elle s'est précipitée. Bon...

Elle prit une profonde inspiration pour retrouver son calme.

— On va emmener les témoins dans le café. En les séparant les uns des autres. Jenkinson, Reineke ?

— En route. La circulation est infernale. Ils seront là dans dix minutes.

— Des nouvelles de la survivante ?

— Rien de neuf.

— Alors mettons-nous au travail.

Elle tourna la tête pour voir le corps enveloppé de Russo hissé sur un brancard. Plus d'une dizaine d'agents s'arrêtèrent et se redressèrent, droits comme des I, pour saluer.

Eve fit de même.

— Whitney va nous donner un coup de pouce pour Russo. On aura toutes les données, et très vite. Il est prioritaire, et pas seulement parce que c'est l'un des nôtres.

Balayant du regard les visages de policiers alentour, elle fronça les sourcils en voyant Connors fendre leurs rangs pour se diriger vers elle. Il avait déjà franchi le cordon de sécurité. Elle aurait dû se douter qu'il serait sur place plus vite que ses propres hommes.

— Tu n'avais pas à tout lâcher pour venir.

— Je suis là. Si tu as besoin de quoi que ce soit de ma part, tu l'as. Mes condoléances pour ton collègue.

À ces mots, elle sentit sa gorge se serrer. Elle n'avait pas connu Russo mais c'était un flic, un homme qui faisait de son mieux pour servir et défendre la population.

Il était mort en tentant de défendre les gens.

Connors se décala de manière à protéger Eve de la morsure du vent. Il s'abstint, même s'il en avait envie, de la prendre dans ses bras.

— L'info mentionnait quatre morts et un nombre indéterminé de blessés.

— C'est exact. Il a tiré sur cinq personnes mais l'une d'entre elles a survécu... jusqu'à maintenant. D'autres ont été blessées dans la panique.

— Si tu as besoin de quoi que ce soit de ma part, répéta-t-il.

— Si tu pouvais...

La pluie glacée s'était changée en neige fine et triste. Eve la regarda tomber en prenant à nouveau un instant pour retrouver son calme.

— Si tu pouvais mettre ton nouveau programme à l'œuvre sur cette attaque. Et passer ensuite les données à Feeney, à McNab ou aux deux. Tout ce que tu pourras obtenir sera utile. C'est grâce à ton travail que j'ai pu identifier le premier poste de tir ce matin.

— Je m'y mets tout de suite.

À la surprise d'Eve, il glissa la main dans la poche de son manteau à elle. Il en sortit les gants qu'elle y avait fourrés sans plus y penser.

— Enfile-les, dit-il. Tes mains sont froides. Une fois que j'aurai récupéré ce dont j'ai besoin ici, reprit-il, est-ce qu'il y a un endroit où tu voudrais que je planche ?

Maintenant qu'il le mentionnait, elle prit conscience qu'elle avait effectivement froid aux mains. Elle enfila les gants avec un soupir qui forma un nuage de condensation vite emporté par le vent.

— Si tu peux te rendre à mon bureau, utilise-le. Ou si tu as besoin de plus de place, Peabody pourra te réserver une salle de réunion.

— Ton bureau m'ira très bien. Sinon je me servirai du labo de la DDE. Je connais les lieux.

— Je sais. Je vais encore t'être redevable, on dirait.

Connors lui prit la main et la serra au creux de la sienne.

— Pas cette fois, dit-il. Il y a une paire de gants de rechange dans ta voiture si jamais tu perds celle-ci. Prends bien soin de mon flic préféré.

Il fallut plus de deux heures pour traiter entièrement la scène de crime, interroger les témoins et relever les coordonnées de chacun. Eve laissa Jenkinson et Reineke se charger des derniers détails. Whitney avait déjà quitté les lieux pour se rendre en personne auprès de la famille de l'agent mort en service.

Eve demeura quelques instants assise derrière son volant pour mettre de l'ordre dans ses pensées. Puis, n'ayant pas la patience pour les embouteillages, les maxibus ou quoi que ce soit d'autre, elle alluma ses gyrophares.

— Rendez-vous à la DDE, dit-elle à Peabody. Voyez quelle aide vous pouvez leur apporter. À la minute où nous aurons une liste d'immeubles potentiels, tout ce qui dépassera les soixante-quinze pour cent de probabilité, je veux des inspecteurs sur place pour frapper à chaque porte. À moins qu'ils soient sur une affaire plus urgente, je veux tout le monde sur le pont. Vous pouvez coordonner tout ça ?

— Oui, lieutenant. Je m'en charge.

— Je vais mettre la pression à Yancy. Il nous faut ces portraits-robots. Il faut aussi que je parle à Nadine, que je fasse en sorte qu'elle insiste sur les aspects qui nous arrangent. Je travaillerai avec Morris mais je doute que lui comme les victimes ne nous apprennent grand-chose que nous ignorons à ce stade. Je verrai avec Mira, même si ça ne nous avancera sans doute pas davantage.

Elle conduisit avec férocité, ajoutant de violents coups de Klaxon au bruit des sirènes quand les gens ne s'écartaient pas assez vite de son chemin.

— Voici l'énigme, Peabody. Qu'est-ce qu'un obstétricien-gynécologue respecté et un flic encore un peu novice peuvent avoir en commun ? À part le fait d'être morts.

— Pourquoi le flic, Dallas ?

— Parce que quand ils tuent pour le sport, si arrogants soient-ils, la plupart des tireurs éviteront d'abattre un flic. Notre homme ne tue pas pour le sport. Il mène à bien une mission. Russo est le seul à avoir reçu une balle dans la tête. Nous devons trouver ce qui le relie à Michaelson, et vite.

Elle entra dans le garage du Central, s'engagea sur sa place réservée et écrasa les freins.

— Russo sortait de sa pause déjeuner. Cinq minutes avant ou cinq minutes après et il ne se serait pas tenu là. Qu'on ne me dise pas que c'est une coïncidence…

— Vous ne croyez pas aux coïncidences, termina Peabody. J'avais bien compris.

— Exactement. Et d'après sa coéquipière, ils avaient l'habitude de faire une pause à ce moment de la journée et de reprendre leur patrouille à cette heure-là. Comportement routinier, Peabody, comme Michaelson. Aucune des autres victimes ne suivait de routine. Seules deux des huit cibles avaient des habitudes qui garantissaient leur présence à telle heure et tel endroit.

— Pourtant, Wyman... commença Peabody.

— ... était une habituée de la patinoire, mais elle ne s'y rendait pas précisément à certains jours ou certaines heures, à l'inverse de Michaelson. Ses habitudes étaient moins strictes.

Eve se dirigea à grands pas vers l'ascenseur.

— Ils voudraient que les meurtres paraissent commis au hasard, mais ils n'y arriveront pas. Parce que ce n'est pas le cas. Nous trouverons le lien, quel qu'il soit, et nous les ferons tomber.

— L'affaire prend une tournure personnelle. Ne dites pas le contraire, insista Peabody. C'est toujours un peu personnel mais cette fois...

Elle s'interrompit quand les portes de l'ascenseur s'ouvrirent. Deux agents en uniforme et un duo d'inspecteurs en sortirent. Tous arboraient des brassards noirs.

Le plus vieux des agents en uniforme leur fit un signe de tête.

— Lieutenant, inspecteur. Si vous avez besoin de quoi que ce soit...

Eve lui rendit son hochement de tête sans toutefois répondre puis entra dans l'ascenseur et annonça leur étage.

Car Peabody avait raison : l'affaire avait pris une tournure personnelle.

Eve quitta sa coéquipière pour foncer droit vers le bureau de Yancy. Les brassards noirs y avaient également fleuri. Il n'avait pas fallu longtemps pour que se répande la nouvelle. Elle marqua un temps d'arrêt en voyant la jolie blonde debout près de Yancy à sa table de travail.

« Laurel Esty », se souvint-elle.

Un témoin essentiel dans une enquête récente. Qui avait travaillé efficacement avec Yancy.

Laurel passa une main sur le bras de Yancy puis se retourna pour partir. Elle vit Eve, sourit en la reconnaissant, puis un voile de tristesse passa sur ses grands yeux.

— Lieutenant Dallas, je suis vraiment désolée pour ce qui s'est passé. Je suis simplement venue pour... Bref, je m'en vais.

— D'accord.

— Euh, au revoir, Vince.

— À plus tard.

Yancy tourna son attention vers Eve comme Laurel s'éloignait. Il ne rougissait pas aussi facilement que Trueheart, mais si cela avait été le cas, son beau visage se serait empourpré des joues jusqu'à la racine de ses cheveux bouclés.

— Euh, elle était...

— Sur le départ.

— Voilà. On était censés se retrouver pour boire un verre mais...

— Un verre ?

— Ouais. Disons qu'on se fréquente.

— Ce ne sont pas mes affaires.

— Oui, bien sûr mais... Bref.

— Les portraits-robots m'intéressent un peu plus. Où en êtes-vous ?

— Oui, c'est pour ça que j'ai annulé le rendez-vous. Ça m'a pris plus longtemps que je ne l'aurais voulu, et Henry est un super bon témoin... ce qui explique en partie le temps qu'on y a consacré. Il remarque beaucoup de détails... et encore plus après que j'ai demandé à Mira si elle pouvait travailler avec nous. Elle exploite ce truc qu'elle appelle « mémoire cognitive » et il m'a donné l'impression qu'il serait un bon candidat pour ça.

Jetant un coup d'œil aux alentours, il se leva pour récupérer la chaise d'un bureau inoccupé.

— Je voulais laisser décanter le résultat pendant une petite heure pour y revenir et l'affiner mais voilà ce que j'ai à vous offrir à cet instant précis.

Eve s'assit et patienta tandis qu'il demandait à l'ordinateur d'afficher les portraits sur un écran.

L'instinct de flic d'Eve entama une brève danse de la joie.

— Bon sang, Yancy, ce sont quasiment des photos.

— Tout l'honneur en revient à Henry. Vraiment.

Elle remercierait Henry plus tard, mais pour l'heure son attention était concentrée sur le portrait reconstitué d'un homme blanc, la petite cinquantaine, à la mâchoire carrée et aux yeux durs. Elle n'aurait pas qualifié son visage d'émacié mais d'une maigreur qui, pour elle, évoquait la maladie ou la perte d'appétit. Ses cheveux, brun clair, étaient coupés court – mais pas tondus à la mode militaire – et coiffés en arrière.

Rasé de près, avec une bouche fine à la lèvre supérieure plus prononcée. Des sourcils épais et presque droits.

Elle passa au second portrait.

Pas plus de seize ans, avec encore un soupçon d'enfance sur le visage, des joues plus rondes, un menton plus doux. Un héritage métissé visible dans la couleur profonde de ses yeux, le brun de sa peau et la texture de sa chevelure : boucles noires rassemblées en dreadlocks sous un bonnet d'hiver.

Mais la forme des sourcils et de la mâchoire, cette lèvre supérieure légèrement plus charnue...

— Je penche pour une fille, dit Yancy, mais ce n'est qu'une impression. Il pourrait s'agir d'un garçon. C'était d'ailleurs l'avis de Henry à la fin de notre session de travail. Certains garçons affichent encore une certaine douceur à cet âge. Si c'en est un, je dirais qu'il n'a pas plus de quatorze ans. Si c'est une fille, je monterai jusqu'à seize.

— Ils sont du même sang.

— Je suis d'accord avec vous là-dessus. Il peut s'agir d'un père et de son enfant, ou pourquoi pas d'un oncle, mais il y a une ressemblance familiale. La forme de la mâchoire, les sourcils, la bouche. J'ai aussi des portraits en pied de chacun d'eux.

— Vous avez lancé la procédure de reconnaissance faciale ?

— Pas encore, je voulais affiner un peu le résultat.

— Lancez-la tout de suite, vous affinerez plus tard. Pour l'adulte, filtrez les résultats corrélés avec une formation au sein de la police ou de l'armée. Voyons ce qu'il en ressort.

— Attendez...

Yancy pivota vers un autre écran, lança le programme avec le filtrage qu'Eve demandait.

— Vous devriez voir les portraits en pied, dit-il. Même si on ne les diffuse pas, ça vous donnera une bonne idée de leurs deux silhouettes.

Il afficha les dessins suivants, présentant l'homme adulte : épaules larges et longues jambes. L'individu fit de nouveau à Eve l'impression de quelqu'un ayant perdu du poids, peut-être du muscle. Pas par paresse, estima-t-elle, mais plutôt du fait de la maladie ou du stress. Et il avait les yeux légèrement caves.

Le suspect mineur était d'une constitution claire-ment plus délicate, mais compacte plutôt que déginggandée. Coriace et...

— Le gamin est athlétique. Il y a quelque chose de bondissant dans sa posture.

— « Bondissant », répéta Yancy. Ouais, ouais, c'est le terme qui convient. Je pense... Waouh, on a déjà un résultat. Je doute que ça...

Il ne termina pas sa phrase. Une photo d'identité s'était affichée à l'écran.

— Bordel de Dieu, Dallas ! laissa-t-il échapper.

Le regard braqué sur la photo, Eve serra le bras de Yancy. Fort.

— On reste calme, chuchota-t-elle.

— C'est un flic, lâcha Yancy dans un murmure. Bon sang, c'est un flic.

— C'était, le corrigea Eve.

Reginald Mackie, cinquante-quatre ans, à la retraite après vingt ans de service au NYPSD, dont les onze dernières années au sein de l'unité Tactique. Avant de rejoindre la police, il était passé par l'armée américaine en tant qu'expert en armement.

Il avait bossé pour Lowenbaum.

— Envoyez-moi tout ça immédiatement. Et n'en parlez à personne – absolument personne, Yancy – jusqu'à ce que je vous y autorise.

Elle ne repartit pas tout à fait au pas de course, même si l'envie l'en démangeait. Les policiers étaient observateurs et voir une collègue chargée de l'enquête traverser le Central en courant mènerait nombre d'entre eux aux bonnes conclusions.

Elle marcha néanmoins d'un pas rapide et sortit son communicateur.

— Lowenbaum. Dans mon bureau, au plus vite.

— J'ai un...

— Laissez tomber. Quoi que ce puisse être, laissez tomber et rejoignez-moi.

Elle coupa la communication sans attendre de confirmation et contacta Whitney.

— Commandant, j'ai besoin d'une salle de réunion et de votre présence, ainsi que celle de Mira, aussi vite que possible.

— Je suis sur le chemin du retour après ma visite à la famille, répondit-il.

Il la dévisagea et Eve vit qu'il avait compris.

— Dans vingt minutes, dit-il. Je m'occupe de la salle et de Mira.

Elle prit le risque de remonter les escaliers roulants en courant – ce ne serait pas la première fois – et appela Feeney.

— J'ai besoin de toi, de Connors et de McNab si tu peux le libérer.

Elle n'avait pas besoin de s'expliquer. Pas auprès de Feeney. Il se contenta d'un hochement de tête.

— Laisse-nous dix minutes, dit-il.

— Rendez-vous dans la salle commune si vous mettez moins de dix minutes. Ou dans la salle de réunion – il faudra que tu vérifies laquelle – si vous êtes plus longs.

Elle raccrocha de nouveau et franchit le seuil de la Criminelle.

— Quoi que vous soyez en train de faire, mettez-le en pause. Que tous ceux qui ne sont pas en train de clore l'affaire de la décennie se préparent pour un briefing complet suivi d'une opération de terrain.

Peabody se releva d'un bond.

— Yancy a trouvé, dit-elle. À quel point est-on sûrs de nous ?

— À cent pour cent, dans ce cas précis. Lowenbaum est en route et le commandant nous réserve une salle. On s'y rendra dès qu'elle sera ouverte. Et que rien de tout ceci ne sorte de ces quatre murs d'ici là.

Baxter serra les poings, le visage sombre.

— Merde, gronda-t-il. C'est un flic.

— Nous aurons plus de données sous peu. Terminez ce que vous êtes en train de faire. Si vous ne pouvez pas, soyez dans mon bureau dans cinq minutes pour m'expliquer pourquoi. Peabody, avec moi.

Eve fonça vers son bureau tout en retirant son manteau.

— Ordinateur, affiche-moi les antécédents complets de l'agent Reginald Mackie de l'unité Tactique.

— *Bien reçu. Travail en cours...*

— Fermez la porte, ordonna Eve à Peabody.

Puis elle se mit à lire.

— Engagé dans l'armée en 2029. Ressorti en 2039 avec le grade de sergent. Armurier expert, instructeur pour tireurs d'élite. A rejoint la police six mois plus tard et l'unité Tactique en 2049. Parti à la retraite l'année dernière, au printemps. Dernier supérieur hiérarchique : Lowenbaum.

Eve s'était mise à faire les cent pas tout en lisant. Sans rien dire, Peabody lui programma un café et lui tendit la tasse.

— Marié à Zoe Younger en 2045, une fille, Willow, âgée de quinze ans. Ordinateur : photo d'identité et données concernant Willow Mackie.

Lorsque les informations s'affichèrent, Eve les étudia d'un regard froid, scrutateur. Les cheveux étaient un peu plus longs que sur le portrait-robot mais la ressemblance était aussi frappante que pour Reginald.

— C'est confirmé. C'est elle qui l'accompagne, dit Eve. Divorcé... Reginald Mackie, je veux dire, en 2052. Lancez une recherche sur l'ex-femme, Peabody.

Je veux connaître sa situation et son adresse actuelles. Et savoir qui a la garde de la gamine.

— Tout de suite.

— Remarié à Susann Prinz en 2059. Veuf – et je vous parie qu'on tient là notre mobile – la même année. Novembre 2059. Marié en mars, veuf en novembre. Ordinateur : comment Susann Prinz est-elle morte ?

— *Accès en cours... Prinz, Susann, âgée de trente-deux ans au moment de son décès, a été tuée lors d'une collision avec un véhicule alors qu'elle traversait la 64e Rue entre la Cinquième et Madison Avenue. D'après le rapport d'accident et les témoignages, Prinz a émergé au pas de course entre deux véhicules en stationnement et a été heurtée par un véhicule qui n'a pas pu s'arrêter. Aucune charge n'a été retenue contre le conducteur, Brian T. Fine, âgé de soixante-deux ans. Voulez-vous le rapport complet et les données afférentes ?*

— Oui, récupère-les-moi. Mais donne-moi d'abord le nom du ou des agents qui se sont rendus sur les lieux de l'accident.

— *Le premier agent sur place, et celui qui a rempli le rapport, était l'agent Kevin Russo, insigne numéro...*

— Stop. Ça me suffit. Prinz était-elle enceinte ?

— *Prinz était enceinte de seize semaines au moment de son décès.*

— Son médecin ? Son... c'est quoi le mot... obstétricien ?

— *Un instant. Recherches en cours... Son obstétricien officiellement enregistré était le Dr Brent Michaelson.*

— Pause dans la recherche, ordonna-t-elle en entendant frapper à la porte.

Elle alla ouvrir elle-même.

— Lowenbaum. J'aurai besoin de tout ce que vous pourrez me dire sur Reginald Mackie.

— Quoi ?

La surprise, suivie d'une expression instantanée de déni, se peignit sur les traits de Lowenbaum.

— Quoi ? Non. Allons, Dallas...

Avec des gestes lents, elle referma la porte derrière lui.

— Remontez dans vos souvenirs. Vous saviez que quelque chose clochait chez lui, vous l'avez forcément remarqué.

— Eh bien... Bon sang...

Il prit quelques instants, se passa les mains sur le visage.

— Écoutez, Mac était tendu, mais beaucoup de membres de l'unité Tactique le sont. C'était un bon flic, solide. J'ai bossé avec lui pendant une dizaine d'années. Sa femme est morte. Un accident de la route. Ils étaient mariés depuis un an et elle était enceinte, et lui...

Eve attendit que la lumière se fasse dans l'esprit de Lowenbaum. Il ne fallut pas longtemps.

— Ah, merde. Merde. C'est à propos de Susann. C'est forcément à propos de Susann. Il a une autre enfant, une fille de quatorze ou quinze ans.

— Willow, quinze ans, notre second suspect. Je vais vous énoncer ce que nous avons et vous nous direz ce que vous savez. Puis vous sélectionnerez vos meilleurs hommes – je veux des agents capables de garder le secret – et vous vous préparerez pour une opération de neutralisation.

— Beaucoup de mes hommes ont bossé avec Mac. Susann a un cousin policier, un ami à moi. C'est comme ça qu'ils se sont rencontrés.

Un ancien flic ayant passé vingt ans dans la police aurait forcément beaucoup d'amis et de contacts en son sein, se dit Eve.

— Choisissez-les avec soin. Et souvenez-vous qu'il est responsable de la mort de sept personnes, dont un policier. Un jeune agent de vingt-trois ans dont la dernière action a été d'essayer de protéger une autre victime. Si Mackie apprend qu'on l'a identifié, il va soit se carapater soit opter pour un face-à-face mortel.

— Il ne se carapatera pas.

Pâle, Lowenbaum se frotta de nouveau le visage, les doigts pressés contre ses paupières closes.

— Donnez-moi quelques minutes pour digérer tout ça et remettre de l'ordre dans mes pensées. Je le connais à peu près aussi bien que n'importe qui, je dirais.

— Et la gamine ? Vous la connaissez ?

— Oui, oui. Je connais un peu Will. Elle l'idolâtre. Elle a eu quelques ennuis par-ci par-là, des trucs à l'école, et sa mère s'est remariée, a fait un autre enfant. La garde de Will est partagée. Laissez-moi organiser tout ça dans mon esprit... Il faut qu'on l'arrête et j'aimerais bien être toujours en vie quand ce sera le cas. Laissez-moi réfléchir...

— Vous pouvez réfléchir ici même. Peabody, allez voir où se trouve notre salle de réunion.

— C'est la salle A.

— Prenons les données que nous avons et transférons-les là-bas. J'aurai besoin de vous dans dix minutes, Lowenbaum, que vous ayez ou non l'esprit clair.

— Dix minutes, ça ira.

Moins de cinq minutes plus tard, Eve était déjà en train de compléter son tableau, de rassembler ses pensées et d'esquisser les contours d'une opération commune.

Quand ses inspecteurs et les agents en uniforme commencèrent à arriver, elle attira le regard de l'agent Carmichael.

— Carmichael, je souhaite que les personnes suivantes soient escortées jusqu'ici pour être placées sous protection judiciaire : Brian T. Fine, Zoe Younger, Lincoln Stuben, Zach Younger Stuben, âgé de sept ans, Marta Beck. Peabody vous fournira leurs adresses personnelles et professionnelles. Si ces individus refusent de coopérer, arrêtez-les pour obstruction dans le cadre d'une enquête policière. Employez toutes les ressources nécessaires mais je veux que ces personnes soient rassemblées ici au Central au plus tôt. Vous aurez droit à un briefing détaillé à votre retour. Peabody, donnez-lui les adresses en question, domiciles et lieux de travail. Et qu'aucune info ne fuite, Carmichael. Absolument aucune.

— Pas de fuite, lieutenant. Absolument aucune.

Eve se retourna vers son tableau alors que Feeney faisait son entrée, accompagné de Connors et McNab. Lowenbaum, qui avait retrouvé un teint normal, arrivait juste derrière.

— Prenez un siège et servez-vous en café si besoin. Nous commencerons dès que le commandant et Mira nous auront rejoints.

Connors s'approcha d'elle pour lui demander à voix basse ;

— C'est l'un des vôtres ?

La voyant hocher la tête, il plongea son regard dans le sien mais se retint de la toucher malgré son envie.

— Je suis désolé, dit-il.

— Oui. Moi aussi.

Elle entendit le cliquetis des talons de Mira.

— Tu peux peut-être voir si l'autochef contient l'espèce de thé fleuri que boit Mira. Ça va durer un petit moment. Tu n'as pas fait commander de quoi manger, si ?

— Non.

— Bien. Tant mieux. C'est le genre de situation où il vaut mieux arriver le ventre vide.

Elle avait affiché la photo d'identité de Mackie, ainsi que le portrait-robot établi par Yancy. Le visage de Willow Mackie était placé à côté sur le tableau. Nombre de policiers marmonnaient et murmuraient tout autour.

Puis Whitney fit son entrée, suivi du chef Tibble, et le silence se fit.

— Lieutenant, dit Tibble en prenant un siège. À vous la parole.

— Oui, chef. Vous tous, asseyez-vous et écoutez bien.

8

Eve se tourna vers son tableau.

— Nos suspects sont Reginald Mackie, cinquante-quatre ans, ancien membre de l'unité Tactique du NYPSD.

Elle s'était attendue aux chuchotements qui suivirent et poursuivit en haussant la voix.

— Et sa fille, Willow Mackie, quinze ans. Nous avons identifié ces suspects grâce à l'aide d'un témoin oculaire qui a collaboré avec l'inspecteur Yancy. En sus de l'identification physique, Mackie correspond au profil du tireur. Il a fait carrière dans l'armée en tant qu'armurier expert et instructeur puis a fait partie de notre propre unité Tactique durant la dizaine d'années qui a suivi.

Elle marqua un temps d'arrêt et attira l'attention de la salle sur la photo d'une femme séduisante.

— Si sa première femme a donné naissance à Willow Mackie, cette relation s'est terminée en divorce il y a plusieurs années, avec la garde alternée de l'enfant encore mineure. Zoe Younger s'est ensuite remariée et a eu un deuxième enfant. Tandis que je vous parle, Younger, son mari et leur enfant s'apprêtent à être placés sous protection judiciaire. Je pense que les récentes attaques sont liées aux décès de la seconde épouse de Mackie, Susann Prinz

Mackie, que vous voyez ici, et du fœtus qu'elle portait. Ils sont morts dans un accident de circulation en novembre 2059. Le rapport complet est disponible mais pour résumer : Mme Mackie a traversé en courant devant un véhicule en mouvement, elle a été tuée dans la collision. La reconstitution de l'accident, ainsi que huit témoins oculaires, a confirmé que le conducteur, Brian T. Fine, n'était pas en tort. M. Fine va également être placé sous protection.

» Le médecin de Mme Mackie, dont le cabinet se trouve à un pâté de maisons du lieu de l'accident, était Brent Michaelson, l'une des victimes des tirs à la patinoire de Central Park hier. Le premier agent sur place après la mort de Susann Prinz Mackie, et celui qui s'est chargé de l'affaire, était Kevin Russo. Il a été tué dans l'exercice de ses fonctions cet après-midi sur Times Square.

Eve s'arrêta pour regarder Mira.

— Docteur Mira, seriez-vous d'accord pour dire que Reginald Mackie vise des individus reliés d'une manière ou d'une autre à la mort de sa femme ?

— Je me familiariserai dès que possible avec les détails du dossier mais a priori oui. Les indices récoltés indiquent clairement que le suspect vise des personnes spécifiques en lien avec cet événement. Les autres servent de couverture. Il a atteint un point où ces vies ne signifient plus rien pour lui. Dans la mesure où il a associé sa fille adolescente à ces meurtres... Je dirais que pour lui il ne s'agit pas d'obtenir vengeance mais de rendre justice. Il la place aux premières loges pour être témoin de sa définition de la justice.

— Je pense que le rôle de la fille ne se limite pas à celui de témoin. Lors de chaque attaque, l'une des victimes était également adolescente. Les tueurs en série ont le plus souvent un type de victime en tête. Je pense qu'Ellissa Wyman et Nathaniel Jarvits correspondent au type de victimes propre à Willow Mackie. Ce n'est pas qu'une question de couverture pour elle. Je ne crois pas que Mackie lui-même viserait un enfant ou quelqu'un ayant à peu près l'âge de sa fille.

— Vous croyez que cette adolescente est notre tireur ? demanda Whitney.

— Commandant, du fait de son divorce, Mackie passe deux fois moins de temps avec son premier enfant, indiqua Eve. Il a perdu la possibilité d'en avoir un second. Je l'imagine mal visant des cibles jeunes.

— Psychologiquement, ça semble se tenir, admit Whitney avec un regard vers Mira.

— Oui, c'est possible.

— Mais la maîtrise nécessaire pour ce genre de tir est plus qu'exceptionnelle.

— Oui, commandant. Lieutenant Lowenbaum, savez-vous si Mackie a formé sa fille au maniement des armes ?

— Oui. À vrai dire, je l'ai déjà vue au stand de tir et lors d'une de ses compétitions.

— Ses compétitions ?

— Des simulations de tir et de combat. Avec des armes non mortelles. Mac l'emmenait souvent sur le champ de tir et il l'inscrivait à ces compétitions. Il était fier du talent qu'elle manifestait.

— Willow Mackie avait-elle l'entraînement et les capacités nécessaires ? demanda Eve.

— Je ne l'aurais pas crue assez douée pour… Je n'ai pas vu Willow depuis deux ans au moins, et je ne l'ai croisée qu'à quelques reprises sur le champ de tir avec Mac, ainsi qu'à une compétition. Elle était bonne, admit-il dans un soupir. Et même très bonne. Mac était particulièrement fier de ses capacités et de

son intérêt pour les armes. Mais ces frappes laser...
Le tireur est plus que bon, il est exceptionnel.

« Deux ans d'entraînement vous affinent un talent », songea Eve.

— Que pouvez-vous nous dire de leur relation ?

— Ils ont toujours été proches. Il y a environ deux ans, elle avait d'ailleurs demandé à vivre avec lui à plein temps. Il l'a envisagé, surtout après son mariage avec Susann. Mais à la suite de l'accident, il n'était plus en état d'élever seul une adolescente.

— Quel était son état d'esprit ?

— Laissez-moi revenir un peu en arrière. Je connais Mac depuis un bon moment. J'ai été son lieutenant sur les quatre dernières années. Il garde la tête sur les épaules... À l'époque, en tout cas. Il n'aimait pas le nouveau mari de son ex, mais pour l'essentiel ses griefs semblaient plutôt ordinaires. Il passait autant de temps qu'il le pouvait avec Willow. Ce boulot peut compliquer les choses mais il en faisait une priorité. Je sais qu'elle a commencé à avoir des soucis à l'école et que l'ex de Mac souhaitait qu'elle aille voir un thérapeute. Willow ne voulait pas et Mac a soutenu sa fille.

— Docteur Mira, pourriez-vous vérifier si Willow a ou non vu un thérapeute ? (Eve se tourna de nouveau vers Lowenbaum :) Vous avez noté des changements chez lui après l'accident.

— Ouais, aucun doute là-dessus. Il était en miettes. Je lui ai ordonné de prendre un congé spécial parce qu'il n'était plus lui-même. Qui aurait pu l'être dans cette situation ? J'ai entendu des rumeurs disant qu'il avait rencontré un avocat pour essayer de poursuivre le conducteur mais il ne me confiait pas grand-chose.

— Il vous en voulait ?

— Ouais, possible. Un peu. Il faudrait qu'on en discute avec Vince Patroni, un membre de mon unité. Ils étaient proches. Mac n'était plus le même lorsqu'il est revenu de son congé. Il avait perdu du poids et avait trop souvent la tête ailleurs. Avec une colère sous-jacente. Il n'a jamais débarqué soûl mais je sais qu'à un moment il a beaucoup bu en dehors du service. Ça s'est arrêté, ceci dit. Mais il n'était toujours pas remis. Il était instable et irascible. Il arrivait à vingt ans de carrière alors je l'ai convaincu soit de prendre sa retraite soit d'accepter une autre assignation.

— Vous avez dû insister ?

— Ça n'a pas été nécessaire. Il m'a dit qu'il avait déjà décidé de demander sa pension de retraite de vingt ans et d'arrêter les frais. Pour passer du temps avec sa fille, peut-être voyager un peu. Je l'ai contacté deux ou trois fois après ça pour voir s'il avait envie de prendre une bière ou qu'on déjeune ensemble mais il m'a rembarré. J'ai laissé tomber.

— Il va falloir que Patroni se joigne à nous.

— Je vais vous le chercher.

— S'ils étaient proches, il ressentira peut-être une forme de loyauté envers Mackie.

— Je vais vous le chercher, répéta Lowenbaum. Je veillerai à ce qu'il ne contacte pas Mac.

Eve hocha la tête.

— Il est hautement probable que les suspects disposent d'autres connexions et voies de communication avec le NYPSD. Il est impératif que l'information que je viens de vous livrer reste confinée à cette pièce. Le moindre élément indiquant que nous avons un suspect ou que nous recherchons Mackie pourrait le pousser à se cacher. Ou l'inciter à chercher la confrontation. Il a tué ou poussé sa fille à tuer un agent de police. Il n'hésitera pas à recommencer, même en sachant que cela pourrait causer sa propre fin.

— Il est tout à fait envisageable que ce soit son but final, fit remarquer Mira. Il n'aura plus de raison de vivre une fois sa mission terminée ou annulée. S'il prévoit de protéger sa fille, sa mort constituera la meilleure manière de faire. Les meurtres lui seraient alors exclusivement attribués et, en tant que mineure, elle pourra prétendre avoir été victime de coercition et jouer sur son instabilité émotionnelle.

— Raison pour laquelle nous devons les appréhender rapidement et sans accrocs. Le suspect dispose d'un appartement au sixième étage d'un immeuble résidentiel sur la 24e Rue Est. Capitaine Feeney, j'aurai besoin d'une équipe de la DDE pour déterminer si les deux suspects se trouvent dans cet appartement. Sachant qu'un flic doté de son expérience saura repérer les signes d'intrusion.

— Un problème que nous devrions pouvoir contourner. L'immeuble ne compterait pas parmi vos propriétés, par hasard ? demanda Feeney à Connors.

— Non, répondit Connors, qui avait déjà lancé une vérification sur son mini-ordinateur. Mais j'en possède un de l'autre côté de la rue qui pourrait s'avérer utile.

— Lowenbaum, il me faudra des hommes de chez vous. Là encore, il saura repérer les signes.

— Et nous, nous savons faire en sorte de ne pas être vus.

— Reineke, Jenkinson, Santiago, Carmichael, vous serez sur l'opération. Baxter, Trueheart, occupez-vous du rassemblement des données et des interrogatoires. Trueheart sera là pour attendrir la mère, ajouta Eve avant que Baxter puisse protester. Baxter, vous ferez pression sur Patroni, quitte à laisser entendre qu'il risque des sanctions, si nécessaire. Je me fous de la loyauté qu'il pourrait avoir envers Reginald Mackie. Je veux trois agents en civil pour se rendre à l'école de la suspecte mineure.

— Les cours sont finis à cette heure, lieutenant, lui dit Peabody.

— Des membres de l'équipe éducative sont peut-être encore sur place. Activités extrascolaires ou je ne sais quoi. Ce sera potentiellement le moyen pour nous de déterminer si elle traîne dans des endroits particuliers. Si on peut l'appréhender en dehors de l'appartement, on le fait. Nous n'allons pas seulement capturer des tueurs en série mais un ancien vétéran de la police et son adolescente de fille. Il faut que ce soit fait dans les règles.

— Il nous faudra un mandat pour fouiller la résidence de la mère et pouvoir visiter la chambre de sa fille là-bas.

— C'est comme si c'était fait, assura Whitney.

— Peabody et moi nous chargerons de ces recherches avant ou après l'arrestation, en fonction du timing. La mère réside sur la Première Avenue. Que tous ceux qui ne participeront pas à l'arrestation se mettent tout de suite au travail.

— Un instant !

Tibble se leva, grand et svelte. Et, comprit Eve, bouillonnant de fureur derrière cette façade maîtrisée.

— J'aimerais ajouter quelque chose aux déclarations du lieutenant Dallas. Reginald Mackie a servi cette ville et ses habitants pendant vingt ans. Mais il a enfreint son serment, a renié sa foi et son devoir. Il est responsable de la mort d'un autre agent de police et de six citoyens, dont un mineur. Il a fait cela pour servir ses propres objectifs, s'est déshonoré, a fait de sa propre enfant au mieux une complice, au pire une tueuse. Trouvez-le, neutralisez-le et ramenez-le. Je préférerais qu'il soit toujours en vie au terme de cette opération, mais je ne veux pas voir d'autres bons flics perdre la vie aujourd'hui. Soyez prêts à servir et protéger non seulement la population mais également chacun de vos collègues. Lieutenant Dallas, beau travail. Commandant, nous avons à faire pour soutenir ceux qui vont risquer leur peau pour appréhender les suspects.

— Il est en rogne, laissa échapper Eve après que Tibble eut quitté la pièce avec Whitney.

— Moi aussi, déclara Lowenbaum en se levant. Je n'ai rien vu venir. Vous m'avez demandé, droit dans les yeux, si je connaissais qui que ce soit capable de tirs aussi précis. Mackie n'est même pas apparu sur mon radar.

— Laissez-moi vous reposer la question à présent : aurait-il pu exécuter ces frappes ?

— C'est possible. Son nom n'aurait pas été au sommet de ma liste mais c'est possible. Le truc, c'est que je ne me préoccupe plus de lui depuis près d'un an. Je n'ai jamais insisté pour voir comment il allait. Si je l'avais fait, j'aurais peut-être eu une meilleure idée de ce qui se passait dans sa tête.

— Vous disiez l'avoir appelé.

— Je n'ai pas insisté.

— Vous étiez amis ?

— Non, pas vraiment. Mais on était des camarades. J'étais son supérieur quand il s'est effondré.

— Et vous avez fait ce que vous pouviez pour lui. Ne commencez pas à vous en vouloir, Lowenbaum. Ou si vous tenez à vous infliger cette culpabilité, gardez ça pour plus tard. Dégotez-moi une équipe du SWAT à même de capturer vivant un suspect de ce calibre et de ne rien ébruiter.

Lowenbaum s'empressa d'acquiescer et quitta la pièce.

— Feeney ?

— Une seconde, ton homme travaille sur un truc.

— *J'ai* un truc, corrigea Connors, qui de nouveau pourrait s'avérer utile. Puis-je utiliser cet écran ?

Sans attendre, il se leva et s'approcha de la console pour interfacer son mini-ordinateur avec le terminal de la salle.

— Voici l'immeuble de votre suspect, annonça-t-il comme l'image s'affichait. On va zoomer sur son appartement. Le 612 d'après les données dont je dispose.

— D'accord.

— Et voici l'immeuble dont je suis propriétaire, placé en diagonale par rapport à la cible. Nous disposons d'un appartement inoccupé ; trois en tout, à vrai dire, mais celui-ci situé au septième étage offre un bon emplacement pour s'installer. Nous pourrions lancer un scan à l'aide de capteurs thermiques depuis cet endroit et potentiellement mettre en place une surveillance audio, en fonction des protections dont dispose la cible.

— Faites-le, dit Eve.

Feeney se gratta le menton.

— Et que dirais-tu de ceci ? demanda-t-il. Les gens déménagent souvent. On envoie un petit camion de déménagement. Avec McNab ici présent, et peut-être un autre jeune, pour transporter quelques cartons, ou des meubles, afin de faire entrer notre équipement dans l'immeuble sans alerter qui que ce soit.

— De combien de temps aurez-vous besoin pour organiser ça ?

— Quinze minutes, peut-être vingt.

— Allez-y. Baxter, Trueheart, commencez à compiler les données et contactez l'agent Carmichael sur le terrain. Vous entamerez les premiers entretiens dès l'arrivée des personnes qu'il est allé chercher. Voyez si vous pouvez trouver le nom de l'avocat à qui Mackie s'est adressé. Il faudra le faire venir, lui aussi. Il constitue une cible potentielle.

Baxter secoua la tête.

— Protéger un avocat ? Qu'est-ce qu'il faut pas faire... Bon, allez Trueheart, mettons-nous au travail.

Ne restait plus dans la salle que l'équipe chargée de l'arrestation. Eve se tourna vers l'écran.

— Bon, voici comment j'imagine la situation.

Dans les trente minutes qui suivirent, tandis que les données continuaient à leur parvenir, le groupe d'intervention d'Eve se retrouva dans un camion de police, équipé de gilets pare-balles et de casques de protection. Ce qui voulait dire qu'elle devait s'en affubler aussi. Si son manteau remplaçait avantageusement le gilet pare-balles, le casque l'agaçait prodigieusement.

Mais un tir dans la tête serait bien plus agaçant encore.

Installée dans le camion, elle regarda le flux vidéo retransmis par Feeney. Elle vit McNab et Callendar, on ne peut plus crédibles dans leur rôle du jeune couple emménageant dans un nouveau logement, porter des cartons à l'intérieur de l'immeuble de Connors.

— Aucune source de chaleur dans l'appartement du suspect, lui indiqua Feeney. On a lancé les analyses depuis la camionnette pour le moment. Les suspects ne sont pas à l'intérieur.

— Dès que vous serez prêts, demande à McNab et Callendar de prendre le relais de la surveillance depuis l'intérieur et déplacez votre camionnette.

— Ton homme dispose d'un garage à une rue de là. On ira s'y poster pour patienter un moment. L'équipe de Lowenbaum se met en position. L'un de ses hommes s'installera dans l'appartement, deux se posteront sur le toit et deux autres dans un second appartement inoccupé chez Connors. Tu vois la fenêtre du logement du suspect ?

— Oui. Panneau occultant en place. Je vais maintenant me rendre chez la mère. Jenkinson, c'est vous qui commandez jusqu'à ce que je revienne. Restez bien en place. Peabody, je veux être maintenue constamment informée. Connors, tu viens avec moi. Je vais me diriger vers l'est puis au sud, à pied. Je peux être de retour en moins de cinq minutes donc avertissez-moi immédiatement si quelqu'un aperçoit l'un ou l'autre des suspects.

Elle sortit du camion et s'éloigna à grands pas. Les suspects étaient susceptibles de revenir d'une minute à l'autre... ou au contraire pas avant des heures. Les informations qu'Eve était susceptible d'obtenir pourraient permettre d'identifier leur prochaine cible. Rien ne disait qu'ils n'étaient pas déjà dans une chambre d'hôtel, une location à bas prix ou un local professionnel désert, prêts à frapper de nouveau.

La fin de journée grisâtre annonçait une soirée glaciale mais il avait cessé de pleuvoir ou de neiger. Les réverbères brillaient, formant des flaques de lumière blanche au sein de la pénombre. Tout en marchant, Eve dévisageait les passants : piétons se hâtant pour rentrer chez eux, rejoindre des amis pour boire un verre ou faire les magasins. D'autres s'agglutinaient près d'un chariot qui sentait les hot-dogs au soja et le très mauvais café.

Ils pouvaient très bien passer par là, se dit-elle, le père et la fille en chemin vers leur appartement après être sortis manger un morceau. Ils *étaient* passés par là à un moment ou à un autre, entre la maison de ville et l'appartement.

Avaient-ils préparé la suite de leur plan sur le trajet ? Décidé de qui tuer et quand ?

À un pâté de maisons et demi de la maison de ville de Zoe Younger, Connors vint se poster à sa hauteur.

— Lieutenant.

— Je veux examiner la chambre de la gamine. Whitney a obtenu un mandat pour la totalité du lieu mais on va se concentrer sur la chambre de la fille. Il me paraît improbable que le reste de cette famille soit impliqué ou qu'elle ait laissé traîner des indices dans le salon.

— Compris.

Lorsqu'il lui prit la main, elle entremêla ses doigts aux siens. Elle était en service, certes, mais il n'y avait aucun flic alentour pour les voir.

— On jettera un coup d'œil à tous les appareils high-tech qu'on pourra croiser, en les signalant pour la DDE.

— J'ai dans l'idée que je te serai beaucoup plus utile sur ce plan qu'en farfouillant dans la chambre d'une adolescente.

— Tu as été ado un jour ; il ne peut pas y avoir une si grande différence entre les filles et les garçons à cet âge.

— Oh, disons simplement qu'ils évoluent dans deux galaxies différentes.

Sans lui lâcher la main, il tourna au coin de la rue et gravit les cinq marches menant à la porte d'entrée du joli duplex. Tout en parlant, il sortit ses outils. Cela irait plus vite qu'avec le passe d'Eve, estimat-elle, après un coup d'œil aux mesures de sécurité.

— Toi aussi, tu as été une ado, un jour.

— Pas vraiment, du moins pas une ado ordinaire.

— Tout comme je n'ai pas vraiment eu d'adolescence ordinaire. Comme nous nous sommes bien trouvés ! Ils se sont équipés d'excellentes mesures de sécurité, ajouta-t-il avant de passer au travers comme dans du beurre.

— On s'assure d'abord que la voie est libre, dit Eve en dégainant son arme. Au cas où.

Connors acquiesça et ils franchirent ensemble le seuil de la maison.

— NYPSD ! lança-t-elle en pivotant sur la gauche. Nous avons un mandat dûment rempli pour entrer ici.

— Il n'y a personne, dit Connors. On sent quand une maison est vide. Ah, ça me rappelle l'époque où j'adorais pénétrer dans une habitation déserte.

— Et voilà qu'on t'offre l'occasion de le faire légalement.

— C'est vraiment pas la même chose.

Même si elle était d'accord avec lui, Eve s'assura d'abord que le rez-de-chaussée était désert ; séjour, cuisine, salle à manger, bureau et une sorte de home cinéma.

Dans l'air flottait le parfum des fleurs couleur de citrouille disposées sur la table de la salle à manger. Un grand panneau sur le mur de la cuisine accueillait des dessins d'enfant : étranges bonshommes en bâtonnets, arbres surmontés de gros pâtés verts représentant les feuillages. Elle vit aussi une espèce de tableau qui assignait à chacun diverses obligations – ou plutôt des tâches ménagères, se corrigea-t-elle – telles que mettre et débarrasser la table, ranger la vaisselle, faire les lits.

À côté du tableau, quelqu'un avait épinglé une photo de Noël. Zoe Younger, Lincoln Stuben, Zach Stuben et Willow Mackie étaient rassemblés devant un sapin décoré sous lequel s'empilaient les cadeaux.

Tous souriaient sauf Willow, ses yeux verts et durs braqués sur l'objectif, avec sur ses lèvres l'ombre d'un rictus narquois.

— Elle a les bras croisés, remarqua Eve en tapotant la photo du bout du doigt. Une attitude de défi. Le petit, lui, semble assez heureux pour enchaîner les sauts de mains pendant quelques heures et les parents ont l'air bien dans leur peau. Elle, par contre… Son regard dit « allez vous faire voir ! »

— Indéniablement. Et j'imagine que Mira ajouterait qu'elle marque une séparation avec le reste de la famille : bras croisés, elle se tient écartée des trois autres, qui eux se touchent. D'un autre côté, elle a quinze ans. C'est l'âge où l'on considère ses parents comme des ennemis, non ?

— Difficile à dire pour toi comme pour moi. Les parents que nous avions étaient *vraiment* nos ennemis. Mais, en surface au moins, il semble que ces deux-là aient tâché d'offrir un foyer heureux et stable à leurs enfants. La maison est propre sans être stérile ou trop parfaite. Il y a une boîte de céréales pour enfant sur le plan de travail, quelques assiettes dans l'évier, les chaussures du petit sous un fauteuil du salon, le pull de quelqu'un sur le dossier de cette chaise, là-bas.

Connors suivait ses indications du regard ; lui n'avait rien remarqué.

— Tu es incroyable, dit-il.

— Je suis flic, le reprit-elle. Il y a ce tableau des tâches ménagères : tout le monde fait sa part et c'est sans doute une bonne chose. Les dessins bizarres du gamin sont affichés. De même que cette photo de famille prise à Noël.

Elle promena de nouveau son regard à travers la pièce.

— À première vue, tout paraît normal. Sauf que ça ne l'est pas. Sous la surface, ça ne l'est pas.

Ils montèrent l'escalier jusqu'au premier étage et en firent le tour : la chambre parentale, le bureau attenant, la chambre du garçon : une zone sinistrée parsemée de jouets, de jeux vidéo et de vêtements d'enfant. Puis une chambre d'amis, reconnaissable à son apparence impeccable et cette impression d'un lieu qui n'était pas habité, et enfin celle de l'adolescente.

Ils passèrent ensuite au deuxième étage, une zone de détente familiale où les membres du foyer regardaient la télévision et passaient du bon temps ensemble, comme en attestait un empilement de plusieurs boîtes de jeux. On y trouvait une kitchenette et une petite salle d'eau.

Eve redescendit directement vers la chambre de Willow.

Un lit, fait à la va-vite et sans aucun des coussins à dentelles et autres peluches bizarres qu'Eve avait rencontrés dans d'autres tanières d'adolescentes. Un bureau équipé d'un ordinateur sous la fenêtre, une chaise longue, des étagères.

Plusieurs posters ornaient les murs : un groupe de musiciens tout en noir aux expressions féroces et couverts de tatouages. Le reste représentait des armes ou quelqu'un tenant une arme. Couteaux, pistolets interdits, blasters.

— Ses centres d'intérêt sont clairs, commenta Eve en passant à la penderie.

Elle y trouva quelques robes d'apparence féminine, certaines encore munies de leur étiquette. La plupart des autres vêtements étaient noirs ou de couleur sombre, dans un style plus brut.

— Tout est placé dans un ordre précis, fit observer Eve. Elle sait où elle range ses affaires et veut que chaque chose soit à sa place. Et si sa mère ou son frère farfouille dans son placard, elle le voit.

Connors était déjà penché sur l'ordinateur.

— Elle a mis en place un mot de passe et plusieurs mesures de sécurité. Un boulot soigné pour quelqu'un de son âge.

Il tira la chaise et se mit au travail.

Eve examina le contenu de la commode. Sous-vêtements tout simples, chaussettes d'hivers, pulls, sweat-shirts, le tout bien organisé sans en donner trop l'air.

« Volontairement », songea Eve.

Mais aucun doute que la jeune fille l'aurait su si sa mère avait déplacé une paire de chaussettes dans le tiroir.

— Continue ce que tu es en train de faire, dit-elle, mais elle n'aura rien laissé ici que sa mère puisse trouver.

— Tu en es sûre ?

— Elle avait monté un verrou coulissant sur sa porte... Ils l'ont retiré.

Eve désigna du menton les marques révélatrices sur le panneau.

— Tout ici est organisé selon un système personnel. Je faisais la même chose, que ce soit dans les familles d'accueil ou les instituts d'État. Tu t'organises pour savoir où sont tes affaires afin de pouvoir, en cas d'urgence, ramasser ce qui compte le plus, ce dont tu as le plus besoin, et t'enfuir. Ou pour savoir si quelqu'un est venu fouiller. La mère ravale ses commentaires sur les posters, poursuivit Eve en reprenant l'examen du contenu des tiroirs. Forcer sa fille à les décrocher ne ferait qu'enraciner son intérêt en l'incitant à mieux le cacher. Alors elle les tolère. Mais elle a repeint les murs dans un joli bleu clair et achète des robes qui ne sont pas portées... sauf à forcer la main à sa fille. Elle entre ici en cherchant quelque chose, n'importe quoi, qui l'aide à mieux comprendre sa fille. Ou – ou plutôt *et* – parce qu'elle craint d'y trouver des drogues, des armes ou un journal intime rempli de sombres pensées.

— Tu en avais un ? De journal intime.

— Non, je gardais mes sombres pensées pour moi parce qu'ils vont toujours... La chambre du frère !

Connors haussa un sourcil interrogatif en voyant Eve ressortir. Il termina de contourner les mesures de sécurité de l'ordinateur puis se leva pour voir ce que faisait son flic préféré.

Elle était assise au milieu de la chambre en bazar du jeune garçon, l'ordinateur de celui-ci posé sur ses genoux.

— Je ne gardais pas toujours mes pensées – sombres ou non – pour moi. C'est quelque chose qui s'apprend avec l'expérience. Au début, tu prépares une rédaction pour l'école et ils fouillent dans ton ordinateur et tu te fais punir parce que tu as écrit que tu aimais faire de l'airboard. Alors tu prends l'habitude de rédiger la plupart de tes devoirs à l'école. Ou bien tu t'ennuies et tu te sens malheureuse, alors tu établis une liste de souhaits idiots et eux la découvrent et te battent pour ça.

Connors lui effleura le sommet du crâne du bout des lèvres et ne dit rien... Ce qui voulait tout dire.

— Ce n'est pas de moi qu'il s'agit, c'est simplement... À deux ou trois reprises, quand je devais écrire quelque chose – quand tu as besoin de l'acte tangible de l'écriture – j'ai trouvé la manière de plus ou moins le cacher sur un autre ordinateur. Une machine dont ils ne se préoccupaient pas. Quand il y a un vrai gamin dans la maison – l'enfant biologique de la famille d'accueil, je veux dire – et qu'il est la prunelle de leurs yeux, c'est quelque chose que tu peux exploiter. Le truc, par contre, c'est que si elle emploie cette méthode, elle est sûrement mille fois meilleure que je ne l'étais... ou que je le suis aujourd'hui.

— Laisse-moi voir.

Comme elle se levait, il la prit par les épaules et plongea son regard dans le sien.

— Qu'est-ce que tu ressentais le besoin d'écrire ?

— Je tenais un calendrier – presque systématiquement, où que je sois – pour compter les jours jusqu'au moment où je pourrais partir. Pour de bon. Combien d'années, de mois, de semaines, de jours, parfois d'heures, avant ce moment fatidique. J'écrivais sur mon futur départ vers New York. La ville me semblait si grande et pleine de vie que je me suis très tôt concentrée sur New York. Et sur l'académie de police. Sur la façon dont je deviendrais flic parce que les flics prenaient soin d'eux-mêmes et de tous les autres. Les bons flics, en tout cas, et j'avais l'intention de devenir un bon flic. Et personne ne me dirait plus jamais quoi manger, quand manger, comment m'habiller...

— Et aujourd'hui, c'est ce que je fais, dit-il.

Elle secoua la tête.

— Pas la même chose. Pas *du tout* la même chose. Personne ne m'aimait et peut-être qu'au fil du temps c'est devenu ma faute autant que celle du système mais personne ne m'aimait. Personne ne me disait : « Mange un morceau parce que je t'aime, parce que tu comptes pour moi. » Je n'étais qu'un numéro de plus, jusqu'à ce que je décroche mon insigne. Et je n'étais qu'un insigne – et pas grand-chose de plus – jusqu'à ce que j'aie la chance de croiser ta route.

Elle prit une profonde inspiration.

— J'aurais pu être cette fille, Connors.

— Non.

— Si. Ou en tout cas quelqu'un qui lui ressemble. Si Feeney avait été un autre genre de flic, un autre genre d'homme. S'il avait été aussi brisé et aigri que Mackie. Il a vu qui j'étais. Il a vu qui j'étais vraiment et m'a sortie de la masse, s'est montré attentif, m'a accordé du temps, m'a accordé tout ce qu'il était. Personne ne m'avait jamais offert ce qu'il m'a offert. Personne ne m'avait jamais vue telle que lui a su me voir. Je voulais qu'il soit fier de moi, voulais devenir le genre de flic dont il serait fier. Ça a été mon moteur.

» Et est-ce que tu n'as pas l'impression que Willow voudrait être ce que son père attend d'elle ? C'est une part – une part importante même – de ce qui la motive.

— Si ce que tu dis est vrai, cela signifie qu'elle a tourné le dos à tout ce qu'elle a d'autre. Une mère, un frère. Un foyer agréable, si l'on en croit les apparences.

— Possible, les apparences n'ont parfois aucune importance. Nous verrons ce qu'il en est. Par contre, nos perceptions s'imposent comme des vérités, n'est-ce pas ? Et les siennes indiquent peut-être que personne ne la voit, ne la comprend ou ne se soucie d'elle. Contrairement à son père. Et elle tue pour lui. Elle tue parce qu'il l'a formée, lui a enseigné à considérer cela comme un droit, ou en tout cas une réponse.

Eve chassa de son esprit les pensées indésirables qui l'assaillaient.

— Pour l'heure, le pourquoi ne compte que s'il nous aide à les retrouver et à mettre fin à leurs agissements. Donc, oui, jette un œil. Étant donné l'âge du garçon, ils ont sans doute installé un contrôle parental sur sa machine mais elle aurait pu y dissimuler ses propres fichiers.

— Sans difficulté, même.

— Si c'est le cas, trouve-les. Je retourne dans sa chambre.

Eve contacta Peabody. Rien à signaler. Puis elle se tint debout au milieu de la chambre de Willow Mackie. Un espace généreux, facilement le triple de celui qu'elle-même avait pu occuper au même âge. Équipé d'un mobilier agréable et confortable. Avec des vêtements tous de bonne qualité.

Pas de photos, ni de Willow ni de sa famille ou de ses amis. Pas même de son père. Peut-être y en avait-il sur son ordinateur, se dit Eve. Elle regarderait.

Elle chercha dans les trois tiroirs du bureau, trouva quelques fournitures scolaires. Pas de bazar. Aucune des cochonneries inutiles que les adolescentes – et les adolescents, d'ailleurs – collectionnaient.

Aucun disque, constata-t-elle. Ni de données ni de musique. Pas d'autres appareils électroniques, ni unité centrale, ni tablette.

Parce qu'elle les emmenait avec elle, une semaine chez l'un, une semaine chez l'autre ?

Le regard d'Eve se posa de nouveau sur les posters. Armes et violence. Une adolescente à ce point obsédée par les armes accepterait-elle de vivre une semaine sur deux sans y avoir accès ?

Elle retourna dans le dressing. Un espace étroit mais aussi bien organisé que le reste. Les vêtements les plus élégants – clairement choisis par la mère – rangés dans le fond. Et là, encore dans leurs boîtes, une paire d'escarpins et une autre de bottines, les deux de toute évidence sélectionnées – même aux yeux inexpérimentés d'Eve – pour aller avec les robes et les pantalons les plus chics.

Ni l'une ni l'autre n'avaient été portées, constata Eve en examinant les semelles.

Fourrée au bout d'une botte usée, elle trouva une petite réserve d'argent liquide. Deux cents dollars seulement, ce qui donna l'impression à Eve que la somme avait été placée là volontairement afin que la mère de Willow puisse trouver quelque chose.

Dans la poche d'une veste à capuche elle tomba sur un carnet de bord électronique. En l'allumant, elle entendit une voix de fille – une voix étonnamment jeune – se plaignant à propos de son frère, de sa mère, de son beau-père, se lamentant qu'ils ne la comprenaient pas. Les trucs habituels.

Également placé de manière à ce que sa mère puisse le trouver, estima Eve avant de le mettre sous scellés. Ils écouteraient l'ensemble de ses jérémiades, mais le dernier enregistrement en date était clairement conçu pour que la maîtresse de maison se sente coupable si elle l'écoutait après avoir fouillé la chambre de sa fille.

Celle-ci ne cacherait donc rien d'importance dans son dressing, en conclut Eve.

Bien que convaincue qu'elle ne trouverait rien aux endroits habituels, elle les vérifia par principe.

Elle examina le sol du dressing, les parois et même le plafond, regarda sous le lit et entre sommier et matelas, retourna les coussins sur le siège de bureau et la chaise longue. Elle s'assura qu'il n'y avait rien ni sous ni derrière le bureau.

Elle estima la commode trop lourde pour être déplacée sans laisser de marques sur le sol mais s'y intéressa malgré tout : elle regarda en dessous et sortit les tiroirs pour s'assurer qu'il n'y avait rien de caché là.

Alors qu'elle remettait le tiroir du bas en place, les décorations en dessous attirèrent son regard. Une sorte de tresse, d'à peu près cinq centimètres de haut, courait le long de la base. Et lorsqu'elle avait tiré ce tiroir pour le sortir, elle avait ressenti une légère résistance et entendu un « clic » ténu.

Rien qui sorte vraiment de l'ordinaire, mais...

Elle retira de nouveau le tiroir du bas. Un élément de mobilier solide, bien fait, fabriqué avec soin en bois usiné. Le tiroir reposait sur une planche de ce même bois.

Intriguée, Eve fit courir ses doigts sur la natte décorative le long de la base. Elle sentit l'une des boucles céder sous la pression, de manière presque imperceptible.

Elle tira dessus. Rien.

Elle continua à parcourir la natte, sentit une deuxième boucle s'enfoncer, puis une troisième.

Elle n'eut pas besoin de tirer. L'étroit tiroir secret coulissa tout seul vers elle.

« Vide », constata-t-elle.

Vide à l'exception de la mousse thermoformée qui laissait voir la forme de deux couteaux et de deux armes de poing. Des blasters, estima Eve. Un autre emplacement, rectangulaire, aurait facilement pu accueillir plusieurs fausses pièces d'identité et peut-être de l'argent liquide supplémentaire.

— Elle ne reviendra pas ici, murmura-t-elle.

— Je suis d'accord, dit Connors debout sur le seuil. Il faut que tu voies ça. Tu avais raison : elle s'est servie de l'ordinateur de son frère. Le fichier que j'ai trouvé était habilement dissimulé. Et même là, poursuivit-il comme ils retournaient vers la chambre du jeune frère, elle a fait attention. On n'a pas affaire à une jeune fille imprudente et impulsive.

— Loin de là.

Eve examina le premier document affiché à l'écran.

— C'est la liste de leurs cibles. Rien que les initiales, pas de noms complets, mais je vois BM, KR, soit Michaelson et Russo. Pour MB, je tablerais sur

Marta Beck, l'administratrice de Michaelson. BF, ce sera Fine, le conducteur qui a heurté la seconde épouse. L'un de ces trois autres – AE, JR et MJ – est sans doute l'avocat que nous n'avons pas encore identifié. Plus deux autres. Deux cibles abattues, encore cinq à tuer.

— Le document comprend une deuxième page, dit Connors en affichant celle-ci.

— Zach Stuben, son frère. Lincoln Stuben, son beau-père. Bon sang, même sa mère est sur la liste. Rene Hutchins, Thomas Greenburg, Lynda Track. Il va falloir les identifier au plus vite. Et encore des initiales, HCHS.

— Il s'agit de son lycée, dit-il. J'en suis certain, parce que j'ai aussi trouvé ce document.

Connors afficha le plan d'un établissement baptisé Hillary Clinton High School.

— Certaines salles et certaines zones étaient soulignées, avec les portes de sortie entourées au crayon.

— Bon Dieu. Elle a prévu d'attaquer son lycée.

— Et elle a déjà choisi l'emplacement d'où elle le fera. Plus près cette fois que les deux autres attaques mais à bonne distance malgré tout.

Eve se pencha sur l'image suivante.

— Le toit de l'appartement de son père. Elle a caché ces infos ici parce qu'il ne s'agit pas du plan de son père mais du sien propre. Quand ils auront terminé sa mission à lui, elle pourra entamer la sienne. À quel point a-t-il fallu que tu fouilles pour trouver tout ceci ?

— Ça m'a demandé un peu de travail mais surtout je n'aurais sans doute rien trouvé si je n'avais pas spécifiquement été en quête de quelque chose. C'était caché sous une rédaction tout à fait inoffensive à propos de George Washington.

Eve s'était mise à faire les cent pas.

— D'accord, repartons. Il va falloir accéder à l'appartement de Mackie. Il a probablement mis des caméras en place pour voir qui entre et sort de l'immeuble, et en particulier de son propre espace.

— Je peux m'en charger.

— J'y compte bien. Il faut qu'on entre pour savoir qui est la prochaine cible. Où et quand. Ils se sont peut-être rendus directement au poste de tir suivant et il y a trois personnes sur la liste que nous n'avons pas encore identifiées. Il faudra aussi découvrir le nom des inconnus sur la liste de sa fille.

— Une liste qui contient d'autres éléments. Elle a répertorié ses victimes. Des animaux, s'empressa-t-il de préciser. Le type d'animal, l'endroit, la distance, l'arme employée, la date, l'heure. Il semble que son père l'ait emmenée chasser – illégalement, le plus souvent – dans le Montana, le Wyoming, l'Alaska, les Dakota et même au Mexique et au Canada. Elle a noté plus d'une vingtaine de proies abattues durant les sept derniers mois.

— Envoie une copie du fichier sur mes terminaux. Je vais demander à la DDE de venir récupérer les deux ordinateurs. Elle en a sûrement un autre chez son père. Il faut qu'on voie ce qu'il contient. Elle n'aura pas eu besoin de prendre autant de précautions vis-à-vis du plan de son père sur une machine qui se trouve chez lui. Peut-être qu'on y découvrira des noms.

Eve se passa une main dans les cheveux.

— Je me demande si Mackie a conscience du genre de monstre il a créé. Et s'il le sait, s'en soucie-t-il ?

9

Eve appela Peabody et lui récita les noms de la liste de Willow.

— Ces individus ont un lien avec nos suspects, plus probablement la jeune fille. Identifiez-les et récupérez leurs coordonnées.

Elle raccrocha et se tourna vers Connors.

— Si Mackie surveille à distance les caméras de sécurité de son appartement, brouiller leur signal l'alertera de notre présence.

Tout en marchant, Connors lui donna une petite tape rassurante sur l'épaule et contacta Feeney. Les deux hommes échangèrent ensuite dans un sabir informatique qui lui donnait le tournis, mais Eve en comprit assez pour interpréter ce qu'ils se disaient.

— Feeney ou toi êtes en mesure de prendre le contrôle des caméras et de jouer une séquence en boucle.

— Exactement. Mais si Mackie surveille ses écrans avec attention, ça ne le trompera pas longtemps. On aura donc intérêt à agir vite et bien.

— Il aurait pu piéger la porte, non ? C'est un flic, il pense à tous les détails. Piéger la porte pour l'alerter si qui que ce soit entre, ou encore...

— Eve chérie, ce ne sera pas ma première effraction. Ce ne sera même pas ma première de la journée. Fais-moi un peu confiance.

Dehors, le vent avait affûté ses lames de glace. Eve capta les effluves de hot-dog au soja et de châtaignes émanant d'un glissa-gril. Une bouffée de fumée sentant l'hiver. L'alarme d'un véhicule se déclencha dans une série de « bip » frénétiques et agaçants tandis que deux adolescentes s'éloignaient au pas de course en ricanant comme des idiotes.

Connors échangeait toujours tranquillement avec Feeney.

— Prise de contrôle des caméras dans dix secondes, annonça celui-ci.

— Reçu. Occupe-toi de la porte, dit-elle à Connors. Il paraît peu probable qu'il ait le moyen de vérifier l'utilisation de mon passe mais pourquoi prendre ce risque ?

— Allez-y, dit Feeney.

Ils approchèrent de la porte d'entrée et, grâce à l'habileté de Connors, franchirent le seuil en moins de six secondes.

— Pas de caméras dans le hall mais le modèle habituel dans l'ascenseur.

— On va prendre l'escalier, déclara Eve en gravissant les premières marches.

« L'endroit est tout à fait correct, se dit-elle. On est loin du duplex de l'ex-femme mais ça reste correct. »

Tandis qu'ils montaient, elle capta des bruits émanant de plusieurs appartements. L'insonorisation laissait à désirer. À l'étage où habitait Mackie, cependant, tout était silencieux. Ils prirent soin de demeurer hors du champ de vision de la caméra montée au-dessus de la porte de l'appartement.

— Il a renforcé les mesures de sécurité.

Connors opina du chef.

— Celle-ci, je m'en occupe, dit-il.

Il sortit un appareil de sa poche, entra plusieurs commandes, scruta l'écran et ajouta des lignes de programmation supplémentaires.

— La boucle vidéo est en place. Voyons quels autres tours il nous réserve.

Une fois face à la porte, Connors se servit du même appareil pour scanner les verrous et le lecteur de carte.

— Malin, murmura-t-il. Je détecte un système de suivi externe, donc tu avais raison d'être prudente. Pas d'explosifs, ce qui nous arrange plutôt, n'est-ce pas ? Laisse-moi juste... Oui, ça y est. Chaque chose en son temps. Oui, c'était bien joué. Mais... hop, voilà. Tiens-moi ça, tu veux bien ?

Il tendit à Eve son appareil qui bourdonna doucement au creux de sa main tandis que Connors sortait ses outils.

Elle le regarda crocheter un trio de verrous renforcés comme s'il s'agissait de simples vis à ailettes.

Eve lui rendit son appareil et dégaina son arme.

— Pas d'explosifs, c'est une bonne chose. Mais tu te souviens de ce vieux film qu'on a regardé il y a deux semaines ? Le type avait piégé son logement avec un énorme fusil à pompe qui tirait si quelqu'un ouvrait la porte.

— Pas un vieux film, un *classique*, la corrigea-t-il, mais je m'en souviens, oui. Alors allons-y prudemment.

Ils se placèrent de chaque côté de la porte. Eve tourna la poignée, se baissa et ouvrit la porte d'un coup en la poussant par le bas.

Pas de pièges, pas de fil tendu en travers du seuil, pas de caméras intérieures.

Et pas grand-chose d'autre.

Elle s'avança dans la salle de séjour qui accueillait un vieux sofa défoncé.

— Tu nous reçois, Feeney ? demanda-t-elle.

Elle pivota sur elle-même afin que la caméra accrochée à son col filme ce qui l'entourait.

— Ouais. Mince.

— On va quand même fouiller les lieux.

Il avait laissé son lit, dont il ne restait plus que le matelas. Une deuxième chambre ne contenait rien d'autre que de la poussière accumulée et quelques cintres.

— Ils ont quitté cet endroit depuis des semaines. Lowenbaum, levez l'alerte. Ils ne reviendront pas ici. Peabody, faites venir la police scientifique. Ils pourront inspecter les lieux, pour la forme.

Elle donna un coup de pied dans le sofa pour se libérer de sa frustration montante.

— Bien reçu, lieutenant, dit Peabody. J'ai les noms que vous vouliez.

— Allez-y.

— Rene Hutchins est la psychologue scolaire du lycée de la suspecte. Thomas Greenburg, quant à lui, en est le principal. Lynda Track travaille avec Zoe Younger... et c'est la sœur de Lincoln Stuben.

— Contactez-les et interrogez-les. Et qu'on leur assigne une protection rapprochée.

— Je m'en occupe.

— Tu ne crois pas qu'ils soient en danger dans l'immédiat, devina Connors.

— Non. Une mission à la fois...

Eve laissa échapper un soupir.

— Deux représentants de l'autorité dans son lycée et la sœur de son beau-père, qui est sans doute une amie de sa mère, complètent sa liste de cibles à abattre, dit-elle.

Elle décida d'écarter cette seconde liste de ses pensées pour faire face au problème le plus immédiat : identifier les inconnus sur la première liste.

— Mackie a compris que nous débarquerions ici tôt ou tard. Il s'y est préparé. Il a laissé les meubles trop gros ou trop vieux pour se donner la peine de les déplacer. Carmichael, Santiago, commencez à frapper aux portes de voisins. Voyons si quelqu'un peut nous dire quand il s'est tiré.

Elle résista, de peu, à l'envie de donner un nouveau coup de pied dans le sofa.

— Bon, très bien. On arrête de tourner autour du pot. Feeney, tu veux bien contacter le commandant et lui dresser un topo de la situation ? On va diffuser leur identité à tous les médias. Je serai disponible pour une conférence de presse d'ici une heure.

— Mieux vaut que ce soit toi que moi, ma fille.

— Lowenbaum, assurez-vous d'être dispo, vous aussi.

Elle sortit son communicateur pour commencer l'opération.

— Nadine ?

— Dallas ! J'essaie de vous joindre depuis ce matin. Tout a été décalé pour...

— Où êtes-vous ?

— Quoi ? Je viens de rentrer chez moi, mais...

— J'arrive. De quel chez-vous parle-t-on ?

— De mon nouvel appart. Mon seul chez-moi désormais. Qu'est-ce... ?

— Pas de caméras. Je suis en route.

La froideur et la colère qui se lisaient dans le regard d'Eve n'avaient pas échappé à Connors.

— On ouvre grand les vannes, c'est ça ?

— Exactement.

— Que puis-je faire pour t'aider ?

— Dans l'immédiat ? Un véhicule me serait bien utile.

En une fraction du temps qui aurait été nécessaire pour réquisitionner un véhicule de la police, elle se retrouva derrière le volant d'un tout-terrain massif. Peabody la rejoignit rapidement.

— Waouh, spacieux et bien chauffé, commenta-t-elle.

— Ne vous y habituez pas. Entrez l'adresse de Nadine. Je n'ai aucune idée d'où elle habite.

— Oh, c'est un endroit génial. Elle n'a pas terminé la déco mais j'ai entendu dire que c'était déjà magnifique et...

— Je me fiche de sa décoration.

— Compris.

Peabody se radossa sur son siège tandis que l'ordinateur guidait Eve.

— Vous voulez que Nadine diffuse l'info avant de vous adresser au reste des médias.

— Je veux qu'elle en fasse un scoop explosif. De quoi diminuer largement le temps que je devrai ensuite passer à faire des déclarations et répondre à des questions ineptes. Mieux, elle va creuser. On aura des histoires et des données à propos des suspects comme des victimes. Il reste des cibles qui ne sont pas encore identifiées et donc pas protégées. Il y a de bonnes chances pour qu'ils nous contactent une fois au courant du danger qui pèse sur eux. Et il nous faut plus d'infos sur l'épouse décédée.

— J'ai creusé la question pendant qu'on attendait. Famille biologique, parcours scolaire, carrière. Rien de spécial. Elle venait d'une famille plutôt stable, a grandi à Westchester, pas de soucis à l'école, deux ans d'université, études générales. Elle a travaillé dans la vente. A déménagé à Brooklyn, s'est installée avec deux copines, a changé de boulot...

dans la vente, toujours. Une fois mariée à Mackie, elle a déménagé de nouveau et encore changé de job. Son dernier lieu de travail était le magasin Bloomer's sur la 57e Est.

— Elle est allée chez le médecin et retournait sans doute travailler après le rendez-vous. Je voudrais parler à Marta Beck pour savoir ce qui s'est passé le jour du rendez-vous. Trouvez-moi le nom du supérieur hiérarchique de Prinz à son travail. Mackie accusait le médecin et les initiales de Beck apparaissent sur la liste, donc il considère qu'elle aussi est responsable.

— Beck ne fait pas partie du personnel médical. Elle gère l'administratif.

— Exactement. Beck a dit qu'ils prenaient souvent du retard sur les horaires des rendez-vous.

— Vous êtes déjà allée chez un médecin qui n'a pas de retard ?

— J'essaie d'éviter les médecins en général. Bref, peut-être que son rendez-vous s'est terminé plus tard que prévu et qu'elle est rentrée précipitamment. Pour quelle autre raison une personne saine d'esprit traverserait-elle au beau milieu de la circulation ? Si elle courait pour rejoindre son boulot, Mackie pourrait s'en prendre à son responsable ou quelqu'un d'autre à son travail. Trouvez-moi leurs noms.

— Compris. Oh, vous pouvez vous garer dans le parking souterrain, il y a un étage pour les visiteurs.

— Nous ne sommes pas des visiteurs.

L'immeuble était argenté, élégant et élancé. Pas le genre à briller de mille feux mais doté d'une patine qui lui conférait du cachet. Elle s'arrêta juste devant la somptueuse entrée, derrière une limousine d'où émergeait une femme revêtue d'un énorme manteau de fourrure et tenant dans ses bras un petit chien…

lui aussi habillé d'un manteau de fourrure par-dessus son corps malingre.

Le portier se hâta en direction de la femme au chien et récupéra auprès du chauffeur une multitude de sacs issus de boutiques de luxe. Le portier darda un coup d'œil vers Eve en la voyant sortir et ouvrit la bouche pour dire quelque chose. Mais il s'interrompit et lui adressa un bref hochement de tête tout en jonglant avec les sacs avant de repartir vers la porte.

— Lieutenant Dallas. Je suis à vous dans un instant.

— Je n'ai pas besoin de vous, répondit-elle.

Elle devança la femme et son chien jusqu'à la porte et pénétra directement dans l'immeuble.

— Charlie, dit la femme, vous voulez bien envoyer tout ça directement à l'étage ? Mimi est épuisée.

— Absolument, madame Mannery. Lieutenant ?

— Nadine Furst. Elle m'attend. Laissez mon véhicule où il est.

Eve s'éloigna avant de prendre conscience qu'elle n'avait aucune idée de sa destination.

Les murs du hall d'entrée se dressaient vers la haute voûte du plafond où des plantes grimpantes s'enroulaient autour de poutrelles blanches. Le sol de marbre blanc réfléchissait l'éclat d'énormes chandeliers constitués de boucles d'argent vieilli et de boules de verre d'un bleu intense.

Un rapide regard alentour permit à Eve de repérer une banque, trois boutiques, plusieurs restaurants, une boulangerie et une épicerie fine ainsi qu'un centre d'affaires.

— La sécurité vous autorisera directement à entrer, lui dit Charlie le portier en arrivant à sa hauteur, toujours empêtré dans ses sacs. Le penthouse de Mme Furst est accessible depuis le groupe d'ascenseurs C. La cabine de votre choix.

Eve se dirigea vers le groupe C en question, passant devant un rideau d'eau qui s'écoulait mélodieusement dans un étroit bassin entouré de fleurs rouges luxuriantes.

Eve s'avança dans l'ascenseur et grimaça en entendant une voix désincarnée annoncer :

— *Accès autorisé pour deux occupants au penthouse A. Nous vous souhaitons une agréable visite et une belle fin de journée.*

— Oui. Une authentique journée de détente à la plage jusqu'à maintenant...

— On sait où ils ne se cachent pas, c'est déjà quelque chose, marmonna Peabody tout en pianotant sur son mini-ordinateur. Ça y est, j'ai le nom de la directrice adjointe de chez Bloomer's, une dénommée Alyce Ellison.

— Faites-la escorter jusqu'au Central, ordonna Eve comme les portes de l'ascenseur se refermaient. Qu'elle soit placée immédiatement sous protection policière.

— Qui ça ? s'enquit Nadine, debout dans une vaste entrée flanquée par des hautes consoles décorées d'orchidées bleues.

Eve avait bien dit « pas de caméras » mais, comme d'habitude, Nadine Fust semblait prête à passer à l'image, vêtue d'un tailleur rouge aussi élégant qu'audacieux, ses cheveux blonds méchés ramenés en arrière pour laisser voir son beau visage. Ses yeux verts pleins d'intelligence soutinrent le regard d'Eve.

— Tout de suite, Peabody.

Derrière Nadine s'ouvrait la salle de séjour, grand espace encore peu meublé au sol verni de la même couleur que les châtaignes grillées qui embaumaient la rue un peu plus tôt. D'immenses baies vitrées donnaient sur une large terrasse et offraient une vue spectaculaire sur la ville.

— Je n'ai pas beaucoup de temps, annonça Eve en guise de préambule.

— Ravie de vous voir, moi aussi.

— Nadine...

— Pas beaucoup de temps. Compris. Mais puisque vous m'évitez depuis ce matin, j'estime avoir droit à certaines latitudes.

— Je ne vous évitais pas en particulier. Je me suis tenue à l'écart de tous les médias, point final. Et cela pour une bonne raison. Je suis venue parce que je m'apprête à prendre part à une conférence de presse d'ici une heure environ. Je n'ai pas beaucoup de latitudes à vous offrir.

— Au moins celle de prendre un café pendant qu'on discute ?

— Oh que oui.

— Suivez-moi.

D'un pas vif – Eve remarqua que Nadine portait ses chaussures d'intérieur avec son tailleur – la journaliste traversa le séjour et une salle à manger dotée d'une longue table noire au centre de laquelle était posé un grand saladier en verre bleu orchidée, entourée de chaises noires garnies de coussins bleus. Elle s'arrêta dans une cuisine tout de blanc et d'argent qui comprenait un coin petit-déjeuner dans une alcôve sous la fenêtre et un énorme plan de travail central.

— Je croyais que vous ne cuisiniez pas.

— J'en suis capable quand c'est nécessaire. Et pourquoi ne pas disposer d'un magnifique espace pour les traiteurs ? Il se trouve que j'ai du mélange Dallas en stock.

— Du quoi ?

— Vous ne savez même pas ce que vous buvez ? s'étonna Nadine en faisant coulisser un panneau noir derrière lequel se trouvait un autochef.

— Le café de Connors.

— Dont la gamme comprend différents mélanges. Le vôtre s'appelle « Dallas ».

— Oh. Peabody, vous pouvez vous connecter à cet écran mural ?

— Bien sûr.

— Affichez les photos d'identité pendant que nous préparons le café.

Nadine suspendit son geste au-dessus des commandes de l'autochef.

— Vous avez identifié les tireurs ?

— Le café. Programmez le café, ordonna Eve sous l'effet d'une envie pressante de caféine. Reginald Mackie, un ancien agent de l'unité Tactique, et sa fille, Willow Mackie, âgée de quinze ans.

— C'est dingue.

Nadine s'empressa d'ouvrir un tiroir pour récupérer un carnet et un dictaphone.

— Pas d'enregistrement, dit Eve. Pas encore. Les suspects sont toujours en fuite.

Pas du genre à faire des manières lorsqu'il s'agissait de café, Eve ouvrit elle-même l'autochef qui venait de biper pour récupérer un mug blanc rempli de café noir.

— Ils ont quitté le domicile de Mackie. La mère, le beau-père et le demi-frère de la suspecte mineure sont sous protection policière.

— Comment avez-vous identifié les suspects ?

— Par le biais d'un travail d'enquête sérieux. Écoutez, je vais vous communiquer tout ce que je peux vous donner dans l'immédiat, y compris ce que je vais dire à la conférence de presse.

Eve but une longue gorgée de café et sentit son organisme reprendre vie. Elle se mit à faire les cent pas.

— Affichez les images, Peabody.

Nadine tendit un café à Peabody.

— Vous pouvez prendre des notes, Nadine, poursuivit Eve, mais pas d'enregistrement avant la conférence officielle.

Sans cesser d'arpenter les cuisines et de siroter son café, Eve lui fit un résumé rapide de la situation.

— Vous pensez que Willow Mackie participe volontairement à ces tueries ?

— Ce que je vais vous dire devra rester officieux jusqu'à ce que vous ayez mon feu vert.

Eve attendit que Nadine hoche la tête en signe d'assentiment.

— Je pense que c'est elle, le tireur, et je crois... Non, se reprit-elle, je suis *certaine* qu'elle a elle-même établi une seconde liste de cibles à abattre. Pour une raison peut-être en lien avec son propre état physique ou émotionnel, ou bien parce que c'est un cinglé assoiffé de vengeance, je pense que Mackie donne le feu vert à sa fille.

— Pourquoi abattre des personnes sans lien avec leur histoire, deux à la patinoire, quatre sur Times Square ? Une manière de brouiller les pistes ?

— On dirait bien.

Mais Eve soupçonnait que c'était plus que cela, pire que cela.

— Nous pensons que les suspects ont d'autres cibles en vue et qu'ils s'y attaqueront très rapidement. S'ils conservent le même mode opératoire, ils choisiront un lieu public, un endroit où la cible vit, travaille ou se rend régulièrement. Et ils feront d'autres victimes au passage.

— Vous voulez que je diffuse leurs portraits. À partir de quand ?

— Dès maintenant. Faites publier leurs noms et leurs visages, aussi vite que vous le pourrez. Pour les autres infos, je vous demande vingt minutes. Mes propos officieux doivent le rester jusqu'à ce que je vous indique que c'est bon. Ça vous donnera un avantage sur le reste des médias. Un avantage qui a un prix.

— Lequel ?

— Affichez la tête de Susann Mackie, Peabody. Je veux que ce visage aussi apparaisse sur les écrans. Que Mackie le voie chaque fois qu'il allume la télévision. Je veux qu'il entende prononcer son nom, qu'il soit forcé de repenser à sa vie et à sa mort.

— Vous espérez le briser.

Eve reposa son mug vide. Son regard était dur.

— Je *vais* le briser. Autre chose : l'avocat embauché par Mackie constitue aussi une cible potentielle mais je n'ai pas son nom. Si vous pouviez creuser de ce côté...

— Je vais mettre des gens dessus.

— Si vous tombez sur quelqu'un dont les initiales sont JR ou MJ, avertissez-moi tout de suite. Tout de suite, Nadine.

— Compris. Et elle, comment comptez-vous la briser ?

— J'y travaille. Bon. Nous devons y aller.

— Moi aussi.

— L'appart est très classe, Nadine, commenta Eve.

La journaliste sourit.

— Merci. Je voulais que ce soit classe et ce le sera encore plus quand j'aurai terminé.

Comme Eve se retournait pour partir, Nadine dégaina son communicateur. Eve l'entendit lancer :

— Passe-moi Lloyd ! Maintenant. Je me fous qu'il soit occupé. Maintenant, j'ai dit !

Une fois dans l'ascenseur, Eve inspira profondément.

— Peabody, faites convoquer les témoins de l'accident de Susann Mackie. Leurs initiales n'apparaissaient pas sur la liste, mais on ne va pas prendre de risques. Et je veux voir Zoe Younger en salle d'interrogatoire. On regardera ce que Baxter et Trueheart ont tiré d'elle, mais j'ai besoin de la prendre entre quatre yeux.

Elle consulta sa montre. Et elle se demanda où Mackie et sa meurtrière de fille se trouveraient lorsqu'ils verraient pour la première fois leurs photos à l'écran.

Ils se trouvaient dans le loft reconverti que Mackie avait loué peu de temps avant Thanksgiving, là où il avait commencé à déménager au début de la saison des fêtes.

Il avait acheté des meubles – fonctionnels et bon marché – et même si devoir payer deux loyers lui revenait cher, il estimait que la dépense en valait la peine.

Si les choses se passaient bien – le plan A – Will et lui seraient en route pour l'Alaska dans moins d'une semaine pour s'installer dans un endroit isolé et vivre de la terre.

Un lieu où ils pourraient chasser, se rebâtir un foyer, une nouvelle vie.

Zoe lâcherait les chiens sur eux, bien sûr. Il ne lui en voudrait pas pour ça. Mais ils ne laisseraient aucune trace, aucune piste. Pendant quelques mois, Will deviendrait William Black, seize ans, le fils de John Black, un conseiller en assurances à la retraite du Nouveau-Mexique. Un veuf faisant l'école à la maison à son fils.

Ils déménageraient de nouveau, plus loin en Alaska, et redeviendraient père et fille. Et, comme ils le faisaient ici dans ce loft, ils resteraient entre eux.

Il trouverait la paix en Alaska. Il y croyait, il *devait* y croire. Plus de cauchemars, plus de réveils en nage au milieu de la nuit. Il se reprendrait petit à petit, arrêterait l'alcool et le Funk. Ses mains cesseraient de trembler, son esprit et sa vue redeviendraient clairs.

Susann et le fils dont il avait rêvé seraient vengés. Une justice rendue avec talent par la fille qui faisait sa fierté et donnait du sens à sa vie. Et un jour, quand Will serait assez âgée, il pourrait la laisser en sachant que son unique enfant serait capable de tracer seule son chemin.

Il pourrait s'en aller rejoindre Susann et le fils qu'ils avaient prénommé Gabriel.

Pensant à eux, il laissa son esprit dériver vers une image de Susann vêtue d'une robe blanche, assise à l'ombre des branches d'un grand arbre au sommet d'une colline verte et ronde, leur bébé dans les bras.

Il y avait une petite ferme non loin, jaune avec des volets bleus, une clôture blanche et un jardin fleuri.

Leur maison de rêve, celle qu'ils avaient bâtie au fil de leurs songes et de leurs conversations, la maison à la campagne qu'ils avaient rêvé de posséder un jour.

Elle l'y attendait, serrant Gabriel contre son sein, un chiot marron dormant à ses côtés.

Il avait besoin de les retrouver là-bas, elle et son fils. Sous le grand arbre noyé de soleil. La nuit venue, elle l'appelait en hurlant, criait son nom. Et le bébé hurlait avec elle.

Mais à présent elle souriait, attendant tranquillement qu'il gravisse la colline et s'asseye auprès d'elle.

— Papa ! Papa !

Il se réveilla d'un bond et tendit la main vers l'arme qu'il portait à la hanche.

Dans la lumière tamisée du loft, il vit Will debout devant le petit sofa, les yeux rivés sur l'écran mural. Elle avait nettoyé son arme, constata-t-il, heureux de voir le fusil posé sur la table devant elle.

Le ton qu'elle avait employé l'incita cependant à se lever, réveillant l'ancien soldat en lui.

— Notre sécurité est compromise ? demanda-t-il.

— Ils connaissent nos noms et nos visages.

Il s'avança pour se tenir à côté d'elle et écouter le bulletin d'informations.

Sa dernière photo d'identité officielle et celle de Willow se partageaient l'écran tandis que la voix d'une journaliste se faisait entendre :

— Je vous redonne l'information : la police a identifié deux suspects dans les attaques du Wollman Rink et de Times Square au cours desquelles sept personnes, y compris un agent de police, ont été tuées et plus de cinquante blessées. La police recherche Reginald Mackie, ancien agent de l'unité Tactique du NYPSD, et sa fille de quinze ans, Willow Mackie.

Les photos rapetissèrent et disparurent par la droite tandis que Nadine Furst apparaissait à l'écran, vêtue d'un flamboyant tailleur rouge.

— Les autorités ont organisé une conférence de presse en vue de fournir des détails supplémentaires. Pour l'heure, ils demandent que quiconque ayant des informations sur l'endroit où se trouvent les suspects prenne contact avec le NYPSD. Si vous les rencontrez, ne les approchez pas. Ils sont considérés comme armés et dangereux.

» Reginald Mackie, cinquante-quatre ans, ancien militaire et policier décoré, s'est retrouvé veuf en novembre 2059 à la suite du décès de sa femme, Susann Prinz, dans un accident de la route.

L'image de Susann s'afficha et Nadine poursuivit :

— Mme Mackie était enceinte de seize semaines au moment de l'accident.

Le portrait de Susann demeura à l'image, regard pétillant et sourire aux lèvres. Puis ceux de Reginald et de Willow réapparurent comme Nadine reprenait son commentaire.

— Comment ils ont fait ? Comment ils ont pu nous retrouver si vite ? demanda Will.

— Un travail d'enquête bien mené, répondit-il à mi-voix tandis que son rêve d'une vie paisible en Alaska se désagrégeait sous ses yeux.

« C'est fini, se dit-il. Pas de paix à venir. Ni maison. Ni nouvelle vie. »

— Mais on a fait super attention. Ils ont maman avec eux maintenant, c'est ça ? Et Lincoln et le sale gosse ?

— Ton frère, lui rappela Mackie. C'est ton frère, Will. Il est du même sang que toi.

Une lueur féroce s'alluma dans les yeux de Willow mais son père ne remarqua rien.

— Ouais, la police est auprès d'eux, dit-il. Tu as bien tout retiré de ta chambre ? Tout ce qui était en rapport avec le plan ?

— Je t'ai déjà dit que oui, grogna-t-elle avec agacement.

Comme si elle allait laisser quoi que ce soit derrière elle. Elle braqua sur lui un regard vert dont la dureté contrastait avec la douceur de sa peau lisse.

— Il n'y a plus rien dans ma chambre là-bas. Je ne suis pas idiote.

Il hocha la tête et se dirigea vers la minuscule cuisine pour se programmer un café et prendre un tube du soda préféré de Willow.

— C'est pour ça qu'on a établi un plan B.

— Mais, papa...

— La mission est prioritaire, Will. Tu le sais. Tu t'es entraînée pour ça. On passe au plan de secours et on se retrouve plus tard, dit-il avec un sourire triste. Tu vas devoir te couper les cheveux, ma chérie, et te mettre en route. Je te rejoindrai quand je pourrai mais... Au cas où je serais capturé ou tué, tu sais quoi faire.

Il lui posa une main sur l'épaule :

— Je compte sur toi, dit-il.

Elle acquiesça. Il recula d'un pas.

— Tu ranges, tu nettoies, tu effaces les traces. On part tous les deux dès ce soir.

— La conférence de presse. Faut qu'on regarde. Qu'on sache quelles infos ils auront données au public.

Il ressentit une nouvelle bouffée de fierté.

— C'est vrai, dit-il. Laisse l'écran allumé.

Eve avait beau détester les conférences de presse, elle savait les exploiter à son avantage. Si les Mackie ne la voyaient pas en direct, ils auraient droit à d'innombrables rediffusions, aux phrases clés répétées en boucle et aux interminables monologues des commentateurs.

Elle veilla donc à ce que les tueurs en voient de toutes les couleurs.

— Je ne suis pas en mesure de divulguer les éléments de l'enquête qui nous ont permis d'identifier les suspects. Je peux seulement vous dire que le NYPSD a concentré ses effectifs, son expérience et de nombreuses heures de travail pour ce faire depuis la première attaque dans Central Park.

L'un des journalistes se leva d'un bond.

— N'est-il pas exact que des renforts ont été mobilisés sur cette enquête après la mort d'un agent du NYPSD ?

Eve demeura silencieuse pendant cinq longues secondes.

— Ellissa Wyman, Brent Michaelson, Alan Markum… lança-t-elle avant de nommer chacune des victimes dans l'ordre de leur mort. Voici les vies qui ont été perdues, les êtres humains qui ont été tués. Je me demande si les suspects connaissent leurs noms, ont croisé leurs regards ou pensé un instant à leurs familles. Nous l'avons fait. Donc merci de garder vos remarques stupides pour quelqu'un qui ne s'est pas tenu dans le sang répandu des sept défunts. Nathaniel Jarvits n'avait que dix-sept ans. Il est mort le jour de son dix-septième anniversaire. L'agent Kevin Russo, âgé de vingt-trois ans, s'est fait abattre alors qu'il s'élançait au secours de Nathaniel pour tenter de le protéger d'un éventuel second tir. En faisant son travail d'agent de police. Voulez-vous que je vous fournisse des informations sur chaque victime ? Car je peux m'en charger si vous n'avez pas assez de tripes pour faire votre boulot et témoigner de qui elles étaient.

— Vous avez identifié un mobile ?

— Nous pensons que les Mackie visent des individus liés d'une manière ou d'une autre à l'accident de Susann Mackie. C'est la piste sur laquelle nous travaillons activement aujourd'hui.

— Willow Mackie n'a que quinze ans. Pensez-vous qu'elle ait été prise en otage par son père ?

— Aucun des éléments à notre disposition ne nous incite à penser que Willow Mackie soit retenue ou forcée à agir contre son gré. Et ne vous embêtez pas à m'en demander plus, je ne suis actuellement pas en mesure de vous divulguer les éléments en question. Les deux suspects sont des tireurs expérimentés et d'un excellent niveau. Reginald Mackie a formé sa fille au maniement des armes et au tir de précision. Sept personnes ont été tuées et plus de cinquante blessées par ce que nous qualifions de tueurs en série à longue distance ou TSLD. Dans le fond, le TSLD est un lâche. Compétent et doté d'un certain sang-froid, certes, mais un lâche qui tue de loin et ne voit rien d'autre dans sa victime qu'une cible, un objectif.

— Reginald Mackie employait ces mêmes compétences au service du NYPSD, lança quelqu'un.

— Ses compétences, oui. Les agents de l'unité Tactique ne sont pas des tueurs. Et ils ne ciblent pas les innocents. Leur travail consiste à utiliser toutes leurs capacités pour protéger les innocents et leurs collègues. Et pour neutraliser une menace en la paralysant. Ils ne reçoivent l'ordre d'éliminer cette menace que lorsque le danger est trop grand pour la vie de tiers.

— Pourquoi cette tendance meurtrière n'avait-elle pas été repérée lors de ses évaluations psychologiques ?

Lowenbaum s'avança avant qu'Eve puisse répondre.

— C'est ma responsabilité, déclara-t-il. Lieutenant Lowenbaum. J'étais le supérieur hiérarchique de Reginald Mackie.

Eve demeura en arrière. Lowenbaum était clair, précis, exact. Il répondit aux questions avec plus de patience qu'elle n'aurait pu le faire.

Mais après en avoir assez entendu, elle reprit la main.

— Si vous avez envie d'écrire un article orienté qui accuse le NYPSD pour les actions d'un agent qui n'en fait plus partie, allez-y. Mais pendant ce temps, nous avons deux suspects en fuite. Vous avez leurs noms et leurs visages. Peut-être devriez-vous prendre au mot votre argument habituel du « droit de savoir du public » et veiller à ce que ces informations soient diffusées. Cela pourrait même sauver une vie. De notre côté, nous mettons fin à cette conférence pour mieux nous remettre au travail et nous assurer de sauver des vies.

10

Lowenbaum rattrapa Eve dans le couloir – elle marchait vite – et la prit par le bras.

— Ils ont peut-être raison, dit-il.

— Les journalistes ? La plupart cherchent surtout une raison de faire les malins.

— Je n'ai pas su repérer le tueur en lui, Dallas. C'était l'un de mes hommes et je n'ai pas vu ce qu'il était.

— Parce qu'il ne l'était pas.

Elle avait beaucoup à faire mais elle avait aussi besoin de Lowenbaum, et d'un Lowenbaum serein.

— Si c'était un tueur dès le départ, l'armée non plus n'a rien vu, ni le NYPSD, ni son ancien lieutenant. Ni les tests psychologiques. En vertu de quoi auriez-vous dû en être capable ? Et où sont ces chewing-gums que vous mâchez en permanence ?

Interloqué, Lowenbaum sortit un paquet de sa poche tandis qu'ils arpentaient le labyrinthe du Central en direction de la Criminelle.

— Vous en voulez un ?

— Non. Ils sentent le violet. Comment peut-on mâcher un truc qui sent le violet ?

Puisqu'il l'avait à la main, Lowenbaum retira l'emballage de son chewing-gum et l'avala.

— Je suis un ancien fumeur, dit-il.

— Et Mackie est un ancien bon flic. Les choses changent. Notre travail consiste à l'arrêter. Au-delà, c'est le territoire de Mira.

Elle marqua une pause à l'extérieur de sa salle commune et, dévisageant Lowenbaum, reconnut ce qu'elle ressentait elle-même. Colère, frustration et adrénaline le disputant à un épuisement profond.

— L'unité Tactique dispose de scénarios à mettre en place pour contenir des attaques à travers la ville, n'est-ce pas ? Des plans préétablis ?

— Ouais, et on a lancé des simulations holographiques depuis la première attaque. J'ai une équipe d'ingénieurs qui travaillent sur les probabilités – on leur fournit les données au fur et à mesure qu'elles arrivent – pour essayer de déterminer où et quand il frappera de nouveau. C'est un coup de poker.

— Et que vous souffle votre intuition ? Une fois qu'il aura vu qu'on les a identifiés, lui et sa fille ? Il va s'arrêter et réfléchir ou accélérer l'exécution de son plan ?

— Il a eu des mois pour réfléchir. Non, il va chercher à abattre autant de cibles que possible.

— On est d'accord. Toutes sauf trois sont à présent dans un endroit où il ne pourra pas les atteindre. Parlez à vos hommes. Peut-être qu'avec un peu de chance il a mentionné des noms.

— J'en ai déjà discuté avec eux mais je vais tenter un autre angle d'approche.

— Faites. Contente qu'on ait pu échanger. Maintenant j'ai des gens à interroger.

Elle le laissa sur place, légèrement médusé, et s'engagea à grands pas dans la salle commune.

— Tout le monde au rapport ! lança-t-elle, captant l'attention de ses troupes.

Elle pointa Baxter du doigt.

— On commence par Younger. Allez-y.

— C'était bien vu de demander à Trueheart de l'attendrir un peu. À son arrivée, elle nous a pris de haut, a réclamé son avocat et exigé bla-bla-bla. Elle voulait savoir où était sa fille. Trueheart lui a suggéré de l'appeler. Là, ses grands airs ont commencé à vaciller quand elle n'a pas réussi à la joindre, puis quand le lycée lui a annoncé que Willow Mackie ne faisait plus partie de l'établissement. Elle a voulu faire un scandale auprès de l'administration du lycée mais ils avaient les papiers... avec sa signature à côté de celle de Mackie.

— Comment a-t-elle réagi ?

— Elle était en colère et effrayée. Trueheart a joué sur les deux. Je te laisse raconter, dit-il à son partenaire.

Trueheart fit crisser ses chaussures noires et cirées.

— Elle a affirmé n'avoir jamais rien signé et semblait sincère. Elle pense que Mackie a enlevé leur fille et je me suis donc appuyé là-dessus. On a lancé une alerte enlèvement, après quoi elle s'est montrée plus coopérative pour nous fournir des informations.

— De quel genre ?

— La dernière fois qu'elle a vu sa fille remonte à trois jours, quand celle-ci est partie rejoindre Mackie conformément au calendrier de garde. Elles n'ont pas eu d'échanges ensuite, ce qui n'avait rien d'inhabituel selon Younger. Sa relation avec sa fille est plutôt tendue depuis quelques mois.

Trueheart hésita un instant avant de hausser une épaule.

— Ça fait plus longtemps que ça d'après moi, mais les tensions se sont durcies ces derniers mois. D'après les déclarations de Mme Younger, Willow idolâtre son père, en veut à son beau-père et cherche souvent le conflit avec son jeune frère ou sa mère. Celle-ci estime qu'il s'agit d'une phase de l'adolescence mais a néanmoins essayé de convaincre sa fille et Mackie de suivre une thérapie familiale.

Trueheart bascula son poids d'un pied sur l'autre.

— Elle a beaucoup pleuré, lieutenant, m'a dit qu'elle détestait l'obsession de sa fille – c'est le terme qu'elle a employé – pour les armes, mais comme il s'agissait du seul véritable centre d'intérêt et exutoire de Willow, ainsi que d'un lien avec son père, elle ne voulait pas l'interdire. Qu'elle n'aurait pas pu, puisque la garde partagée place Willow en dehors de son contrôle pendant la moitié du temps.

— Si vous deviez me résumer tout ça...

— Elle a peur et elle s'accroche à l'idée que Mackie a entraîné sa fille contre sa volonté, ou au moins qu'il la manipule. Mais...

— Allez au bout de votre idée.

— Je crois... j'ai l'intuition qu'elle a autant peur de sa fille que peur pour elle.

— Bien. Je pourrai m'appuyer là-dessus. Salle A ?

— On vient de l'y emmener. Elle est de nouveau en rogne, ajouta Baxter. Elle veut rentrer chez elle, n'apprécie pas d'être séparée de son mari et de son fils.

— Je m'appuierai aussi là-dessus. Qui s'est chargé de Marta Beck ?

— Nous, répondit Santiago en échangeant un regard avec Carmichael.

— Je suis en train de rédiger le rapport, dit Carmichael. Elle se souvient de Susann Mackie, d'avoir été informée de l'accident et d'avoir accompagné le Dr Michaelson à la cérémonie commémorative.

— Ils se sont rendus à la cérémonie ?

— Ce n'était pas inhabituel de la part du Dr Michaelson, d'après Beck. Quand ils ont présenté leurs condoléances à Mackie, il n'a pas répondu. Il s'est montré froid et semblait en colère, ce que Beck considère comme compréhensible. Nous l'avons questionné à propos du rendez-vous de Mme Mackie le jour de l'accident et Beck a vérifié ses archives. C'était un examen standard : la mère était en bonne santé, le fœtus grandissait normalement. Il y avait eu une urgence au cabinet un peu plus tôt : une patiente soudain prise de contractions. La patiente en question avait été amenée auprès de la sage-femme, avec l'aide de Michaelson. Les rendez-vous suivants s'étaient retrouvés décalés. Les archives indiquent que le rendez-vous de Mme Mackie a eu quarante-cinq minutes de retard. On lui a proposé de voir l'assistante du médecin ou de reprendre rendez-vous, mais elle a choisi de patienter.

— À quelle heure était son rendez-vous ?

— Il était prévu pour 12 h 15 mais son examen n'a commencé que peu avant 13 heures.

— Elle y aura donc passé sa pause déjeuner. Ce qui explique qu'elle ait été pressée de retourner au travail. Qui a vu sa responsable, la supérieure hiérarchique de Mackie ?

— Elle est en route pour le Central, répondit Jenkinson. Reineke et moi nous sommes occupés de Lincoln Stuben, le beau-père. Il dresse de Willow Mackie un portrait plus sombre que celui fait par sa mère. Sournoise, perturbatrice, irrespectueuse. Il affirme que c'est une menteuse, qu'elle l'a un jour menacé avec un couteau en disant que s'il en parlait à sa mère elle prétendrait qu'il avait essayé de la violer. En ajoutant qu'elle savait comment faire pour que ce soit crédible. Et qu'alors son père tuerait Stuben.

— Il en a parlé à la mère ?

— Mieux que ça. Il a caché une caméra dans la cuisine, a poussé la fille à réitérer ses menaces puis a montré la vidéo à la mère. Sommée de s'expliquer, la fille a réagi avec agressivité et s'est enfermée dans sa chambre. Elle a présenté des excuses par la suite mais Stuben n'y a pas cru, contrairement à la mère. Leur mariage est aujourd'hui vacillant et il refuse de laisser son fils seul en compagnie de sa belle-fille. C'est peut-être du ressentiment de sa part, mais il affirme que Willow Mackie n'aurait pas besoin qu'on lui force la main pour prendre part à un meurtre.

— Ils ont acheté un chiot au garçon pour son dernier anniversaire, raconta Reineke. Le gamin l'adorait, dormait avec lui, l'emmenait lui-même se promener. Deux mois plus tard, alors que le petit revient de l'école, il voit le chiot passer par la fenêtre du deuxième étage et s'écraser à ses pieds. Le cou brisé. Le gamin devient hystérique, des gens s'arrêtent pour l'aider. Quelqu'un appelle même la police. Quelques minutes plus tard, Willow débarque.

» Personne n'a pu déterminer pourquoi la fenêtre était ouverte, ni pourquoi le chien est monté à l'étage, pourquoi il a sauté, mais c'est apparemment ce qui s'est passé. Sauf que Stuben est absolument convaincu que Willow a brisé le cou du chien et l'a jeté par la fenêtre en voyant le garçon arriver. Elle serait ensuite sortie par-derrière pour faire le tour du pâté de maisons.

— Rien de tel que de s'entraîner sur des chiots ou des chatons.

— J'ai quelques infos supplémentaires sur Mme Mackie, si ça peut être utile, proposa Peabody. J'ai parlé à certains membres de sa famille, des professeurs, employeurs et collègues. Pour résumer, Mme Mackie était une femme agréable : polie, bien élevée, avenante. Plus prompte à rêver qu'à agir. Pas d'ambition particulière ni de carrière en tête. Plutôt une romantique qui attendait son prince. Gentille, douce, jolie, adorable et un peu tête en l'air. Ce sont les mots qui sont revenus le plus souvent dans les divers témoignages.

— D'accord. Trueheart, occupez-vous du gamin, le demi-frère. Reineke, faites-vous accompagner par le père. Laissez Trueheart diriger l'interrogatoire du garçon. Je ne serais pas surprise que Willow Mackie ait menacé le garçon et l'ait maintenu dans la peur pour l'empêcher de parler. Elle a pu lui en dire plus, se vanter de ses exploits. Peabody, venez avec moi. On se charge de Zoe Younger.

— On pourrait facilement dire que Younger est l'opposé de la deuxième épouse, lui dit Peabody sur le chemin de la salle d'interrogatoire. Elle a une carrière bien établie. D'après les données, en tout cas, c'est une personne ayant plutôt l'esprit pratique. Elle n'a peut-être pas une vision objective de sa fille, mais ce n'est pas une rêveuse.

— Prinz était plus jeune que Younger, plus douce, et elle voyait en Mackie son prince charmant. Il est clair que l'accident s'est produit parce qu'elle était en retard et n'a pas fait attention, mais il refuse de voir les choses ainsi. Elle était son idéal. Pour lui, quelqu'un est forcément coupable.

Eve marqua un temps d'arrêt devant la porte de la salle A.

— Trueheart l'a attendrie en jouant sur sa fibre maternelle. Pour ma part, je vais la secouer un peu, dit-elle.

Elle entra dans la pièce.

— Enregistrement. Dallas, lieutenant Eve, et Peabody, inspecteur Delia, débutent l'interrogatoire de Younger, Zoe, à propos des affaires H-29073 et H-29089. Madame Younger, vous a-t-on lu vos droits ?

— Mes droits ? Je ne comprends pas. Nous… On m'a amenée ici pour ma protection.

— Exact. Vous êtes également ici pour répondre à nos questions au sujet de votre fille, Willow Mackie, et de votre ex-mari, Reginald Mackie, les principaux suspects dans le cadre de sept homicides. Peut-être avez-vous entendu parler de l'attaque contre le Wollman Rink et du massacre sur Times Square.

— Ma fille n'a que quinze ans. Son père…

— Vous a-t-on lu vos droits ?

— Non.

— Peabody.

— C'est simplement la procédure, madame Younger. Vous avez le droit de garder le silence…

Tandis que Peabody récitait le code Miranda révisé, Eve fit le tour de la pièce.

— Avez-vous bien compris ces droits et obligations, madame Younger ? demanda Peabody.

— Oui, j'ai compris. Je comprends notamment que j'ai le droit d'être assistée d'un avocat. Je souhaite contacter le mien.

— Très bien. Occupez-vous-en, inspecteur. Nous avons terminé.

— Je veux savoir ce que vous faites pour retrouver ma fille !

Par-dessus son épaule, Eve lui décocha un regard glacial.

— Si vous ne répondez pas à mes questions, je ne vais pas répondre aux vôtres.

— Elle n'a que quinze ans. Son père…

— Vous direz ça à votre avocat.

— Je veux qu'on me ramène auprès de mon mari et de mon petit garçon.

236

— Je me moque de ce que vous voulez. Vous allez rester ici et attendre votre avocat. Après avoir été interrogés, votre mari et votre fils seront escortés en lieu sûr. Vous, par contre, resterez ici.

— Pourquoi faites-vous ça ?

— Pourquoi je fais ça ? Là, je vais vous répondre.

Eve saisit le dossier que Peabody avait apporté et le laissa retomber ouvert sur la table. Des clichés pris à la morgue des sept victimes s'étalèrent en travers des pages.

— Voilà pourquoi.

— Mon Dieu... Oh, mon Dieu.

— Il y en a une huitième à l'hôpital. Il faudra un moment avant qu'elle puisse de nouveau marcher. Plus de cinquante autres personnes ont été blessées, y compris un petit garçon plus jeune que le vôtre qui a eu la jambe brisée. Peabody, faites venir l'avocat puis prévenez-moi.

— Oui, lieutenant.

— Vous n'imaginez quand même pas que j'ai quoi que ce soit à voir avec ça !

Choquée, Younger avait les larmes aux yeux.

— Vous ne pouvez pas croire qu'une enfant de quinze ans ait pu y prendre part.

— Madame Younger, je ne suis pas ici pour répondre à vos questions et puisque vous avez requis la présence de votre avocat, nous n'avons rien de plus à nous dire pour le moment.

— Oublions ce fichu avocat, dans ce cas !

— Vous renoncez à votre droit d'être assistée par un avocat ?

— Oui, oui. Pour le moment, oui.

Younger porta les doigts à ses yeux, des yeux du même vert profond que ceux de sa fille.

— Je voudrais que vous compreniez... Ma fille a été kidnappée par son père.

Eve s'assit et attendit un instant sans rien dire en dévisageant Younger. Une belle peau mate, des yeux d'un vert profond, une crinière de boucles noires et rebelles. Et des lèvres tremblantes.

— Vous n'y croyez pas vraiment, affirma Eve. Vous aimeriez y croire, vous tentez de vous persuader que c'est le cas. Mais vous n'y croyez pas. Son père était-il présent quand elle a menacé votre mari avec un couteau ?

— Je... Elle a agi sous le coup de la colère.

— Avec une arme potentiellement mortelle. Son père était-il sur place quand elle a tué le chiot de votre fils avant de le jeter par la fenêtre ?

Younger tressaillit.

— Elle n'a rien fait de tel !

— Vous savez bien que si. Vous avez vu les signes. Vous êtes restée éveillée la nuit, inquiète à l'idée de ce qu'elle pourrait faire. Dites-moi, regardez-moi dans les yeux et dites-moi à quand remonte la dernière fois où vous l'avez laissée seule avec votre fils ?

— C'est parce qu'elle est irresponsable.

— Elle lui a déjà fait du mal auparavant, n'est-ce pas ? Des petites choses sans gravité. Il vous a raconté qu'il était tombé, ou qu'il s'était cogné le bras. Il a inventé des excuses mais vous saviez. Vous ne pouviez pas la contrôler, elle, alors vous avez tenté de contrôler tout le reste. Vous avez dû nier ce qu'elle est pour pouvoir vivre avec.

— Je suis sa *mère*. Ce n'est pas vous qui allez me dire ce qu'est ma fille.

— Alors je vais vous le montrer.

Eve préleva dans le dossier un exemplaire des listes de cibles et des plans du lycée.

— Ceci, dit-elle, est la liste que votre ex et votre fille ont établie ensemble. Mais celle-ci ? Celle-ci n'est rien qu'à elle. Regardez les noms. Votre fils est tout en haut de la liste. Votre fils, votre mari, vous, puis la psychologue scolaire et le principal. La sœur de votre mari.

— Lynda. Lynda ? Non.

— Et ce plan ? Vous reconnaissez l'endroit ? Il s'agit de son lycée. Les membres de l'unité Tactique emploient ce genre de plans pour préparer leurs opérations. Elle a été à bonne école. Combien de jeunes gens et de jeunes filles pourrait-elle abattre ? Combien de professeurs, de parents, d'innocents ?

Younger écarta ses doigts tremblants de la table pour serrer ses mains contre elle.

— C'est... C'est Mac qui a fait ça, pas elle. J'examine attentivement sa chambre et son ordinateur toutes les semaines. J'aurais trouvé tout ça.

— Comme vous avez trouvé le tiroir secret où elle range ses armes dans sa commode ?

— Quoi ? Qu'est-ce que vous racontez ?

— D'où vient la commode qui se trouve dans sa chambre ?

— C'est... De Mac. Un cadeau pour ses treize ans.

— Ce meuble comprend un tiroir secret destiné à y stocker des armes. Elle avait apporté des blasters dans votre foyer.

— Non, non. Je ne... Nous n'autorisons pas...

— Vous fouilliez régulièrement sa chambre. Parce que vous avez peur d'elle, parce que derrière votre déni, vous êtes consciente de ce dont elle est capable. Nous n'avons pas trouvé ceci sur son ordinateur ni dans sa chambre. Ni dans l'appartement où vivait Mackie et où elle habitait la moitié du temps. Non, ce fichier se trouvait caché sur l'ordinateur de votre fils, un endroit où vous n'auriez pas pensé à regarder.

— Zach ? Sur l'ordinateur de Zach ?

— Là où il faisait ses devoirs, jouait à ses jeux. Elle l'a désigné comme une future cible. Quel âge a-t-il ?

— Sept ans. Il a sept ans. Elle le déteste.

Younger se couvrit le visage de ses mains. Des larmes coulèrent entre ses doigts.

— Elle le déteste. Je le vois dans son regard. Il est tellement mignon, mignon et rigolo et facile à vivre, mais elle le regarde avec de la haine dans les yeux.

Younger abaissa ses mains pour les poser contre son ventre, les joues striées de larmes.

— Elle a grandi en moi, reprit-elle. Je n'ai pas bu ne serait-ce qu'une gorgée de vin pendant la grossesse. J'ai mangé de façon très saine. J'ai fait tout ce que le médecin disait de faire. Je me suis si bien occupée d'elle… Et quand elle est née, quand je l'ai tenue contre moi, je lui ai promis que je continuerai toujours à prendre soin d'elle. Je l'aimais tellement. Je lui ai donné le sein, je l'ai baignée, je lui ai chanté des berceuses. Mac… Je savais qu'il voulait un garçon mais il était un bon père pour elle, vraiment. Il l'aimait, vous comprenez ? C'était un bon père, et puis… Ce n'était plus un très bon mari. Renfermé, froid, ne manifestant aucun intérêt pour tout ce qui moi m'intéressait, à part Willow. Il a dit que nous devrions avoir un autre enfant, essayer de faire un garçon. Et j'avais envie d'un autre enfant.

— Mais pas avec lui.

— Il m'en voulait de travailler, de passer du temps à l'écart de Willow. J'ai consacré deux années uniquement à mon rôle de mère, pour lui donner ce temps, pour prendre le temps, mais je voulais aussi pouvoir travailler. Malgré tout, j'ai rallongé cette période de six mois, puis encore six mois de plus uniquement à mi-temps. Vous êtes des flics, vous ne savez pas ce que c'est d'en avoir un pour conjoint.

— Étant flics, nous avons une bonne idée de ce que ça veut dire. Ce n'est pas facile.

— J'ai essayé. Mais il refusait de me parler dès que ça ne concernait pas Willow. Et même là... J'adorais mon bébé mais j'avais besoin d'être une personne en même temps qu'une mère et une épouse. Mais j'ai essayé. Je suis restée dans ce mariage plus longtemps que je n'aurais dû, parce que nous avions un enfant. Et quand enfin ça s'est terminé, elle aussi était en colère. Contre moi. Elle l'adorait et j'avais brisé notre famille. Mais pendant un moment, les choses se sont arrangées. Elle avait du temps avec lui sans moi pour interférer. Et puis... Elle avait à peine sept ans quand j'ai découvert qu'il lui apprenait le maniement des armes. J'ai trouvé un pistolet paralysant dans sa chambre et on s'est disputées à cause de ça. J'aurais dû être plus ferme. J'aurais dû faire plus. Mais je n'ai été capable que de lui interdire d'apporter des armes dans notre foyer. Et au bout d'un moment, pendant quelque temps, je me suis dit que c'était bien qu'elle ait un centre d'intérêt... différent des miens. Elle a participé à des compétitions et remporté des trophées. Alors je me suis convaincue que c'était comme une activité sportive. Elle ne voulait pas jouer au ballon, courir ou se joindre à des groupes scolaires, donc c'était son moyen à elle de se détendre. Et je pensais que si je n'essayais pas de m'interposer, elle serait heureuse.

Elle s'essuya le visage avec les doigts.

— Lynda... Je travaille avec elle. C'est ma plus proche amie. J'ai connu Lincoln bien avant qu'on... Nous n'avons commencé à nous fréquenter qu'après ma séparation avec Mac. Je vous jure que je n'ai jamais...

Sa voix se cassa et elle ferma les paupières.

— Tout ça n'a plus d'importance maintenant. C'est vrai mais ça n'a plus d'importance. Willow n'a jamais aimé Lincoln, malgré la gentillesse qu'il lui témoignait, ses tentatives pour se lier d'amitié avec elle. Je me suis dit qu'elle changerait d'avis avec le temps. Croyez-moi, c'est un type bien. Puis nous avons conçu Zach. Elle était tellement en colère quand je lui ai annoncé. Je la vois encore debout devant moi, huit ans à peine, un peu plus âgée que Zach aujourd'hui, les poings serrés et les yeux emplis d'une fureur glacée. Elle m'a dit : « Je ne t'ai jamais suffi. » Et puis elle a ajouté… Oh, mon Dieu… Elle a dit : « J'espère que vous mourrez tous les deux, comme ça je pourrai vivre avec papa. »

» Est-ce que… Pardon, est-ce que je pourrais avoir un peu d'eau ?

— Je vais vous en chercher, répondit Peabody.

Elle se leva et sortit.

— L'inspecteur Peabody quitte l'interrogatoire, indiqua Eve. Madame Younger, avez-vous envisagé une aide psychologique ou une psychothérapie pour Willow ?

— Oui, oui. J'ai une amie qui fait ça. Mais Willow et Mac étaient tellement furieux et opposés à cette idée que je lui ai simplement demandé de parler à Willow… de manière officieuse, si l'on peut dire. Elle s'appelle Grace Woodward, elle est psychologue. Spécialiste de la gestion de la colère, forcément, et des déplacements émotionnels. On s'en est tenus à une thérapie par la parole, de manière très décontractée, et Willow a paru s'apaiser. Quand Zach est né, elle ne s'est pas intéressée à lui, elle a voulu passer plus de temps avec Mac. J'ai donné mon accord.

Younger frissonna et laissa échapper un long soupir tremblant.

— C'était plus simple, poursuivit-elle. Elle ne voulait jamais de moment mère-fille. Si je l'emmenais faire les magasins, dans un salon de beauté ou au spectacle, elle agissait comme si c'était une punition. Alors j'ai arrêté en me disant que ce n'était pas grave qu'elle ne partage pas mes centres d'intérêt ni moi les siens. J'assistais tout de même à certaines de ses compétitions, jusqu'à ce qu'elle me dise qu'elle percevait ma désapprobation et que ça la déconcentrait. Elle m'a demandé d'arrêter d'y aller.

Elle s'interrompit au retour de Peabody. Celle-ci lui tendit un verre d'eau qu'elle but lentement.

— Je me suis réjouie quand Mac a rencontré Susann. Il était clairement sous le charme et elle était si aimable, si gentille. J'ai eu peur que Willow ne lui en veuille, à elle aussi, mais ça n'a pas eu l'air d'être le cas. Je pense… Honnêtement, je pense que c'était parce que Susann était… Je ne veux pas dire « faible », ça aurait l'air d'une critique. Mais elle était douce et peu exigeante. Willow n'a pas eu l'air fâchée quand Susann est tombée enceinte, mais c'est là qu'elle a commencé à avoir des problèmes au lycée. Elle refusait de faire les exercices, répondait aux professeurs. Elle a menacé physiquement l'une des autres filles. C'est là qu'on s'est mises d'accord pour des séances d'aide psychologique à l'école…

— Avec Rene Hutchins.

— Oui… Mon Dieu, oui, avec Mme Hutchins. Et Willow a paru rentrer de nouveau dans le rang. Mac l'a emmenée faire une partie de chasse dans l'ouest du pays, rien qu'eux deux, et nous avons tous eu le sentiment que ce moment passé avec lui montrait à Willow qu'elle n'allait pas être remplacée.

» Et puis Susann a été tuée. Un moment horrible pour tout le monde, pour nous tous. Mac perdait Susann et le fils dont ils avaient tellement envie. Ils lui avaient déjà donné un nom : Gabriel. Et voilà qu'ils étaient morts tous les deux... J'aimais beaucoup Susann, je l'appréciais vraiment. Et je vous avoue que j'espérais que son mariage avec Mac et la venue d'un autre enfant – le fils qu'il avait toujours désiré – viendraient apaiser en partie le ressentiment qu'il nourrissait toujours envers moi. Envers Lincoln aussi. Il était toujours très chaleureux et gentil avec Zach, mais redevenait froid dès qu'il avait affaire à Lincoln ou moi.

— Vous avait-il menacé, vous ou votre mari ?

— Oh non, non, rien de ce genre. C'était du ressentiment et du mépris. Je percevais le mépris qu'il avait pour nous deux. C'est pour ça que j'ai voulu organiser cette thérapie familiale, car j'avais l'impression que Willow calquait ses réactions sur celles de son père.

— Et pourtant vous dites qu'elle haïssait son frère alors que Mackie était gentil avec lui.

— Oui...

Elle ferma de nouveau les yeux.

— Oui, répéta-t-elle. C'est vrai.

— Comment les choses ont-elles évolué après la mort de Susann ?

— Il s'est effondré. Mac, je veux dire. Comment le lui reprocher ? Willow a voulu passer plus de temps avec son père et je l'ai laissée faire. J'avais le sentiment qu'il avait besoin d'elle et elle de lui. Mais il a commencé à boire plus que de raison, allant jusqu'à venir la chercher ivre. Et j'ai dû leur dire à tous les deux qu'elle ne pourrait pas séjourner chez lui dans ces conditions. Quand je me suis montrée ferme sur ce point, que je l'ai forcée à rentrer, c'est là que le chiot... C'est là que ça s'est produit.

— Vous saviez que c'était elle, dit Peabody d'une voix douce.

Des larmes s'échappèrent de sous les cils de Younger quand elle ferma les yeux.

— Je le pensais, admit-elle. Je ne pouvais pas le prouver mais, oui, je savais que c'était elle. Et elle savait que je savais. J'étais en train de réconforter Zach. Il pleurait et je le tenais contre moi pour le réconforter. J'ai relevé la tête et je l'ai vue. Elle était là et nous regardait. Et elle souriait. Elle a planté son regard dans le mien, sans cesser de sourire, et j'ai eu peur.

Elle but un peu d'eau.

— C'est là que j'ai commencé à fouiller sa chambre. Je n'ai jamais rien trouvé et je m'en voulais de faire ça, mais j'examinais régulièrement ses affaires. J'ai parlé à Grace, qui avait déménagé à Chicago. Elle m'a conseillé de prendre la mesure qui s'imposait, mais à laquelle je n'arrivais pas à me résoudre : forcer Willow à suivre une thérapie approfondie. Je n'ai pas pu.

Younger chassa les larmes à l'aide de ses deux mains et fit un effort pour redresser les épaules.

— Vous pourriez dire que je suis sa mère et qu'elle devait faire ce que je lui demandais, mais son père refusait de me soutenir et elle m'a avertie que si je l'y obligeais elle accuserait Lincoln d'avoir abusé d'elle, qu'elle irait au tribunal – elle était assez âgée pour ça – et demanderait à vivre avec son père. Elle se rendrait auprès de la police, accompagnée de son père, pour obtenir une mesure d'éloignement contre Lincoln. Elle lui gâcherait la vie. J'ai tenté de la raisonner, je lui ai dit que nous participerions tous à la thérapie familiale, mais elle n'a rien voulu savoir. Ces derniers mois, elle a passé plus de temps avec Mac et je ne suis pas intervenue. Ses notes sont remontées, il n'y a pas eu de nouveaux problèmes au lycée. Si les choses étaient encore tendues à la maison, au moins n'était-elle plus en colère ni aussi insolente qu'avant. Mais de temps en temps, en tournant la tête, je la découvrais là, debout, en train de m'observer, un sourire aux lèvres. Et ma peur se réveillait.

Younger éclata de nouveau en sanglots.

— Je suis désolée, vraiment désolée... Je ne sais pas ce que j'ai fait ou ce que je n'ai pas su faire. Ni ce que je devrais ou pourrais faire maintenant. C'est mon enfant.

— Madame Younger, vous avez un autre enfant à protéger.

— Je sais. Je sais.

— Votre fille est une psychopathe formée par un expert dans l'art de donner la mort.

Comme les sanglots de Younger redoublaient, Peabody fit mine de dire quelque chose. Mais Eve secoua la tête.

— Tous les signes sont là, toutes les preuves. Et les morts aussi. Nous devons arrêter votre fille et son père. Nous devons les empêcher de tuer de nouveau. Nous devons la trouver, l'appréhender et lui fournir l'aide dont elle a besoin. Où ont-ils pu aller ?

— En Alaska.

— Quoi ?

— Mac a parlé de déménager là-bas après la mort de Susann. Il était ivre ou... peut-être défoncé. Je crois qu'il se droguait. Mais il a mentionné suffisamment de détails pour que je comprenne qu'il s'était renseigné. Lui et Will – il ne l'appelle jamais Willow – partiraient pour l'Alaska dès qu'elle aurait fini le lycée. Ils vivraient de la terre. On dirait les élucubrations d'un homme ivre mais un jour j'ai trouvé des informations concernant l'Alaska sur l'ordinateur de Willow. Un peu comme un exposé pour l'école, mais sans en être un. La fois suivante, elle avait tout effacé.

— Ils ne sont pas en Alaska, ils sont quelque part en ville.

— J'ignore où ils sont, je vous le jure.

Younger tendit les mains vers elle en une posture presque suppliante.

— Je vous le jure, répéta-t-elle. J'ai été mariée à un policier et un policier a été tué. Je sais ce que ça pourrait vouloir dire pour ma fille. Mac a perdu l'esprit, lieutenant. La perte de Susann et de leur bébé l'a brisé. Peut-être... Je ne sais pas, peut-être que ces pulsions ont toujours existé en lui mais qu'elles étaient contenues. De la même manière que Willow semble si souvent se contenir. Mais il est désormais brisé et il mourra en tentant de terminer ce qu'il a commencé. Willow a quinze ans. Vous vous souvenez de ce qu'on ressent, à quinze ans ? On se croit immortel, on se dit que mourir pour une cause a quelque chose de romantique, quelle que soit la cause. Je ne veux pas que ma fille meure. Je ferai tout ce que je pourrai, je vous dirai tout ce que je sais...

Elle prit une profonde inspiration.

— Ses mains tremblent, dit-elle.

— Mackie ? Il a les mains qui tremblent ?

— Oui, pas toujours, ça va ça vient. Ça fait presque un mois que je ne l'ai pas vu mais la dernière fois il avait l'air... mal. Fragile, tremblant. Je n'ai pas été épouse de flic pendant si longtemps que ça mais je doute qu'il ait pu exécuter ces frappes. Je crois... Que Dieu lui pardonne, je crois qu'il a entraîné Willow pour qu'elle tire à sa place.

Elle baissa les yeux vers la table.

— Je voudrais croire qu'elle le fait contrainte et forcée, mais je sais que ce n'est pas le cas. Il a quand même exploité l'amour et l'admiration qu'elle a pour lui. Il lui a fait croire que ce qu'elle fait est héroïque, que c'est juste, que c'est ce que son père désire, ce dont il a besoin. Elle n'est qu'une enfant. Elle n'est pas responsable.

« Oh que si, elle l'est », songea Eve.

Mais elle ne dit rien.

— Ont-ils un restaurant fétiche, une pizzeria préférée ? Un endroit où ils avaient l'habitude d'aller ?

— Je n'en sais rien.

— Vous disiez qu'elle avait pris part à des concours, gagné des trophées. Est-ce qu'il l'emmenait quelque part pour fêter ses victoires ?

— Je n'en ai aucune idée. Elle ne voulait pas que je sois présente, ne voulait pas partager ça avec... Attendez ! Chez Divine.

— Un glacier, expliqua Peabody. Ils vendent des desserts et des yaourt réfrigérés mais ils ont aussi de la vraie crème glacée.

— Oui. Willow adorait cet endroit, surtout leurs sundaes au caramel. L'endroit est cher et il faut souvent attendre près d'une heure avant de pouvoir s'asseoir, mais Mac et moi avions pris l'habitude de l'y emmener depuis toute petite et... J'imagine que c'est devenu leur lieu de prédilection. Il l'y emmenait pour les grandes occasions.

— Peabody, envoyez les agents Carmichael et Shelby chez Divine avec les photos d'identité et les portraits-robots.

— Oui, lieutenant. Peabody quitte l'interrogatoire, ajouta-t-elle à l'intention de l'enregistrement.

— Y a-t-il un autre endroit qui vous vient ? Une autre habitude qui les liait ?

— Le champ de tir. Celui de Brooklyn, avec le stand de tir en intérieur. Je ne sais pas comment il s'appelle. Et il y a un autre endroit qui propose de s'entraîner au tir, en intérieur ou en extérieur. Ça se trouve dans le New Jersey.

Eve secoua la tête.

— D'autres endroits moins repérables ?

— Je sais qu'il l'avait emmenée dans l'ouest, dans le Montana. Et je pense qu'ils ont déjà voyagé vers l'ouest sans m'en parler. J'ai arrêté de leur poser la question parce qu'ils auraient menti, et Willow l'aurait fait de façon à ce que l'on voie clairement qu'il s'agissait d'un mensonge. Vous avez des enfants, lieutenant ?

— Non.

— Alors vous ne savez pas ce que ça fait d'échouer en tant que mère...

Younger détourna les yeux, une profonde douleur dans le regard.

— Je ne sais plus comment la sauver désormais...

— Madame Younger, nous allons tout faire pour la retrouver et l'appréhender sans la blesser, pour l'empêcher de causer plus de dégâts. Ce que vous venez de me dire pourrait nous y aider. Je vais vous faire escorter auprès de votre famille. Nous vous emmènerons tous en lieu sûr jusqu'à ce que nous ayons retrouvé Willow.

— Quand vous l'aurez arrêtée, est-ce que je pourrai la voir, lui parler ?

— Oui.

« Mais elle pourrait bien ne rien vouloir vous dire », songea Eve pour elle-même.

11

Eve n'avait pas le temps de faire face à une crise d'hystérie. Dix secondes après être entrée dans la salle pour interroger Alyce Ellison elle se prit à souhaiter, amèrement, avoir laissé cette femme à Jenkinson et Reineke.

— Pourquoi est-ce qu'il essaie de me tuer ?

La voix suraiguë d'Ellison faisait à Eve l'effet d'aiguilles rouillées plantées dans le cerveau.

— Je n'ai rien fait ! s'exclama la femme. Je fais de mal à personne. Et quelqu'un essaie de me tuer !

— Madame Ellison...

— La police est venue *chez moi* ! Je n'ai même pas eu le temps de terminer mon dîner ! Les gens vont croire que j'ai été arrêtée ! Je n'ai rien fait ! Je pourrais me faire tuer à tout instant !

Tout en vitupérant, Ellison tournoyait à travers la pièce, alternant entre de grands moulinets des bras et les moments où elle les serrait autour de son corps malingre comme pour l'empêcher de tomber en morceaux. Ses yeux, lourdement soulignés d'un maquillage bleu pailleté, semblaient prêts à jaillir de son visage étroit. Et sa bouche recouverte d'une épaisse couche de rouge brillant s'agitait sans discontinuer.

— Asseyez-vous et fermez-la !

— Quoi ? Quoi ? Vous resteriez assise, vous, si votre vie était en danger ?

— Je suis flic. Ma vie est chaque jour en danger mais je n'ai pas pour autant oublié comment m'asseoir. Regardez.

En guise de démonstration, Eve s'assit face à la table d'interrogatoire.

— Mais vous êtes payée pour vous mettre en danger ! Là, quelqu'un essaie de me tuer !

— Pas à ce moment précis, donc asseyez-vous. Tout de suite ! gronda Eve.

— Vous n'avez pas le droit de me parler comme ça ! Je suis une citoyenne.

Les larmes étaient montées aux yeux d'Ellison, un océan entre deux rives pailletées.

— Pour l'heure, vous êtes surtout quelqu'un qui fait perdre du temps aux enquêteurs chargés d'une série d'homicides. Asseyez-vous et taisez-vous ou sortez d'ici.

— Je n'irai nulle part ! Vous devez me protéger. Je... Je vous ferai un procès !

— Il faudra que vous soyez encore en vie pour ça.

Eve se leva et se dirigea vers la porte, qu'elle ouvrit en grand.

— Asseyez-vous ou déguerpissez. Maintenant.

Ellison s'assit et éclata en sanglots incontrôlés.

— C'est méchant. Vous êtes cruelle.

— Je peux l'être plus encore quand quelqu'un pleurniche et me fait perdre mon temps. Reprenez-vous. Vous êtes vivante, indemne et sous protection policière. Notre objectif est de vous garder en vie et en sécurité. C'est ce que vous voulez, non ? Alors reprenez-vous et répondez à quelques questions.

— Mais je ne sais *rien* !

— Vous connaissiez Susann Mackie.

— Je ne lui ai rien fait ! s'exclama Ellison en relevant son visage au maquillage dégoulinant. J'aurais pu la licencier mais je ne l'ai pas fait. Je lui avais donné un avertissement supplémentaire, rien de plus.

— Quel genre d'avertissement ?

— Par rapport à ses retards, ses oublis de vérifier le stock et le temps qu'elle prenait à bavarder avec les clientes. C'est pas ma faute si une voiture l'a renversée !

— Quand lui avez-vous donné cet avertissement ?

Ellison cligna plusieurs fois ses paupières pailletées pour chasser des larmes.

— Lequel ? demanda-t-elle dans un reniflement. J'étais obligée de la prendre entre quatre yeux tous les mois pour lui réexpliquer que ses évaluations étaient irrégulières parce qu'elle n'arrivait jamais à l'heure le matin ou après ses pauses et qu'elle passait souvent dix minutes à discuter avec une cliente au lieu de vendre quoi que ce soit.

— Pourquoi ne pas l'avoir virée ?

Ellison soupira.

— Parce que c'était une bonne vendeuse quand elle faisait son boulot et que beaucoup de clientes revenaient et s'adressaient spécifiquement à elle. Et elle était si gentille qu'on ne pouvait que l'apprécier. Elle avait un œil très sûr pour la mode, pour ce qui allait bien aux gens. Elle-même était toujours très bien habillée et, quand elle n'était pas en train de rêvasser, elle savait orienter une cliente vers la bonne tenue ou le bon accessoire. Je l'aimais bien. Nous sommes tous allés à la cérémonie commémorative. J'ai pleuré, pleuré...

« Je n'en doute pas », se dit silencieusement Eve.

— Vous l'aviez sermonnée le jour où elle est allée chez le médecin durant sa pause déjeuner ?

Les lèvres rouge vif frémirent.

— Bien obligée. C'était le jour de son évaluation, il fallait que je le fasse. Je lui ai dit qu'elle devait être à l'heure au magasin, que j'attendais une réelle amélioration dans ce domaine. Elle m'a dit qu'elle était désolée et qu'elle respecterait l'horaire. Elle disait toujours ça. En général, elle était à l'heure pendant quelques jours, voire une semaine après évaluation, et puis après… Mais ce jour-là, elle n'est jamais revenue de sa pause déjeuner.

Ellison éclata de nouveau en sanglots.

— J'étais furieuse. Le magasin était pris d'assaut. On faisait de grosses promotions et je lui en ai vraiment voulu. Je l'ai appelée sur son communicateur et je suis tombée sur son répondeur. J'ai laissé un message très dur. Je lui ai dit que si elle ne respectait pas suffisamment ni moi ni son poste pour revenir à temps de son déjeuner, elle pouvait aussi bien ne pas revenir du tout. Je ne savais pas qu'elle était *morte* !

— Je vois. Vous faisiez votre travail, dit Eve dont le ton s'était radouci à présent qu'elle obtenait enfin des informations.

— Mais oui ! Si elle m'avait dit qu'elle allait chez le docteur ou si elle m'avait appelée en me disant qu'elle serait en retard à cause d'un rendez-vous médical, je n'aurais pas été si dure. Je vous jure ! Je ne veux pas mourir. Je n'ai que vingt-neuf ans.

Les données officielles lui en donnaient trente-trois mais Eve préféra laisser couler.

— Vous n'allez pas mourir. Avez-vous parlé à Reginald Mackie après l'accident ?

— Nous… On a envoyé des fleurs et un mot de condoléances. Et nous sommes allés à la cérémonie. Toute l'équipe.

— Je vois. Vous lui avez parlé personnellement ?

— Je n'en étais pas capable. Je n'arrêtais pas de pleurer.

— Vous a-t-il parlé à un quelconque moment ?

— Non. Sa... Sa fille...

— Willow Mackie.

— C'est ça. Elle est passée au magasin. Je l'ai reconnue parce qu'elle était déjà venue avant pour que Susann l'aide à trouver des vêtements. Et elle s'est approchée, tout près de moi, pour me dire que je devais être désolée que Susann soit morte parce que ça m'avait empêchée de jouer à la patronne et de la virer. Que Susann et le bébé étaient morts parce que j'avais refusé de lui laisser le temps d'aller chez le médecin. Puis elle a ajouté : « Profitez bien de votre boulot de merde et de votre vie de merde tant que ça dure. »

— Quand est-ce arrivé ?

— Environ un mois après la cérémonie, je dirais. Elle n'avait même pas l'air en colère ou émue. Elle a plus ou moins souri pendant toute sa tirade. J'étais très troublée et j'ai essayé de lui dire que j'étais navrée mais elle est simplement repartie. Elle a renversé un portant de tee-shirts en sortant. Exprès !

— Est-elle revenue par la suite ?

— Pas pendant mes heures. Je ne l'ai jamais revue, pas avant de voir sa photo aux infos. Je me suis tout de suite dit que ça ne m'étonnait pas.

— Pourquoi ça ?

— Comme je vous disais, elle n'avait pas l'air en colère ou émue en débarquant à la boutique pour me dire ces trucs méchants. Mais elle avait l'air un peu folle. Darla a pensé la même chose. Darla est une de nos meilleures vendeuses et elle était juste à côté. Elle a vu toute la scène et elle m'a dit qu'on voyait la folie dans les yeux de cette fille.

Peabody intercepta Eve alors qu'elle retournait vers son bureau.

— Dallas ! On a pu confirmer la présence des Mackie chez Divine lors des après-midi suivant les deux attaques. On les a aussi en vidéo aujourd'hui en train de passer commande à 14 h 25.

— Les deux attaques ?

— Ouais. L'enregistrement vidéo boucle toutes les vingt-quatre heures donc on n'a pas pu les voir lors du premier incident mais pendant que l'agent Carmichael consultait les vidéos, l'agent Shelby a discuté avec des employés. Deux d'entre eux se sont souvenus des Mackie et de cette journée parce que c'était le jour de l'attaque. Tous les deux étaient d'accord pour dire qu'ils étaient arrivés aux alentours de 16 heures. Juste après le pic de fréquentation des sorties d'école.

— Ils portaient quelque chose avec eux ?

— Je...

— Vérifiez. Vérifiez tout de suite ! Est-ce qu'il avait une mallette ou un bagage ? Et elle ? Sac à dos, sac de voyage, valise roulante. Tout de suite, Peabody !

— Oui, lieutenant.

Eve rejoignit directement son bureau et se plongea dans les résultats de la DDE dès qu'elle vit le message.

— À l'écran, ordonna-t-elle.

Les mains sur les hanches, elle examina les immeubles colorisés par ordre de priorité. Ils avaient eu de la chance au moment de localiser le premier poste de tir. Peut-être la fortune continuerait-elle à leur sourire.

— Elle avait un sac à dos, lança Peabody, debout sur le seuil. C'est tout. Pas de valise ou de bagage d'aucune sorte. Rien qu'un sac à dos. Les témoins ne se souviennent pas non plus avoir vu de bagages hier.

— Ils ont donc eu le temps de retourner dans leur planque après l'attaque, de ranger leurs armes puis de ressortir pour se payer une bonne glace. Réquisitionnez-moi une salle de réunion.

— On a déjà la salle A. Whitney nous l'a réservée pendant toute la durée de l'affaire.

— Briefing pour tout le monde dans cinq minutes.

— Y compris le DDE ?

— J'ai dit tout le monde.

Eve récupéra ce dont elle avait besoin et se rendit directement à la salle de réunion. Elle mit à jour le tableau, afficha la carte de la DDE sur l'écran, la fractionna et entreprit d'en assigner les secteurs à différents agents et inspecteurs.

Sentant une présence, elle jeta un coup d'œil derrière elle et haussa les sourcils en voyant entrer Connors.

— J'ignorais que tu étais encore là.

— Je ne l'étais plus, mais me revoilà. Comme ils n'avaient pas particulièrement besoin de moi dans les bureaux de la DDE, j'ai effectué des tâches à distance. Et je suis de retour. Comment puis-je t'aider ?

— Je n'ai pas... En fait, tu pourrais afficher un plan sur l'autre écran, centré sur un endroit qui s'appelle Divine, dans l'East Side.

— Je connais. Et toi aussi... Leurs produits, en tout cas.

— Je n'y suis jamais allée.

— Parce qu'on a des stocks à la maison. L'un des avantages d'être le propriétaire.

— Le restau t'appartient ?

— À vrai dire, il est à ton nom.

Même l'esprit envahi par tous les détails de l'enquête, Eve s'arrêta net et le dévisagea en clignant les paupières.

— Je suis propriétaire d'un glacier ?

— Tu possèdes ce que beaucoup considèrent comme l'établissement servant les meilleures préparations glacées de la ville, lui répondit-il tout en travaillant.

— Personne ne doit l'apprendre.

— Pardon ?

L'air un peu distrait, il se tourna vers elle et remarqua ses sourcils froncés.

— Quoi ? demanda-t-il.

— Surtout Peabody, précisa Eve. Personne ne doit savoir que mon nom est associé à celui d'un glacier réputé.

— Dommage, on va devoir renoncer à ajouter le Lieutenant Dallas Givré à la carte. Mais comme tu voudras.

— Tu... C'est une blague. Ha, ha. Pourquoi mon nom est-il... ? Non, plus tard. Je suis en train de me disperser.

— Alors raconte-moi : quel rôle joue Divine dans cette affaire ?

— Ils y vont. Les Mackie. C'est là qu'ils fêtent leurs succès. Ils s'y sont rendus après chaque attaque.

Le soupçon de sourire amusé qui flottait sur les lèvres de Connors disparut.

— Tuer des gens et se payer ensuite un bon banana split ?

— Quelque chose dans ce goût-là.

— Tu as eu affaire à des gens monstrueux depuis qu'on se connaît, mais ceux-là... Ils forment une espèce à part. Un père et sa fille fêtant la mort devant une glace alors que les familles des victimes sont en deuil.

— Mackie la récompense. Il l'a entraînée, a fait d'elle ce qu'elle est, alors il la récompense pour un travail bien fait. Je cherche leur cachette. S'ils sont allés chez Divine – après avoir rangé leurs armes – je penche pour l'hypothèse d'un endroit à une distance raisonnable du glacier, accessible à pied. D'après ce que j'ai appris, il l'emmenait déjà chez Divine quand elle était gamine.

Les policiers avaient commencé à entrer pendant qu'elle parlait.

— J'aimerais que tu te plonges en profondeur dans les finances de Mackie. Même en tenant compte de sa pension de flic retraité et de l'assurance vie de sa femme, il paie deux loyers en même temps. Il a dû acheter toutes les armes, les fausses pièces d'identité. Ça doit forcément grever ses revenus. Donc leur cachette est sans doute un endroit à faible loyer, peut-être le genre de bail qui se renouvelle d'un mois sur l'autre. Je doute qu'il le loue depuis plus de six mois.

— Dallas, Carmichael et Shelby sont sur la route, lui annonça Peabody. Ils ne seront pas là avant au moins quinze minutes.

— Ils participeront à distance. Ils n'ont pas besoin de venir jusqu'ici.

— Incluez également le chef Tibble, ordonna Whitney en franchissant le seuil.

— Je m'en charge, répondit Feeney en s'approchant de l'ordinateur.

— Tous les autres, merci de porter votre attention sur le premier écran. Notez les immeubles colorisés. Il s'agit des postes de tir potentiels lors de l'attaque de ce jour sur Times Square. Que chacun prenne note de son secteur, ajouta Eve. Durant la première attaque, les suspects se sont servis d'une chambre d'hôtel qu'ils avaient réservée sur place.

Ils ont peut-être agi de même ici. Vous passerez vos secteurs respectifs au peigne fin : hôtels, chambres à bas prix, immeubles de bureaux, studios. Comme vous le voyez, le programme employé pour déterminer ces probabilités indique également l'angle, la direction et la hauteur probables des tirs.

» Rendez-vous dans chacun de ces endroits et ne laissez rien passer. Parlez aux vendeurs, aux concierges, aux flics en patrouille, aux CL, aux vendeurs des rues, aux promeneurs de chiens, aux locataires, aux équipes de nettoyage. Ils n'auront pas choisi leur poste de tir au hasard, donc l'un d'eux s'était forcément déjà rendu sur place. Trouvez-moi cet endroit.

Elle se tourna vers l'autre écran.

— Divine, dit-elle en guise de préambule.

— La meilleure glace au chocolat de la ville, commenta Jenkinson avant de hausser les épaules. Je dis ça comme ça.

— Je prends note de la publicité pas si subliminale. Les suspects partagent apparemment votre avis, même si elle préfère le sundae au caramel. Nous avons appris que les suspects sont allés déguster une glace après chaque attaque.

— Ça fait froid dans le dos, grommela Feeney. Et je ne parle pas de la crème glacée.

— Zoe Younger, la mère de Willow Mackie, déclare que Mackie y emmenait régulièrement sa fille, comme une récompense. Une habitude qui n'a pas changé. L'attaque contre la patinoire a eu lieu à 15 h 15. Times Square à 13 h 21. Les Mackie ont été filmés par les caméras de sécurité de Divine à 14 h 25 aujourd'hui. Et les témoins affirment qu'ils sont arrivés à environ 15 h 45 après l'attaque du Wollman Rink. Dans les deux cas, Mackie ne portait rien sur lui et sa fille n'avait qu'un sac à dos.

— Donc ils ont quitté leur poste de tir, se sont rendus dans leur repaire, ont rangé leurs armes... et sont ressortis pour se prendre un dessert, conclut Baxter.

— Prenons bien la chronologie en compte. Dans l'après-midi de l'attaque sur Central Park, ils ont rangé leurs armes, ont quitté l'hôtel de l'East Side et ont pu se commander une glace environ trente minutes après l'heure du premier décès. Aujourd'hui, il s'est écoulé plus d'une heure entre l'attaque et l'horaire où les témoins déclarent les avoir vus chez Divine. Soit trente minutes de plus pour se déplacer depuis l'endroit, situé dans le centre-ville d'après nos calculs, qu'ils ont utilisé pour la frappe sur Times Square jusqu'à l'East Side où se trouve Divine.

— Ça prend plus longtemps pour s'y rendre depuis le centre-ville, dit Santiago. C'est un facteur à prendre en compte. Mais dans les deux cas ils se sont d'abord débarrassés de leurs armes et de leurs sacs. Est-ce qu'ils pourraient disposer de leur propre moyen de transport ?

— Ce n'était pas le cas, intervint Lowenbaum. À ma connaissance, Mackie n'a jamais eu de véhicule à son nom.

— L'hôtel propose un parking pour les clients, ajouta Eve. Les Mackie n'y ont pas garé de véhicule.

— Et à moins qu'il s'en soit acheté un aussi sécurisé que celui de l'unité Tactique, ajouta Lowenbaum, jamais il ne laisserait des armes dans un véhicule, que ce soit dans un parking ou dans la rue. Même s'il dispose d'un moyen de transport, il mettra ses armes en lieu sûr.

— Il a peut-être récemment acquis un véhicule dans la mesure où il a prévu de s'installer avec sa fille en Alaska quand il aura terminé ici. Mais je suis d'accord pour dire qu'un agent entraîné tel que lui ne laisserait jamais un fusil laser sur un parking pour aller manger une glace.

Eve désigna de nouveau l'écran.

— Le trajet jusqu'au glacier est plus long depuis n'importe lequel des emplacements colorisés sur la carte. D'où l'ajout des trente minutes. Mais après la première attaque, ils se sont présentés au comptoir – si l'on en croit les témoins – une demi-heure après la mort de la première/victime.

— Leur cachette se trouve dans l'East Side, dit Jenkinson. Sans doute dans un périmètre relativement proche du glacier. Vous disiez que c'est leur endroit à eux pour les trucs père-fille ?

— Oui. Et c'est tout à fait ça. Nous allons donc nous concentrer sur la zone suivante : entre la Première Avenue et Lexington, entre la 55ᵉ Rue et la 15ᵉ, avec le fameux glacier en point central. Ils auraient facilement pu marcher depuis leur poste de tir sur la Deuxième Avenue jusqu'à n'importe quelle planque dans cette zone.

— Ça fait beaucoup de portes auxquelles frapper, calcula Carmichael.

— Raison pour laquelle nos collègues geeks vont éliminer les moins probables pendant que le reste d'entre vous trouvera cette planque.

» Les cibles potentielles sont sous protection policière. Vous devriez tous visionner ou écouter les entretiens qui ont été menés aujourd'hui. Pour résumer, il est apparu clairement durant l'entrevue avec Zoe Younger que Willow Mackie fait preuve de tendances psychopathiques, dont la mise à mort du petit chien de son frère et des menaces proférées contre son beau-père, armée d'un couteau.

— Le frère aussi, lieutenant.

Trueheart rougit quand Eve s'interrompit pour le regarder.

— Pardon de vous avoir coupée.

— Pas grave. Dites-nous.

— Le gamin a craqué pendant l'entrevue.

— Je dirais plutôt qu'il s'est ouvert à nous, le corrigea Baxter. Il s'est senti en sécurité, ce qui ne lui était pas arrivé depuis longtemps. Il a eu le sentiment qu'il pouvait parler à Trueheart et que celui-ci le croirait.

— Il avait aussi la conviction que sa demi-sœur ne pourrait pas l'atteindre ici.

Trueheart lança un bref regard au tableau.

— Cet enfant a été terrorisé, lieutenant. Il m'a raconté qu'il lui arrivait de se réveiller dans la nuit et de la trouver assise là, dans sa chambre, en train de le regarder. Un jour, elle lui a mis un couteau sous la gorge et l'a défié d'appeler à l'aide.

— Il n'en a pas parlé à ses parents ?

— Il a peur de le faire.

Trueheart laissa échapper un soupir légèrement sifflant.

— On voyait bien à quel point il avait peur, lieutenant. Elle lui a dit qu'il finirait peut-être par passer par la fenêtre, lui aussi, pour finir le visage écrasé sur le trottoir, comme son chien. Ou peut-être que son père se retrouverait avec la gorge tranchée en pleine nuit s'il ne tenait pas sa langue. Ou que sa mère risquait de tomber dans les escaliers un jour et que quand les flics arriveraient, ils trouveraient l'un de ses camions en jouet sur les marches. Qu'elle ferait en sorte qu'ils l'envoient en prison pour ça. Ce n'est qu'un enfant, lieutenant. Il l'a crue.

— Il a eu raison. Elle avait prévu de tous les tuer après avoir terminé la mission confiée par son père. Si quelqu'un ici la considère encore comme une enfant, oubliez ça. Jusqu'à ce qu'elle soit enfermée, elle représente une menace mortelle. Et si quelqu'un considère encore Mackie comme un collègue policier, oubliez ça aussi. Lui et sa fille sont des tueurs sans pitié. Trouvez l'endroit depuis lequel ils ont tiré. Quand ce sera fait, rassemblez toutes les données et tous les indices. Tous ceux qui ont une mission à mener sur le terrain, vous pouvez y aller.

Elle se tourna ensuite vers son mentor :

— Feeney, fais tout ce que tu pourras pour diminuer le nombre de leurs cachettes potentielles.

— Compte sur moi. Envie de jouer un peu ? demanda-t-il à Connors.

— Toujours.

— Montez nous voir quand vous serez prêt.

Feeney se leva et fourra les mains au fond de ses larges poches.

— Est-ce qu'on a une quelconque indication d'un truc, disons, pas net entre eux ? demanda-t-il.

— En tant que TSLD... Oh. Non. Rien de ce genre, répondit-elle en glissant à son tour les mains dans ses poches.

— D'accord, dans ce cas il aura choisi un endroit avec deux chambres. Elle a presque seize ans donc ils pourraient se partager la même pièce, à court terme, mais à plus long terme il leur faut sans doute deux chambres séparées. Si Mackie veut filer en Alaska, il essaie sans doute d'économiser. Donc, comme tu l'as dit, rien de luxueux. Oui, on va pouvoir réduire les possibilités. McNab, mettons-nous au boulot.

— J'étais en train de réfléchir...

— Ça t'arrive.

Avec un demi-sourire, McNab se caressa le lobe d'oreille et une partie de la forêt d'anneaux en argent qui y étaient suspendus.

— Il faut bien qu'ils mangent, non ? C'est un père célibataire à la base, et puis ils ont dû passer du temps à planifier la façon de tuer un paquet de gens.

Je les vois mal faire beaucoup de cuisine et même l'autochef ne doit sans doute pas être très garni en dehors de quelques trucs faciles à emporter.

— Plats à emporter ou livraisons, dit Eve avec un hochement de tête approbateur. Pizza, traiteur chinois, sandwichs, c'est le plus probable. Plus les épiceries ouvertes vingt-quatre heures sur vingt-quatre et les glissa-grils.

— Pas bête, même pour quelqu'un qui pense avec sa panse, commenta Feeney en décochant un petit coup de poing dans le bras de McNab. On ajoutera ces paramètres.

— Lowenbaum, l'agent Patroni est-il disponible ?

— Je l'ai amené avec moi. Faites-moi une faveur, Dallas, ne conduisez pas l'entretien en salle d'interrogatoire.

Eve songea qu'elle lui aurait demandé la même chose pour ses propres hommes.

— On discutera dans la salle de détente. Tous les trois. Si vous alliez nous réserver une table ?

— Merci, dit-il.

— Peabody, je veux que vous vous assuriez que tous les civils que nous avons fait venir sont désormais en lieu sûr. Reste cette histoire d'aiguille dans une butte de foin.

— Une « botte ».

— C'est pareil. Faites une recherche parmi tous les fichus avocats que compte cette ville pour voir qui correspond aux initiales pas encore identifiées. Commencez par les cabinets qui font de la publicité, ceux qui se spécialisent dans les dommages corporels et les procès pour décès causés par autrui.

— Ça nous fait une toute petite aiguille dans une énorme botte de foin mais je m'en occupe.

À présent qu'il ne restait plus qu'Eve et Connors dans la salle, Whitney se leva.

— Lieutenant, le HSO a demandé des informations au sujet de votre enquête.

Eve sentit son échine se raidir comme une tige d'acier à la mention des enquêteurs du Homeland Security Organisation.

— Ils demandent des informations, commandant, ou ils cherchent le moyen de reprendre l'affaire à leur compte ?

— Disons qu'ils se renseignent avec l'idée d'en prendre potentiellement le contrôle.

— C'est une enquête criminelle, commandant.

— Ces meurtres pourraient être considérés comme du terrorisme domestique. Et c'est d'ailleurs ainsi qu'une grande partie des médias présente les choses.

Un coin du cerveau d'Eve s'était mis à bouillir – « foutus manœuvres politiques ! » – mais elle conserva un ton serein et mesuré.

— C'est possible, commandant, mais les preuves indiquent clairement ici que le mobile relève de l'assassinat. L'assassinat de victimes précises. Le reste n'est ou n'était qu'une tentative pour dissimuler l'identité des personnes ciblées.

— Il pourrait être possible de mobiliser des ressources du HSO sans qu'ils prennent forcément les rênes.

— Avec tout le respect que je vous dois, commandant, j'ai le sentiment que nous n'avons pas le temps de nous lancer dans de telles procédures. Ceci dit, si je viens à penser que de telles ressources s'avèrent plus précieuses que le peu de temps dont nous disposons, ou si nous n'arrivons pas à faire avancer l'enquête, j'accepterai volontiers une telle assistance.

— D'accord. C'est votre affaire, lieutenant. Et vous avez l'autorisation d'engranger toutes les heures supplémentaires que vous estimerez nécessaires.

Les formulaires appropriés devront néanmoins être fournis dans un délai adapté.

— Compris, commandant.

— Arrêtez-les, lieutenant. Arrêtez-les.

Une fois Whitney sorti, Eve appuya du bout des doigts sur ses paupières closes.

— Foutu HSO. Foutue paperasse. Foutues foutaises !

— Tu as mangé quelque chose depuis ce matin ?

— Tu ne vas pas t'y mettre...

Il sortit de sa poche une nutribarre.

— Mange ça, ça t'évitera d'ajouter « foutu emmerdeur de mari » à ta liste.

— D'accord, d'accord.

Elle déchira l'emballage et mordit dans la barre, agacée. Le fait qu'un aliment aussi fade lui semble soudain aussi délicieux corrobora néanmoins son besoin de nutriments.

— Et puisque tu refuseras d'avaler du mauvais café de flics, tu pourrais boire une bouteille d'eau durant la réunion qui arrive. Je monte voir Feeney mais j'aimerais bien être informé si tu ressors sur le terrain.

Il lui prit le visage entre ses mains, l'embrassa avec fermeté et conviction puis s'en fut.

Avec un soupir, Eve termina la nutribarre – elle se prit même à souhaiter à moitié en avoir une deuxième sous la main – tout en réexaminant son tableau.

À son arrivée dans la salle de détente, elle vit Lowenbaum installé à l'une des tables en compagnie d'un autre policier.

Vince Patroni – la quarantaine bien tassée, avec un visage taillé à la serpe surmonté de cheveux bruns soigneusement coiffés – gardait les yeux baissés vers son café, la mine sombre. Connors ayant vu juste à propos du breuvage imbuvable des flics, Eve se dirigea vers le distributeur et fut presque déçue quand la machine régurgita une bouteille d'eau sans faire d'histoires.

— Lieutenant Dallas, dit Lowenbaum tandis qu'Eve et Patroni se dévisageaient mutuellement, voici l'agent Patroni de l'unité Tactique.

— Le lieutenant dit que vous êtes sûre à cent pour cent que c'est Mac.

— Exact.

— Et sa gosse, sa fille.

— Également exact. Vous avez besoin que je vous résume la situation ?

— Non.

Patroni leva une main lasse pour se frotter les yeux.

— Nous étions dans l'armée, Mac et moi, armuriers experts tous les deux, sortis de la section cent quatre-vingt-dix-sept. On n'a pas été formés en même temps mais on avait des copains en commun de cette époque.

— Vous vous êtes liés.

— Ouais. J'ai un gamin de dix ans, issu d'une relation qui s'est mal finie, et lui avait Will. On se prenait une bière ensemble une ou deux fois par semaine, on regardait un match ou on allait au champ de tir. Quand il avait la garde de Will, il l'amenait avec lui. Au champ de tir, je veux dire. Cette fille a un sacré don. Je veux dire, c'est une vraie tueuse sur...

Il s'interrompit en entendant ses propres mots.

— Bon Dieu, souffla-t-il.

— Laissez tomber, dit Eve. Vous alliez régulièrement vous entraîner au tir avec eux.

— Ouais, pas sur l'année qui vient de s'écouler, mais avant. J'ai aussi amené mon gamin à quelques reprises mais ça ne l'intéresse pas plus que ça. Il veut devenir scientifique. Et puis nos gosses se sont pas spécialement entendus.

— Du fait de la différence d'âge ?

— Pas vraiment. Owen accroche bien avec tout le monde, jeune, vieux, peu importe. Mais il ne l'aimait pas. Il m'a dit après une ou deux sorties comme ça qu'il n'avait pas envie de passer du temps avec Mac quand elle était là. Qu'il n'aimait pas son air. Ça m'a étonné parce que, comme je vous le disais, il s'entend bien avec les gens. Je lui ai dit qu'on ne jugeait pas les autres à leur air. Il m'a répondu que ce n'était pas son apparence qui le gênait, mais l'air avec lequel elle le regardait. Lui et les autres, d'ailleurs, expliqua Patroni. Trop de méchanceté dans le regard, d'après lui. Il m'a dit que quand elle tirait sur une cible, elle visualisait des gens et aimait les imaginer morts.

— Il capte les choses avec beaucoup de finesse pour un enfant.

— Ouais, disons qu'il a ce... Vous savez, un truc en plus. C'est l'impression qu'on a en tout cas. On ne l'a pas encore fait tester. Sa mère est d'accord avec moi pour dire qu'il est trop jeune. Mais il a cette sensibilité-là, donc quand il m'a dit qu'il ne voulait plus la côtoyer, j'ai cessé de l'emmener. J'ai surtout mis ça sur le compte du caractère possessif de Will. Elle n'aime pas ne pas avoir toute l'attention de son père, et Mac aime vraiment bien Owen. Comprenez-moi bien : Mac est dingue de Will, c'est clair, mais il voulait un fils. J'imagine qu'il voit un peu Will comme son garçon. Il n'y a pas grand-chose de girly chez elle, à vrai dire.

— Il s'est remarié.

— Ouais. Susann était l'amour de sa vie, aucun doute là-dessus. Il me disait que Will aussi l'aimait beaucoup.

— C'est ce qu'il vous a dit ? demanda Eve.

— Ouais. Enfin...

Patroni s'agita légèrement sur son siège et baissa de nouveau les yeux vers son café.

— Selon moi, Will acceptait simplement Susann. De ce que j'ai pu en voir, Susann ne s'immisçait jamais entre eux, les encourageait à passer du temps ensemble. Mac était plus détendu et plus heureux avec Susann. Et fou de joie quand elle est tombée enceinte. Quand elle est morte... Ça l'a réduit en miettes, il s'est laissé couler. Profond, très profond. Il buvait jusqu'à perdre connaissance, tous les soirs. Je n'arrivais plus à lui parler. Il s'était isolé de tout et de tout le monde sauf Will. Je l'ai traîné hors d'un bar à quelques reprises mais il s'est simplement mis à boire tout seul, enfermé chez lui.

— Vous ne m'aviez pas signalé ce comportement, Patroni.

L'interpellé releva la tête pour croiser le regard de Lowenbaum.

— Ça a empiré après que vous lui avez fait prendre ses congés pour difficultés personnelles, lieutenant. Je ne voyais pas bien l'utilité de signaler qu'il buvait comme un trou pendant ses congés. Et, honnêtement, je ne pensais pas qu'il reviendrait au boulot. Il n'était pas prêt à reprendre son poste, lieutenant, vous le saviez. Il s'était un peu repris et il faisait gaffe, mais on le savait tous. Vous l'avez mis derrière un bureau parce que vous en aviez bien conscience et personne n'a été étonné quand il a demandé sa pension des vingt ans et a tiré sa révérence. Mais après ça, après avoir pris sa retraite, je pense qu'il ne s'est pas contenté de boire comme un trou.

Un avis partagé par son ex-femme, se remémora Eve.

— C'est-à-dire ?

— Je suis passé chez lui à plusieurs reprises. Il avait perdu beaucoup de poids, il avait l'air malade. Ses mains tremblaient et ses yeux... Même au début, même quand les gens ne prennent que de petites quantités, ça se voit dans le regard.

— Vous pensez qu'il s'est mis à prendre du Funk, dit Eve.

— Bon sang, Patroni, pourquoi vous ne m'avez rien dit ?

— Il était à la retraite, répondit Patroni à Lowenbaum. Vous n'étiez plus son lieutenant. Et je ne pouvais pas le prouver. Je le savais au fond de moi, mais je n'avais aucune preuve. Quand j'ai voulu lui en parler, il a tout nié en bloc. J'y suis retourné deux ou trois fois après ça, mais Will était là. Elle m'a dit qu'il dormait, qu'il allait mieux, qu'il se remettait, qu'elle l'avait convaincu de partir quelque temps dans l'ouest avec elle.

— L'idée venait d'elle.

— Ils allaient camper, disait-elle, respirer le bon air, se changer les idées. Elle avait tout planifié. Faut savoir qu'il l'avait déjà emmenée dans le Montana, peut-être même jusqu'au Canada, deux fois auparavant, et en Alaska peut-être même plus que deux fois.

— Quand l'avez-vous vu pour la dernière fois ?

— Ça fait un moment maintenant. Peut-être trois ou quatre mois. Il m'a clairement fait comprendre qu'il n'appréciait pas que je débarque sans prévenir. Et je n'allais pas lui dire : « Hé, sortons boire une bière ! » Je l'ai appelé une ou deux fois pour voir un match ou aller tirer, mais il a refusé, il avait toujours quelque chose de prévu avec Will. Ou alors c'est elle qui décrochait et me disait qu'il était occupé, qu'il me rappellerait. Ce qu'il ne faisait jamais.

— Avait-il mentionné l'idée d'une vengeance par rapport à Susann ?

— Pas en sous-entendant qu'il voulait buter un paquet de gens. C'est mon ami, lieutenant Dallas, mais je suis aussi un policier et j'ai conscience de mon devoir. S'il avait lancé des menaces sérieuses ou si j'avais soupçonné...

— Je comprends, Patroni.

— Bon...

Il se passa une main sur les cheveux.

— Quand il me parlait encore, à l'époque où il buvait beaucoup, il disait parfois que quelqu'un devait payer. Je crois qu'il avait engagé un avocat.

— Quel avocat ?

— Il ne me l'a jamais dit. Mais il parlait de s'en trouver un. Il disait des choses comme : « Ma femme et mon bébé ont été assassinés, que fait la justice ? » Qu'il avait servi son pays et cette ville mais que personne n'en avait rien à faire que sa femme et son bébé aient été tués. J'arrivais à le calmer en discutant. En fait, j'avais épluché le rapport d'accident et la reconstitution, je suis même allé parler à Russo et aux témoins. C'était bien un accident. Une horrible tragédie, c'est sûr, mais un accident. Je le lui ai dit clairement une fois qu'il est redevenu sobre. Il n'a plus eu très envie de me parler après ça.

— Savez-vous quand il a déménagé ?

— Je ne savais pas qu'il avait déménagé. Mais en voyant qu'il repoussait systématiquement mes propositions ou que Will répondait à sa place au téléphone, je me suis dit qu'il avait simplement tourné la page. Qu'il ne voulait plus avoir de contacts avec moi, les choses ou les gens qui lui rappelaient ce qu'il avait perdu.

— Il avait mentionné la possibilité de déménager ?

— Oui, plusieurs fois. Il avait une vraie attirance pour l'Alaska. Il parlait de s'y installer une fois que Will aurait dix-huit ans. Ça, c'était avant Susann. Après Susann, il parlait de trouver une ferme quelque part. Son rêve était de quitter la ville pour vivre de la terre.

— Mais rien sur un déménagement ailleurs dans New York ? Il avait pourtant une épouse et un bébé en route.

— Ouais, bien sûr...

Patroni ferma les yeux pour convoquer ses souvenirs.

— Ouais, ouais, ils économisaient. C'est ça, je m'en souviens. Susann se voyait devenir mère à plein temps. Elle avait vraiment envie de quitter son boulot pour commencer à préparer leur nid, si l'on peut dire. Mais Mac disait qu'ils avaient besoin de son salaire pendant quelques mois encore pour qu'ils puissent s'offrir un plus grand logement. Ils s'étaient intéressés à des maisons de ville, des endroits pas trop chers avec beaucoup de travaux à prévoir. Dans l'East Side. Je m'en souviens parce que cela aurait permis à Will de ne pas changer d'école ; ils seraient restés plus ou moins toujours dans le même quartier. Et Mac mentionnait son envie de réclamer la garde exclusive de Will. Du côté de la Troisième Avenue, peut-être. Ou de Lexington. Je pense que c'est dans ce coin-là, ou un peu plus au sud. L'un de ces vieux immeubles laissés à l'abandon après les Guerres Urbaines. Beaucoup de taudis, mais on peut les racheter pour pas grand-chose. Ah, et ils voulaient un logement qui leur permettrait de promener le bébé dans un parc ou une aire de jeux. Voilà le genre d'endroit qu'ils cherchaient.

— Ils comptaient acheter ou louer ?

— Ils voulaient acheter, ou peut-être tenter l'une de ces locations avec option d'achat. On peut faire ça sur ces bâtisses post-Urbaines. C'est en tout cas ce qu'il disait. Ça m'a paru crédible, vu que ce sont des boîtes préfabriquées qui tomberont en ruines à moins que quelqu'un investisse beaucoup de temps et d'argent pour les réhabiliter. J'ai vécu dans une de ces baraques – dans le Lower West – quand j'avais la vingtaine. Vous me croirez si vous voulez, mais je la sentais bouger quand le vent était fort. Mais bon, ouais, c'était ça qu'ils cherchaient. Un investissement jusqu'à ce qu'ils la retapent, jusqu'à ce que Mac puisse prendre sa retraite et qu'ils déménagent pour cette fameuse ferme loin d'ici. Un rêve utopique, d'après moi, mais faut laisser les gens rêver.

— Vous voyez autre chose ? Un truc qu'il aurait dit, une autre personne qu'il estimait responsable ? Les initiales JR et MJ vous disent-elles quelque chose ? JR, MJ, répéta Eve. Ce sont deux noms sur sa liste de cibles qui n'ont toujours pas été identifiés.

— Il a arrêté de me parler de l'accident après que j'ai enquêté dessus et lui ai donné mon avis. Il ne voulait plus en discuter avec moi. Je n'ai aucune... Attendez. MJ ? Je ne vois pas comment ça pourrait, il pourrait...

— Qui ?

— Peut-être Marian. Marian Jacoby. Elle a un fils dans le même lycée que Will. Divorcée. Susann nous avait présentés, on s'est vus une ou deux fois mais ça n'a simplement pas accroché. Elle bosse au labo. Elle est technicienne de traitement des preuves au labo.

— Une seconde...

Eve décrocha son communicateur.

— Peabody. Marian Jacoby, technicienne de traitement des preuves. Trouvez-la, envoyez-lui une

escorte et faites-la venir ici. C'est une cible potentielle.

— J'ignore pourquoi il voudrait s'en prendre à
elle, dit Patroni.

— Peut-être qu'il lui a demandé conseil, qu'elle
a voulu lui rendre service. Elle a pu lancer une
reconstitution informatique sur son temps personnel, étudier les preuves et les rapports... pour finir
par lui livrer des conclusions qu'il ne voulait pas
entendre.

12

Eve se précipita vers la DDE et appela Berenski tout en se frayant un chemin sur les escaliers roulants.

— Marian Jacoby. Où est-elle ?

— Hé, je fais des heures sup sur votre affaire. Comment voulez-vous que... ?

— Est-elle au labo ?

— Je répète, comment voulez... ?

— Trouvez-la ! Maintenant.

— Bon Dieu ! Elle fait partie de l'équipe de relève en ce moment donc elle devrait être là. Si elle est sur le terrain...

— Non ! Je veux le savoir immédiatement.

Le visage mécontent de Berenski emplit l'écran d'Eve tandis qu'il longeait son plan de travail sur son tabouret à roulettes.

— Ouais, ouais, elle est là, dit-il. C'est quoi, le problème ?

— Levez-vous, allez la trouver et emmenez-la en lieu sûr. J'envoie des agents la chercher.

— Vous vous imaginez que vous pouvez débarquer ici et arrêter l'une de mes... ?

— C'est une cible potentielle, Berenski. Elle connaît Mackie et pourrait être l'une de ses cibles. Gardez-la en lieu sûr jusqu'à l'arrivée de mes agents.

— Compris.

D'agacée, son expression s'était faite féroce et son visage devint flou comme il se levait d'un bond.

— Personne ne s'en prend à mon équipe, lança-t-il.

Il raccrocha. Son communicateur toujours à la main, Eve fila au milieu du tumulte coloré de la DDE pour rejoindre le labo aux parois de verre.

— Marian Jacoby, cible potentielle. On s'occupe de la mettre en lieu sûr. N'en reste plus qu'une. Appartements, duplex, maisons de ville, dans l'East Side, sans doute du côté de la 20e Rue ou plus bas. Les préfabriqués abandonnés post-Urbaines. Sans doute non loin de la Troisième Avenue, voire de Lexington.

Elle reprit son souffle tandis que Feeney lançait immédiatement une recherche.

— Les finances, dit-elle ensuite à Connors. Ils économisaient dans l'espoir d'acheter.

— Je peux te dire qu'il a quasiment vidé son compte le 18 septembre et qu'il a demandé le versement unique de sa pension de retraite la semaine dernière. Il disposait d'une assurance vie de deux cent cinquante mille dollars pour son épouse, doublée en cas de mort accidentelle, et d'une épargne de deux cent mille dollars et quelques. Avec le versement de sa pension, il a plus qu'assez pour un apport immobilier mais ne serait-ce pas idiot de sa part ?

— Il ne réfléchit pas forcément de manière rationnelle mais je suis d'accord et je penche plutôt pour une location. Et même s'il ne garde pas la tête froide, sa fille, elle, en semble parfaitement capable, dans sa logique perverse. Il y a d'autres comptes ? Il a bien dû mettre cet argent quelque part.

— J'y travaille.

— Nous avons déjà écarté certains immeubles et emplacements, dit Feeney.

Sans cesser de travailler, il désigna du geste un écran où Eve vit que de nombreux bâtiments avaient été noircis.

— Si l'on se concentre sur les préfabriqués post-Urbaines, on en éliminera plus encore, ajouta-t-il.

Eve acquiesça puis répondit à la sonnerie de son communicateur. Dickhead apparut à l'écran.

— Elle est avec moi, dans mon bureau. Avec une trouille de tous les diables.

— Passez-la-moi... Jacoby ?

— Lieu... Lieu... Lieutenant, je...

— Reprenez-vous. Vous êtes en sécurité et vous le resterez. Vous connaissez Reginald Mackie.

— Je vous en prie, lieutenant, mon fils. Mon garçon est seul à la maison, il n'y a que le droïde domestique. Mon fils...

— On va s'en occuper. McNab, envoyez une équipe de protection au domicile de Jacoby. Jacoby, dès que nous aurons terminé, contactez votre fils et prévenez-le que des agents sont en route. Dites-lui de demander à voir leurs insignes avant de les laisser entrer.

— Il le sait. Il sait déjà qu'il faut faire comme ça. Il ne laisserait pas...

— Très bien. Vous connaissez Reginald Mackie.

— Oui, mon fils et sa fille suivent certains cours ensemble. Je connaissais sa femme, Susann. Je...

— Vous a-t-il sollicitée pour enquêter sur son accident ?

— Il était désespéré, en deuil. Il...

Eve s'apprêtait à lui dire d'abréger les excuses mais elle entendit la voix de Berenski à l'arrière-plan :

— Répondez par oui ou par non, Jacoby. Personne ne vous fera des misères pour ça. Dites la vérité et soyez concise.

— Oui, il est venu me voir et m'a demandé de l'aider. J'ai lancé une reconstitution sur mon temps libre et puis j'ai analysé les preuves et les rapports. La totale. Au bout du compte, j'ai décidé de lui dire que ce n'était la faute de personne. Je ne lui ai pas annoncé que c'était celle de Susann, même si c'est la vérité. Il s'est mis en colère, m'a accusée de couvrir les coupables. Puis il m'a fait des excuses. Pas sincères, à mon avis, mais des excuses quand même. On ne s'est ni parlé ni revus depuis.

— D'accord. Vous êtes en sécurité et votre fils aussi. McNab, les noms des agents ?

— Task et Newman sont en route. Arrivée prévue dans deux minutes.

— Task et Newman, assurez-vous bien que votre fils vérifie que ce sont eux. Ils seront à votre porte dans deux minutes.

— Merci. Merci.

— Servez-vous de votre propre communicateur, dit Berenski en récupérant le sien. Pour que le gamin reconnaisse le numéro. Chopez ce malade, Dallas, avant qu'il vise quelqu'un d'autre dans mon service. Merde, avant qu'il me vise, *moi* !

— L'étau se resserre, lui assura Eve.

Elle raccrocha puis se passa une main dans les cheveux.

Dickhead et son équipe faisaient des heures supplémentaires. Elle prit note de se montrer un peu plus clémente – juste un peu – la prochaine fois qu'il se comporterait comme un butor.

— Potentiels repérés sur la Deuxième, lança Feeney.

— Toujours en mode algo sur Lexington, répliqua McNab.

Connors œuvrait avec un clavier dans une main et un écran tactile dans l'autre.

— Passez-moi les données, demanda-t-il. Je vais miner tout ça en factorisant le financier et le personnel.

Le communicateur d'Eve bipa de nouveau. Elle fit quelques pas à l'écart de leur babillage incompréhensible.

— Jacoby est sous escorte, en route vers une planque sécurisée. Deux agents se trouvent auprès de son fils, lui annonça Peabody. On n'a pas encore trouvé le poste de tir.

— Obtenez-moi un rendez-vous avec Mira.

— Si vous voulez dire tout de suite, Dallas, rappelez-vous qu'il est presque 20 heures. Elle n'est pas à son bureau. Vous voulez que je la contacte chez elle ?

— Ça peut attendre.

Elle avait déjà une bonne idée du fonctionnement des Mackie.

— Que tous ceux qui n'ont pas fait de pause pour dîner y aillent. Trente minutes. On arrête la recherche du poste de tir à 22 heures. Briefing complet à 7 h 30 pour tous les agents et inspecteurs. D'ici là, tout le monde reste en alerte.

— Je vais faire passer l'info. Vous êtes à la DDE ? Vous auriez besoin de moi là-haut ?

— Moi oui, toujours ! lança McNab dans le dos d'Eve.

— Oh, trop chou.

— Ça suffit, gronda Eve en faisant les cent pas. Il nous reste encore une cible non identifiée.

— J'ai lancé la recherche sur les initiales. Ça m'a d'ailleurs permis d'écarter certains avocats. Mais il y en a tellement, ajouta Peabody. Sans parler des assistants juridiques, des charognards qui profitent des victimes d'accident, des rayés du barreau ou de ceux qui viennent à peine de réussir l'examen...

— Persévérez. Prenez aussi le temps de manger, mais ne vous arrêtez pas, dit Eve sans cesser de faire les cent pas.

— Cinq possibilités solides. Trois situées entre la 21e et la 15e Rue, entre la Deuxième et la Troisième Avenue. Deux autres au croisement de la Troisième Avenue et de la 18e Rue, dit Feeney.

Elle se tourna vers lui et passa rapidement les données en revue.

— Deux sur Lexington, entre la 19e et la 14e, ajouta McNab. Deux autres entre Lex et la Troisième, un dans la 20e Rue, un dans la 16e.

— Deux appartements, deux maisons de ville, un loft au-dessus d'une boutique.

— J'ai deux appartements et deux maisons de ville, dit McNab.

Eve fit courir son regard sur les nouvelles données.

— Commençons par les maisons. L'intimité est plus facile à préserver et on maîtrise la sécurité. Identification des locataires.

— À l'écran, dit Feeney.

Eve fronça les sourcils devant la première photo qu'il afficha, puis examina ce que lui montrait McNab.

— Ce n'est pas Mackie. Voyons les autres.

— Chou blanc, dit McNab.

Il saisit son soda et but une longue gorgée.

— On va descendre plus bas vers le sud et plus vers l'est sur la Deuxième Avenue.

— Attendez une minute. La maison de ville sur la Troisième. Remets-nous les infos à l'écran, Feeney. Gabe Willowby, murmura Eve. Willow, Willowby.

Younger disait que Mackie et sa deuxième femme avaient décidé d'appeler leur bébé Gabriel.

Une lueur s'alluma dans le regard de basset de Feeney.

— La coïncidence est trop grosse, dit-il.

— Bien trop. Ce n'est pas Mackie sur la photo mais regarde les données. C'est sa taille, sa tranche d'âge, sa couleur d'yeux.

— Pas très difficile de créer une fausse pièce d'identité qui s'afficherait en cas de recherche, commenta Connors. Et d'en avoir une autre, avec le même nom, qui corresponde à son vrai visage. Enfin, c'est ce qu'on m'a raconté, ajouta-t-il avec un sourire.

— Je n'en doute pas. McNab, recherches d'antécédents complètes niveau trois sur Willowby, ordonna Eve.

Elle dégaina de nouveau son communicateur.

— Annulez la pause dîner. Que tout le monde nous rejoigne au Central pour un briefing détaillé. On vient de découvrir une piste. Envoyez-moi tout ce que vous trouverez, réclama-t-elle en se dirigeant vers la porte. Salle de réunion A, dès que possible.

Elle reprit les escaliers roulants en se prenant à souhaiter disposer du passe ascenseur de Whitney. Whitney qu'elle décida d'appeler – à son domicile – avant de prévenir Lowenbaum, qui lui se trouvait toujours au Central.

Peabody arriva au pas de course au moment où Eve sautait de l'escalier et fonçait comme une flèche vers la salle de réunion.

— Quel genre de piste ? demanda-t-elle.

— McNab a lancé des recherches poussées sur un certain Gabe Willowby. Une adresse sur la Troisième Avenue. Ce n'est pas le visage de Mackie mais la description générale correspond.

— Willowby. Ce nom me dit quelque chose. Je crois l'avoir croisé sur les registres de voyageurs.

Peabody sortit son mini-ordinateur pour vérifier tandis qu'elles entraient dans la salle de réunion.

— Je vais juste… Ouais, voilà, Willowby Gabriel, et son fils mineur, Colt, apparaissent sur le manifeste d'une navette pour le Nouveau-Mexique en novembre.

— Colt ? C'est le nom d'un fabricant d'armes à feu. Elle se fait passer pour un garçon. Affichez-moi Colt Willowby sur l'écran.

— Ce n'est pas elle, constata Peabody en regardant le portrait, mais…

— Couleur d'yeux et de cheveux. Facile à changer. Mais ce gamin pourrait être son cousin. Un cousin qui aurait le même âge, la même taille et le même poids. Faites une recherche poussée sur cette pièce d'identité, mais à partir de votre mini-ordinateur. J'ai besoin de la machine.

— Qu'est-ce que vous allez faire ?

— Lancer une reconnaissance faciale sur la photo d'identité du gamin. Voyons si on trouve quelque chose.

Pendant que l'ordinateur travaillait, Eve reporta son attention sur le tableau, en faisant les cent pas.

— Il doit disposer de multiples pièces d'identité pour chacun d'eux. Il a encaissé sa pension de retraite et la prime d'assurance vie pour la mort accidentelle de sa femme. Il a les moyens de se les payer. Ou, après vingt ans dans la police, il sait peut-être comment en fabriquer.

— Je miserais plutôt sur sa fille, dit Peabody avec un haussement d'épaules. Les gamins appréhendent beaucoup plus rapidement la technologie et la plupart des ados ont envie d'avoir une fausse pièce d'identité, une qui puisse passer au travers du premier niveau d'analyse en tout cas. Comme celle-ci.

— Dans un cas comme dans l'autre, il en aura plus d'une. Il a loué ce logement et voyagé avec celle-ci. Il a sans doute fait d'autres trajets sous d'autres identités. S'il dispose d'un compte pour stocker son argent, c'est encore sous un autre nom. Cartes de crédit, compte téléphonique. Ne négligez aucun angle.

Elle pivota vivement sur elle-même quand l'ordinateur bipa.

— Voilà le visage. Colt Willowby est en réalité Silas Jackson, seize ans, de Louisville dans le Kentucky. Annulez la recherche, on les tient ! Non, laissez-la tourner : plus on aura de preuves, mieux ce sera. Mais utilisez l'ordinateur pour me récupérer tout ce que vous pourrez sur cette propriété de la Troisième Avenue.

— Je m'en suis occupé pour toi, annonça Connors depuis le seuil. Et je t'ai tout envoyé.

— Pratique. Peabody, affichez-nous ça.

— J'ai aussi lancé une reconnaissance faciale sur Willowby, qui est en réalité Dwayne Mathias, cinquante-trois ans, un habitant de Bangor dans le Maine.

— Tu penses vraiment comme un flic.

— Et toi, tu m'insultes alors que j'ai fait commander une dizaine de pizzas, répliqua-t-il en effleurant du doigt la fossette qu'elle avait au menton.

— De la pizza ! s'exclama Peabody.

Eve la gratifia, elle et sa danse de joie, d'un roulement d'yeux réprobateur.

— Personne n'a eu le temps de dîner, signala Peabody. J'ai mangé une barre de céréales goût yaourt mais c'est tout.

— Et des policiers affamés sont plus susceptibles de commettre des erreurs, conclut Connors.

— Je croyais qu'avoir faim maintenait nos sens en éveil. Les miens le sont, dit Eve, les yeux braqués sur les plans à l'écran. Mais la pizza n'est pas une si mauvaise idée.

Non seulement Connors pensait en vrai bon flic, se dit-elle, mais il avait travaillé plus vite qu'elle. Et il offrait les pizzas. Difficile de se plaindre.

— Un duplex sur trois niveaux, constata-t-elle. Avec des toilettes uniquement sur les deux premiers. Alors je les vois bien garder le premier niveau en règle – des livreurs vont passer, pas question de laisser traîner des armes ou des plans –, dormir au deuxième et utiliser le troisième pour discuter de leur stratégie et stocker leur équipement. Sorties de secours à l'arrière, accès potentiels vers les toits. Ils peuvent facilement marcher jusqu'au métro... ou s'y rendre au pas de course, si nécessaire. Arrêt de bus pas loin non plus. C'est un bon emplacement, un bon QG.

— Mais le bâtiment n'est plus tout jeune, ajouta Connors, et montre des signes de construction bâclée. Willowby a loué les lieux avec une option d'achat et, vu que le prix demandé est facilement cinquante mille dollars au-dessus de sa valeur, j'en conclus qu'il ne s'est pas donné la peine de négocier.

— Il n'a pas l'intention d'acheter.

— Je suis d'accord. Le loyer est bas, dans tous les cas.

Lowenbaum s'avança vers eux, les yeux levés vers les écrans.

— Vous le tenez, dit-il.

— Quasiment.

— Alors mettons-nous au travail.

Les policiers sur le terrain débarquèrent quelques minutes avant les pizzas. Eve laissa la meute se ruer sur la nourriture – Connors avait raison, les flics avaient besoin de manger – et leur fit part des dernières avancées tandis qu'ils mangeaient.

— McNab, les résultats de vos recherches approfondies ?

L'interpellé avala un gros morceau de pizza.

— La pièce d'identité passe sans mal un examen superficiel et même un regard attentif, mais elle n'a pas tenu face à une analyse poussée. C'est un faux complet, lieutenant, mais bien fait. Personne à part les forces de l'ordre ne mène de recherches aussi pointilleuses, et même là, il faut généralement que ça implique un crime sérieux.

— Même chose pour la deuxième suspecte, ajouta Peabody. Tout comme la pièce d'identité que le suspect a employée pour sa réservation d'hôtel.

— Ça simplifie les choses et illustre leur mode opératoire. Peabody, envoyez la demande de mandat. On va s'y prendre comme la dernière fois. Lowenbaum a déjà rassemblé son équipe. La DDE sortira en premier et utilisera des senseurs pour nous dire si les suspects sont à l'intérieur. Il y a un atelier d'artiste du côté ouest de la Troisième Avenue. McNab et Callendar s'y installeront. Lowenbaum ?

Il se leva et se servit d'un pointeur laser pour désigner les positions prévues pour ses hommes.

— Patroni accédera au studio avec McNab et Callendar. C'est lui qui a demandé à participer, précisa Lowenbaum à Eve. C'est l'un de mes meilleurs hommes. Il fera ce qu'il faut.

— Très bien, alors allons-y. Peabody, on accompagne la DDE.

Cette fois le convoi s'ébranla dans l'obscurité, au terme d'une longue journée de chasse. Pendant qu'ils traversaient la ville, Eve se pencha mentalement sur chaque étape de l'opération pour tenter de calculer toutes les possibilités.

— Il tentera de protéger sa fille, dit Connors.

Mais Eve secoua la tête.

— Malgré ce qu'il peut penser, ce n'est pas lui qui dirige, dit-elle. Elle joue peut-être le rôle de l'élève, de l'apprentie, mais c'est elle qui mène la danse maintenant. Et peut-être depuis un bon moment.

— Tu les imagines prêts à mourir pour ça ?

— Elle ne veut pas mourir, elle veut tuer. Lui est habité d'une mission, si délirante soit-elle, et mourrait sans doute pour l'accomplir. Mais sa fille ne s'en serait pas tenue là. Elle veut tuer. Nous avons retiré toutes les cibles de l'échiquier, sauf une. Si on ne les arrête pas, elle trouvera cette dernière cible. Ensuite... Elle pourra attendre. Elle est jeune, elle dispose de ressources et de fausses cartes d'identité et peut sans doute s'en procurer d'autres. Pendant combien de temps pourra-t-on protéger ceux qui se trouvent dans son collimateur ? Le temps joue pour elle dans cette histoire. Il faut les arrêter ici et maintenant.

Une fois arrivé au point de débarquement, McNab agita les doigts en direction de Peabody puis se glissa au-dehors en compagnie de Callendar.

Ils n'avaient pas l'air de flics, songea Eve, dans leurs grands manteaux colorés et leurs aéroboots à motifs. Ils marchaient d'un pas rapide, comme l'aurait fait quiconque arpentant les rues par une nuit venteuse de janvier.

Eve s'assura que tous ses hommes ainsi que Lowenbaum et son unité étaient en place tandis que Connors et Feeney se mettaient au travail.

— Il a barricadé les lieux, lui annonça Feeney.

— Que veux-tu dire par « barricadé » ?

— Déflecteurs sur les portes et les fenêtres. Protection contre les décharges paralysantes. Il a bien bossé et n'a pas regardé à la dépense.

— Vous pourrez passer au travers ?

— Pas avec un pistolet paralysant ni un laser d'intensité inférieure à cinq. Il a aussi installé des brouilleurs, mais laisse-nous une minute pour contourner ça.

— C'est son baroud d'honneur, murmura-t-elle. Il pensait avoir plus de temps, suffisamment pour aller au bout de sa mission, avec l'espoir de s'en aller ensuite avec sa fille. Mais il s'est préparé pour être en mesure de vivre son baroud d'honneur dans cet endroit, si nécessaire. Ils sont à l'intérieur ?

— J'essaie de le savoir, marmonna Connors alors que Feeney synchronisait son action avec McNab et Callendar. L'endroit est peut-être une ruine, mais il a bien investi dans ces fichues protections. Voilà... Voilà, j'y suis presque. Feeney ?

— Ouais, j'y suis. McNab, tu y es ?

— Je suis juste derrière vous, capitaine. Ça bougeotte, ça tremblote et... On y est. Plusieurs sources de chaleur détectées mais...

— Je ne crois pas, non, dit Connors à mi-voix. Encore une minute ici.

— C'est lui qui les a installées. Des contre-mesures. Ce sont de fausses images thermiques, expliqua Feeney. On peut lancer un examen et les éliminer.

— Rez-de-chaussée généré, dit Connors. Aucune présence thermique, annonça Connors.

— Examen du premier étage, dit Feeney avec un geste du menton vers le petit écran. Désert aussi.

— Nous sommes au deuxième, annonça McNab. Je dégage les contre-mesures.

— On en a une, annonça dans le micro la voix satisfaite de Callendar. Source de chaleur repérée au deuxième étage, coin nord, orientée ouest derrière la fenêtre occultée.

Eve s'accroupit pour mieux voir.

— Ce n'est pas la fille, dit-elle. Trop grande.

— Elle a pu sortir pour acheter à manger ou des provisions, suggéra Peabody.

— J'en doute. Il est posté là en sentinelle. Il nous attend. On va laisser passer trente minutes, au cas où. Si elle est partie acheter à manger, ça devrait être suffisant. Baxter, Trueheart, sortez faire une petite balade, séparément, et jetez un œil aux restaurants de vente à emporter, aux épiceries nocturnes et toute autre boutique encore ouverte dans un périmètre de trois pâtés de maisons. Si vous la repérez, ne vous faites pas remarquer.

— On y va.

— Si elle est sortie pour ramener des rouleaux de printemps, on l'appréhende. Action rapide et décisive. En se servant d'elle, on pourra peut-être convaincre Mackie de se rendre.

— Mais tu en doutes, constata Feeney en se tournant vers elle. C'est lui qui l'a envoyée à l'écart, pour qu'elle reste hors de portée et en sécurité afin de pouvoir terminer la mission. Mackie constitue la diversion.

— Oui. C'est mon intuition, mais il faut qu'on aille jusqu'au bout. Elle pourrait être n'importe où. Lowenbaum, nous devons le capturer vivant. Blessé si nécessaire mais qu'il respire encore. Vous l'avez dans votre viseur ?

— Il sait comment rester à couvert, Dallas, et c'est exactement ce qu'il fait. On peut faire des trous dans sa barricade mais impossible de le neutraliser dans l'immédiat.

— Un bélier nous permettrait d'enfoncer la porte, dit Eve, pensive. Mais cela lui laisserait le temps de faire ce qu'il a prévu de faire avant qu'on atteigne le deuxième étage. Abattre autant d'entre nous que possible, se tuer. Ou, pire, tirer sur des civils.

Elle ferma les paupières pendant quelques instants, main levée afin que personne ne parle et n'interrompe ses pensées.

— Lowenbaum, l'unité Tactique dispose-t-elle d'un moyen de percer ces murs pourris ? Les murs de l'immeuble, je veux dire.

Il y eut un court silence, après quoi il répondit :

— Ouais. Ouais, on a quelque chose.

— Restez où vous êtes. Je vous rejoins. Tu peux me prêter Connors ? demanda-t-elle à Feeney.

— Les petits jeunes et moi devrions pouvoir gérer sans lui.

— Tu m'accompagnes, dit-elle à son mari. Tu n'as pas l'air d'un flic.

— Je prends ça comme un compliment.

— Peabody, donnez-moi votre fichu manteau.

— Mon manteau ?!

— Manteau rose, bonnet à flocon, dit Eve en le sortant de sa poche. Je n'aurai pas non plus l'air d'un flic.

— Je ne suis pas forcément d'accord, murmura Connors.

— Je sais comment ne pas ressembler à un flic. Il me faut un…

Elle fit un geste.

— Sac à main ?

— Oui, un de ces trucs qui se portent à l'épaule. Dans lesquels on met tout un tas de bidules. Qu'est-ce qu'on a de ce genre ?

Feeney ouvrit un tiroir.

— La vieille sacoche de McNab.

La sacoche en question était d'un vert vif à la limite du fluorescent, décorée d'éclairs stylisés dans un rose digne de Peabody.

— Mon Dieu, c'est presque aussi affreux que les cravates de Jenkinson.

— Je vous ai entendue, annonça Jenkinson dans son oreillette.

— Ce n'est pas un secret. D'accord, passez-moi votre manteau.

Eve retira le sien, qu'elle adorait, pour enfiler la version rose de Peabody, complété par son bonnet.

— L'écharpe aussi, dit-elle.

Elle enroula la longue écharpe multicolore de Peabody autour de son cou.

— Ça s'accorde bien avec le sac, en fait, commenta Peabody.

— Ne redites jamais un truc pareil.

Elle passa la sacoche en bandoulière, à la manière des New-Yorkais pragmatiques, et sortit de la camionnette.

— On va faire le tour du pâté de maisons pour revenir par le sud et rejoindre Lowenbaum. Après quoi on marchera vite en se tenant la main, en parlant et en riant, droit vers le duplex attenant.

— J'avais bien compris.

Et, même si ce n'était pas une nécessité dans l'immédiat, il lui prit la main tandis qu'ils marchaient vers l'ouest.

— Il y a des sources de chaleur dans la maison d'à côté. Trois, dont une qui pourrait être un petit chien, voire un gros chat.

— On s'en débrouillera.

— Je n'en doute pas.

En chemin, ils croisèrent Trueheart qui poursuivit sa route tout en parlant dans l'oreillette d'Eve.

— Aucun signe d'elle. Trueheart ?

— Je suis allé dans deux endroits où ils ont été vus auparavant, une pizzeria et une épicerie. Personne ne l'a vue, ni ce soir ni dans la journée.

— Terminez votre ronde puis reprenez votre position. Sans la fille comme monnaie d'échange, nos chances de le convaincre de se rendre sont quasi nulles.

Au moment où ils tournèrent au coin de rue suivant, Lowenbaum sortit du gros camion blindé.

— On a des béliers, des masses et des chalumeaux d'oxycoupage mais j'ai supposé que vous ne vouliez pas faire de raffut.

— Pas si vous avez autre chose à proposer.

— Découpeuse laser. Elle traversera ces murs comme du beurre. Pas aussi bruyante que les autres options, mais elle bourdonne quand même pas mal. S'il l'entend, il saura de quoi il s'agit.

— Nous ferons en sorte qu'il ne l'entende pas.

— Je peux y aller, proposa-t-il. Créer un point d'entrée.

— J'ai besoin de vous ici, Lowenbaum. Mes chances de neutraliser un tireur d'élite sans doute équipé de protections pare-balles avec mon arme de service ? Très faibles. C'est nous qui constituons la diversion et, croyez-moi, nous saurons nous mettre à couvert quand ce sera nécessaire. J'ai besoin de vous pour le descendre, ce rôle vous revient. On l'obligera à se déplacer – vous me direz quand et où – afin que vous puissiez le neutraliser.

— Comptez sur moi. L'un de vous deux sait se servir d'une découpeuse laser ?

— Oui, moi, répondit Connors.

Il prit l'appareil et l'examina.

— Excellent modèle, commenta-t-il en le rangeant dans la sacoche d'Eve.

— Je vais rappeler Trueheart et Baxter. Prévenez tout le monde qu'il y a des civils dans la maison attenante. Nous essaierons de les confiner dans une zone sûre, mais restez vigilants.

Elle se remit en route.

— Baxter, Trueheart, retournez à vos postes. Connors et moi nous dirigeons vers le croisement de la Troisième Avenue et de la 18ᵉ Rue. On sera bientôt dans le champ de vision du suspect.

— Dans ce cas... dit Connors en lui passant un bras sur les épaules pour la coller contre lui, et si on prenait un air moins préoccupé par des histoires de meurtriers ?

Ils marquèrent un temps d'arrêt au croisement. Eve attira Connors vers lui pour l'embrasser tout en scrutant du coin de l'œil le bâtiment où se trouvait la cible.

— Il surveille la rue, souffla-t-elle contre les lèvres de Connors. Il nous a vus. Mais il n'a pas fait mine de couvrir la façade arrière. Il a peut-être mis en place un système de première alerte pour ça.

Elle se blottit contre lui au moment de traverser au feu rouge.

— On marche droit vers la porte des voisins, comme si on était attendus.

— Jan Maguire et Philippe Constant. J'ai fait une petite recherche pendant que tu changeais de manteau.

— Jan et Phil, c'est noté. Tu veux m'expliquer comment ça se fait que tu saches manier une découpeuse laser ?

— Pas dans l'immédiat, répondit-il avec un grand sourire.

Elle lui rendit son sourire et laissa échapper un rire qu'elle voulait sonore.

— Heureusement qu'on est arrivés. Je suis gelée !
On se paiera un taxi pour le retour.

— Profitons déjà de la soirée.

Ils montèrent les marches et, tournant le dos à la cible, actionnèrent la sonnette.

13

Connors se positionna de manière à empêcher quiconque dans le duplex adjacent de voir l'insigne de policier au creux de la paume d'Eve.

— Le premier truc va consister à leur faire ouvrir la porte rapidement. Après ça, on entre au plus vite. On s'occupera de la suite une fois à l'intérieur.

Elle n'eut pas besoin d'un truc, car la porte s'ouvrit immédiatement.

Un homme d'environ trente-cinq ans vêtu d'un sweat-shirt et d'un jean troué aux genoux fronça les sourcils devant l'insigne.

— Quoi ?

— Salut, Philippe !

Eve s'avança avec un grand sourire, suivi par Connors qui referma la porte derrière eux.

— Attendez une m...

— Il y a un problème dans le bâtiment voisin. Je suis le lieutenant Dallas du NYPSD et voici mon consultant. J'ai besoin que vous appeliez Jan. Appelez-la, où qu'elle soit.

— Je voudrais d'abord savoir...

— Philippe, dit Connors sur un ton calme et détendu, plus vite vous suivrez les instructions du lieutenant, plus vite nous pourrons vous expliquer. Votre logement est bien insonorisé ?

— Inso... ? Euh, on y travaille. Pourquoi ?

— Je vois que vous faites des rénovations, poursuivit Connors toujours sur le ton de la conversation.

Il échangea un regard entendu avec Eve.

— Ça tombe bien, dit-il.

— Oui, ça nous sera utile, dit Eve. Appelez-la, dites-lui de descendre.

Tout en parlant, elle retira le manteau rose qui sapait forcément son autorité et l'accrocha sur une patère d'aspect très démodé que quelqu'un avait repeinte en bleu vif.

— Faites-moi voir votre insigne, demanda Philippe.

Eve le tendit sous ses yeux et patienta tandis qu'il l'examinait puis la dévisageait. Sans détourner les yeux, il haussa la voix.

— Jan ! Descends, s'il te plaît.

— Phil, je suis en plein...

— Descends, Jan.

Quelques instants plus tard, une grande femme en combinaison tachée de peinture et aux cheveux blonds rassemblés sous une casquette aux couleurs des Yankees fit son apparition. Une espèce de tête de balai à frange blanc la suivait en poussant des aboiements aigus.

— J'étais en train de remettre une couche de... Oh, pardon, je ne savais pas qu'on avait de la visite.

— C'est la police.

— La...

Jan se tut en voyant Eve porter un doigt à ses lèvres puis ramassa ce qui devait être un chien et descendit le reste des marches.

— Discutons par là, dit Eve en désignant le fond de l'appartement. Vous avez une chaîne hi-fi ? Si vous pouviez mettre un peu de musique, comme lorsque des amis vous rendent visite. Il y a un problème dans le bâtiment voisin, répéta-t-elle. Vous avez un mur en commun et l'insonorisation n'est pas terrible. Mettez de la musique puis on ira de l'autre côté et je vous raconterai ce qui se passe.

Tandis que le chien s'agitait pour redescendre à terre, Jan tâtonna pour trouver la main de Philippe.

— Sois sage, Lucy ! Je t'avais dit qu'un truc clochait avec les nouveaux voisins, Phil. Qu'est-ce qu'ils... D'accord.

Elle secoua la tête et prit une grande inspiration.

— Venez dans le salon, lança-t-elle d'une voix plus forte. Ça a beaucoup changé, vous n'allez pas en croire vos yeux !

Eve hocha la tête d'un air approbateur.

— J'ai hâte de voir ça ! dit-elle.

— Mets de la musique, Phil, et ouvrons une bouteille de vin. Je ne sais pas à quel point ils peuvent nous entendre de l'autre côté, ajouta-t-elle à mi-voix tandis qu'ils longeaient des parois abîmées et des espaces où ces mêmes murs avaient visiblement été abattus. On les entend plus ou moins, le son de leurs écrans et des bruits sourds au deuxième étage. C'est là qu'on a notre atelier, donc on y passe pas mal de temps.

En arrivant dans ce que Jan avait appelé le salon, Eve constata que l'endroit était effectivement très plaisant. Ils avaient transformé l'espace en une cuisine accueillante et rétro aux plans de travail d'un gris chaleureux émaillés de nombreuses plantes poussant sous des lampes de culture argentées. Elle s'ouvrait sur un espace de détente doté d'un côté d'un mobilier confortable, de coussins de sol et de lampes colorées et de l'autre d'une longue table accompagnée de huit chaises dépareillées sous un trio de boules en fil de fer qui servaient de lustres.

Dans un coin étaient posés un autre coussin, triangulaire celui-là, et un jouet pour chien bleu fluorescent en forme de gros os.

— Charmant, commenta Connors.

— Merci.

Jan adresse un sourire incertain à Connors en posant le chien. Celui-ci se précipita – y avait-il des pattes sous tous ces poils ? s'interrogea Eve – pour s'emparer de l'os factice et le rapporter entre ses dents tel un cigare bleu vif.

— On a travaillé dur, ajouta-t-elle. On y est depuis quatorze mois maintenant.

Connors tapota l'îlot de la cuisine.

— Vous faites tout vous-mêmes ?

— Avec quelques amis réquisitionnés. On voulait finir cette partie en premier, puis les toilettes là-bas. Et on a presque terminé la chambre parentale.

— Super, dit Eve.

Elle avait bien conscience que la conversation initiée par Connors avait pour but d'apaiser les civils, mais le temps pressait. Elle actionna son oreillette.

— Feeney, où est-il ?

— Toujours au deuxième étage.

— Préviens-moi s'il bouge... Il s'agit d'une opération du NYPSD, dit-elle en préambule.

Le chien leva vers elle des yeux qu'elle ne distinguait pas derrière ses longs poils.

— Les personnes dans le duplex voisin sont des suspects dans une enquête en cours. Nous savons que l'homme adulte est actuellement posté au deuxième étage du bâtiment. Avez-vous vu le deuxième individu ?

— Le garçon ?

Philippe fronça les sourcils et se tourna vers Jan.

— Je ne me souviens pas l'avoir vu aujourd'hui, mais j'étais au travail et je ne suis revenu que vers 18 heures, ajouta-t-il.

— J'ai travaillé ici toute la journée, au deuxième étage. Je faisais les peintures. Je l'ai vu sortir aux alentours de 16 heures ou 16 h 30. Je ne suis pas très sûre de l'horaire, ça aurait pu être un peu plus tard. Il avait son sac à dos et une sorte de grosse mallette. Je ne sais pas s'il est revenu. Ils sont dangereux, n'est-ce pas ?

— Indéniablement. Nous allons avoir besoin de votre coopération, poursuivit Eve comme Jan reprenait le chien et le serrait contre elle tel un bébé. D'abord, je veux vous assurer qu'il y a des policiers stationnés dehors et que votre sécurité est notre priorité absolue.

— Mon Dieu...

Philippe attira Jan à lui.

— Qu'est-ce qu'ils ont fait ? demanda-t-il. On a le droit de savoir.

— Ce sont nos principaux suspects dans les attaques du Wollman Rink et de Times Square.

Soudain très pâle, Jan tira un tabouret de sous le plan de travail.

— Faut que je m'asseye... Je vais me poser, juste une minute.

Elle avait peur, nota Eve, mais n'était pas surprise.

— Ont-ils déjà essayé de vous parler ?

— C'est plutôt l'inverse, répondit Jan. Ils nous ont tous les deux bien fait comprendre qu'ils ne souhaitaient aucun contact de voisinage. Le garçon n'est là que la moitié du temps.

— En réalité, il s'agit d'une fille.

— Ah bon ? L'homme l'appelle Will. J'ai entendu ce nom à plusieurs reprises. Il... Euh, elle s'en va une semaine sur deux. Je me suis dit que c'était sans doute une histoire de garde partagée et ça m'aurait même un peu attristée, mais elle me filait la frousse. Il y a un truc chez elle qui vous fait dresser les cheveux sur la nuque.

— Ce n'est qu'une gamine, murmura Philippe.

— Qui est responsable, avec son père, de la mort de sept personnes. Nous pourrions attendre qu'il tombe de fatigue mais d'autres vies sont en jeu. Nous pensons que la mallette qu'elle transportait contient un fusil laser à longue portée. Nous devons capturer le père et le forcer à nous livrer l'identité et l'emplacement de la prochaine cible de sa fille. La façon la plus rapide et la plus propre selon nous est d'agir depuis l'intérieur.

— L'intérieur de quoi ?

— Phil, dit Jan en secouant la tête. De notre intérieur à leur intérieur. Le mur mitoyen.

— Vous voulez passer de notre maison à la sienne ? Mais il est armé, non ?

— Il l'est. Et nous aussi. Il y a dehors vingt policiers armés et prêts à se déployer. Si nous prenons le bâtiment par la force, il y aura des blessés, peut-être même des morts. Cette façon de faire limite les risques.

— Vous devrez d'abord faire sortir Jan, la mettre en sécurité.

— C'est envisageable.

Jan se releva.

— Non, dit-elle. Déjà parce que je n'irai nulle part sans toi et que si nous sortons tous les deux et qu'il nous voit, tout le plan tombera à l'eau.

— On pourrait aller promener Lucy.

— Phil, tu as promené Lucy juste après être rentré. Ça paraîtra louche que l'on ressorte avec elle si tôt alors que nous avons des... des invités.

— Nous pouvons préserver votre sécurité à l'intérieur, leur dit Eve. Vous avez ma parole. Vous arrive-t-il de faire des rénovations durant la soirée ?

— Bien sûr. On évite tout ce qui fait vraiment du bruit à partir de 22 heures mais la plupart des travaux ont été faits le soir et le week-end.

— Il faudrait que nous voyions à quoi ressemble l'étage. Faites comme si vous faisiez une visite guidée pour vos amis, d'accord ?

— Jan ?

— Tout va bien se passer, Phil.

— Je ne laisserai rien t'arriver donc, oui, tout va bien se passer. Alors marions-nous.

— Tu disais que... Quoi ?

— Je t'aime, tu m'aimes. On a adopté un chien ensemble. On se construit une maison ensemble et je prends ce qui se passe ce soir comme un signe. Alors marions-nous !

— Je... D'accord.

Avec un petit rire, Jan passa les bras autour du cou de Philippe et se pressa contre lui, le petit chien tenu entre eux.

— Marions-nous, répéta-t-elle.

— Félicitations, dit Eve, mais peut-être pourrons-nous attendre pour le vin et les applaudissements que nous ayons appréhendé le tueur dans la maison voisine ?

— Pardon. C'est la soirée la plus étrange et la plus flippante de ma vie, déclara Philippe, le front appuyé contre celui de Jan. Et ça m'a permis de comprendre que j'ai envie de passer toutes celles qui suivront avec toi, lui dit-il.

— Adorable. Bravo. Maintenant allons-y.

Comme Eve repartait vers l'entrée, Connors posa une main sur l'épaule de Philippe.

— L'amour change tout, dit-il. J'ai demandé ma femme en mariage après qu'on est sortis en boitant d'une altercation violente avec un autre tueur en série. Souvenirs, souvenirs.

— Ça paraît complètement dingue, mais j'imagine que ça ne l'est pas tant que ça quand on est flic.

— Elle est flic. Moi pas.

300

Les yeux écarquillés, Philippe pointa le doigt vers Eve puis vers Connors, qui lui répondit par un hochement de tête.

— Et croyez-moi, votre fiancée et vous ne pourriez pas être entre de meilleures mains, dit-il.

Passant devant des pièces sans portes et d'autres pleines de matériaux de construction, Eve se dirigea directement vers la chambre parentale en chantier.

— On est juste en dessous de lui, dit-elle à mi-voix. Pour tout ce qui ne relève pas du bla-bla sur la déco et le mariage, baissez d'un ton.

— Cette pièce est insonorisée, lui dit Jan.

— Tant mieux.

Eve leva la tête, imagina Mackie posté au-dessus d'eux, puis examina le mur mitoyen.

Peu lui importait que la paroi soit lisse, propre et couleur de mousse irlandaise. Ce qui comptait, c'était que ce mur mène à Reginald Mackie.

— Je viens à peine de finir la deuxième couche. Presque fini, en fait. Il faut vraiment que ce soit ce mur-là ? soupira Jan.

— C'est le plus rapide et le plus sûr. Nos services s'occuperont de le faire intégralement réparer. Et dans les plus brefs délais. Je m'en assurerai. Feeney ?

— Je vous vois. Il n'a pas changé de position. Je distingue quatre personnes de votre côté, plus le chien, pile en dessous de lui.

— Nous entrerons par là. Les deux civils et le chien vont retourner au rez-de-chaussée, à l'arrière du bâtiment. Prenez vos vêtements d'extérieur, leur dit-elle. Et soyez prêts à être évacués en lieu sûr en cas de besoin.

— Bien reçu, dit Feeney. Deux civils et, euh, un chien à escorter à l'écart au moment opportun. Que dirais-tu d'une petite diversion dans la rue pour attirer son attention pendant que vous jouez de la découpeuse ?

— Ça ne peut pas faire de mal.

— Préviens-moi quand vous serez prêts.

Eve sortit la découpeuse laser de la sacoche.

— On est prêts, dit-elle.

— Jenkinson, Reineke, à vous de jouer, dit Feeney.

Attiré par l'outil, Philippe s'approcha.

— C'est du haut de gamme, dit-il. On a investi dans un bon modèle mais là, c'est le top du top.

— Une fois qu'on aura terminé ici, elle sera à vous, lui lança Eve sans réfléchir.

— Vous dites ça pour blaguer ?

— Absolument pas.

Elle tendit l'appareil à Connors.

— Prenez vos affaires, redescendez dans votre salon, reprit-elle. Si nous avons besoin de vous faire évacuer, des policiers viendront vous chercher. Dans le cas contraire, restez à l'abri et ne faites pas de bruit.

Eve posa un regard appuyé sur le chien aux mâchoires toujours férocement refermées sur son os bleu.

— Et tâchez que le chien aussi reste silencieux, dans la mesure du possible.

Jan lança un dernier regard au mur.

— Ce n'est que de la peinture. Et un câblage neuf. Et de la mousse d'insonorisation.

Philippe lui passa un bras sur les épaules pour la guider en dehors de la chambre.

— Et chaque fois qu'on le regardera, on se souviendra du soir où nous nous sommes fiancés.

Eve attendit qu'ils soient sortis pour dégainer son arme.

— Une ouverture juste assez grande pour nous permettre de passer, dit-elle.

Connors s'accroupit et alluma la découpeuse.

Celle-ci se mit à bourdonner mais, aux oreilles d'Eve, Galahad faisait plus de bruit en ronronnant.

— La diversion est en route, souffla Feeney dans son oreille.

S'approchant de la fenêtre, Eve repéra ses inspecteurs... accrochés l'un à l'autre tels des ivrognes. Malgré l'insonorisation et ce qu'elle estimait être un vitrage neuf, elle les entendait chanter.

Sans doute à pleins poumons, d'une manière étonnamment harmonieuse.

Deux poivrots titubants et maladroits se soutenant sur le chemin du retour.

Pas mal.

Elle revint auprès de Connors qui avait découpé une ligne d'à peu près soixante centimètres de haut depuis le sol et s'apprêtait à en tracer une seconde à soixante centimètres d'écart.

— Tu ne peux pas faire plus vite ?

— Tu préfères quoi, rapide ou discret ?

— Les deux.

— Patience et longueur de temps, lieutenant.

— Je ne comprends même pas ce que ça veut dire.

— L'impatience n'arrange pas les choses, lui dit Feeney.

— Alors c'est ça qu'il faudrait dire. Il a presque terminé, dit-elle en inclinant sa caméra vers Connors.

— Reçu. Le suspect a légèrement bougé mais ils n'ont pas d'angle de tir propre. Tes hommes ont attiré son attention. Bon sang, une CL de rue essaie de les alpaguer. T'as vu ça ?

— Je m'en remettrai d'avoir raté le spectacle de deux de mes inspecteurs accostés par une CL. Percée effectuée. On passe de l'autre côté.

Alors qu'elle s'allongeait à plat ventre, Connors se glissa devant elle. Elle tira sur son pantalon et lui fit signe du pouce de passer derrière elle, mais il secoua la tête et rampa à travers l'ouverture.

— Connors est entré, chuchota-t-elle. Je le suis.

Elle chassa son sentiment d'agacement – c'était qui, le flic, dans le couple ? – et se faufila à l'intérieur d'une pièce plongée dans le noir.

Connors lui toucha le bras puis alluma une lampe-stylo.

Elle suivit le mouvement de la lumière qui révéla une pièce à peu près aussi grande que celle qu'ils venaient de quitter. Elle distingua un matelas gonflable, un sac de couchage, une lampe alimentée par batterie et une bouteille d'alcool presque vide, probablement du gin ou de la vodka. Elle nota aussi la présence d'une table et d'une chaise pliantes, surmontées d'une tablette et d'une petite imprimante.

La porte s'ouvrait sur d'autres ténèbres.

— Il a plongé les lieux dans le noir, murmura-t-elle à l'intention de Feeney. Il est sans doute équipé de lunettes de vision nocturne. On bouge. Reste au niveau du sol, dit-elle à Connors en avançant courbée vers la porte.

Il demeura en première position. Il était plus grand qu'elle et c'était lui qui tenait la source de lumière.

Il faudrait qu'ils aient une petite discussion à ce sujet par la suite…

— On a passé la porte, on se dirige vers l'escalier. Je fais silence radio.

En position accroupie, elle s'engagea lentement sur les marches menant au deuxième étage. À mi-chemin, elle s'apprêtait à tapoter l'épaule de Connors pour lui dire d'éteindre y compris le minuscule rayon de la lampe. Mais ce fut lui qui la tapota le premier, posa sa main sur son bras et éteignit la lumière.

Au moment où ils atteignirent le palier, le mini-détecteur de mouvement braqué vers l'escalier émit un long bip sonore.

— Il s'est baissé ! Il se dirige vers vous.

— À couvert ! cria Eve à Connors en roulant sur elle-même.

Elle vit la décharge de laser traverser l'air, répliqua par un tir de couverture.

— Reste à couvert, à couvert ! Lowenbaum, percez-moi des trous, donnez-moi de la lumière !

Elle roula de nouveau sur elle-même, se releva d'un bond.

— Intervention. Intervention !

Un sifflement aigu la poussa à se baisser. Une série de trous minuscules traversèrent les barricades dressées devant la fenêtre. Elle sentit plus qu'elle ne vit Mackie filer dans l'escalier.

— Il descend vers le premier. Connors, tu es à couvert ?

— À couvert. Tu n'as pas de gilet pare-balles, dit-il. Reste derrière moi.

— Il vise super mal, rétorqua-t-elle en dévalant les marches.

Elle entendit Connors lâcher un juron derrière elle, entendit le bélier heurter la porte en contrebas.

Elle tâtonna le long du mur jusqu'à ce que sa main fende le vide d'un pas de porte.

— À six heures ! cria Feeney.

Elle s'aplatit et roula sur elle-même, entendit le bruit sourd de quelque chose qui heurtait le mur, tira dans sa direction.

— Il t'a dépassée, il a tourné à gauche.

— Connors, décale-toi sur la gauche jusqu'au mur, reste baissé.

Elle fit de même.

— Mackie ! C'est fini, c'est terminé. Lâchez vos armes et rendez-vous ! cria-t-elle.

Il répondit par une volée de tirs sifflants qui transpercèrent le mur opposé.

Eve approcha ses lèvres de l'oreille de Connors.

— Sors la lampe-stylo. Braque-la vers l'embrasure de la porte mais reste bien hors de portée.

— Je peux élargir le rayon.

— Bonne idée. Feeney, quelle est sa position exacte ?

— Mur du fond, entre les fenêtres. À un mètre cinquante à l'est et trois mètres au nord de votre position. Le SWAT ne l'a pas en ligne de mire.

— Bien reçu.

Elle serra la main de Connors.

— À trois... deux...

Elle s'élança à « un », fila dans l'étroit couloir en calculant les distances révélées par la lumière qui venait de s'allumer.

Elle eut un bref aperçu de Mackie : armes de poing laser, combinaison pare-balles, lunettes de vision nocturne.

Son pistolet paralysant réglé deux crans en dessous de sa puissance maximale, elle visa les yeux.

Elle sentit la chaleur d'une décharge effleurer son bras, entendit Mackie pousser un cri, fit une roulade pour s'écarter. Elle tira de nouveau alors que Connors se précipitait vers l'autre côté de la porte. Il tira à son tour, touchant Mackie au pied, tandis qu'Eve visait une deuxième fois les lunettes.

Cette fois, Mackie s'effondra.

— Suspect à terre, suspect à terre.

Eve se précipita pour écarter d'un coup de pied l'arme qui s'était échappée des doigts tremblants de Mackie.

— Donnez-moi plus de lumière ! Plus de lumière, bon sang !

Elle n'attendit cependant pas pour plaquer les bras dans le dos de Mackie et lui mettre les menottes avant de vérifier son pouls au niveau de la gorge.

— Il est vivant, dit-elle.

Elle perçut un liquide sur le bout de ses doigts et capta l'odeur du sang.

— Il saigne. Il nous faut un médecin. Et une ambulance.

Elle entendit un bruit de verre brisé, le choc de la porte enfoncée et des barricades qui cédaient, puis un martèlement de bottes dans l'escalier.

— Il est à terre, répéta-t-elle. Ne tirez pas. Et remettez l'éclairage en route.

— Il a coupé l'électricité, répondit quelqu'un. On travaille à tout réactiver.

C'était Lowenbaum. Il s'agenouilla, décrocha une lampe torche suspendue à sa ceinture. Il fit courir sa lumière sur la silhouette étendue de Mackie.

— Ses lunettes ont explosé. On dirait qu'il a des éclats dans les yeux. Faites venir le médecin ! ordonna-t-il d'une voix forte.

— Mackie attendra. Le lieutenant a été blessé, dit Connors.

À ces mots, Eve baissa les yeux vers son bras et vit le sang qui s'écoulait le long de sa manche.

— Il m'a juste effleurée, dit-elle.

— Tu parles !

Connors l'aida à se relever et lui retira sa veste.

— Calme-toi, lui dit-elle. Je sais quand je suis sérieusement touchée.

— Foutaises. Si tu le savais, tu porterais tes protections.

— J'en avais... Le manteau de Peabody.

Elle siffla quand il déchira la manche et s'en servit pour arrêter l'écoulement du sang.

— Un manteau que tu ne portes pas sur toi, si ?

— Je...

— Et je n'y ai pas pensé moi-même avant qu'il soit trop tard.

Il referma le pansement de fortune sur la blessure puis lui prit le visage entre ses mains. Face à la lueur d'avertissement qui s'était allumée dans le regard d'Eve – ne t'avise pas de m'embrasser ! – il faillit sourire.

— Tu feras soigner ça correctement, dit-il.

— Oui. Oui. Beau bandage improvisé, merci. Maintenant je vais surtout m'assurer que mon suspect reste en vie.

Elle se tourna vers Peabody qui venait d'arriver au pas de course.

— Les civils ?

— En sécurité, toujours à leur domicile. Le chien est super mignon. Les médecins sont en route, ils seront là dans une minute. On est en train de sécuriser le bâtiment et Feeney travaille avec McNab et Callendar pour rétablir l'électricité. Vous avez été blessée !

— Égratignée, plutôt.

— Mais... Mais... Vous aviez mon manteau magique.

— Je l'ai retiré. Pas de sermon, dit Eve avant que Peabody enchaîne sur un discours similaire à celui de Connors. Quand l'électricité sera revenue, demandez à la DDE d'examiner tous les appareils électroniques. Après quoi...

— Dallas, vous devriez jeter un coup d'œil !

Elle tourna la tête vers Lowenbaum qui balayait de sa lampe le reste de la pièce. Ou plutôt de l'armurerie.

Sur un établi usé étaient disposées plus d'une vingtaine d'armes : fusils à courte et longue portée, couteaux, bombes. Gilets pare-balles et protections diverses étaient suspendus à des patères, à côté de jumelles et d'autres lunettes de vision nocturne.

— Il a dû accumuler tout ça au fil du temps, peut-être en commençant avant la mort de sa femme.

— Il y a aussi un couteau planté dans le mur, là-bas, indiqua Peabody.

— C'était donc ça tout à l'heure.

Eve baissa les yeux vers Mackie.

— Vous trouverez aussi des doses de Funk. J'ai vu ses mains prises de tremblements.

Elle recula pour laisser passer les ambulanciers.

— Soignez ses blessures et faites en sorte qu'il reprenne ses esprits. J'ai besoin de pouvoir l'interroger au Central.

Pour éviter que Connors ne la harcèle, elle les laissa aussi s'occuper de son bras pendant que Lowenbaum, Feeney et elle faisaient le point.

— Il avait installé une double protection sur les portes et les fenêtres, lui annonça Lowenbaum. Si on avait tenté de donner l'assaut, il aurait abattu plusieurs d'entre nous.

— C'est possible. Je ne voulais pas prendre ce risque. Mais il n'est plus le tireur qu'il était. Mon équipe a trouvé deux réservoirs de Funk dissimulés dans la penderie de sa chambre. Sans doute pour les cacher aux yeux de sa fille, mais il aurait fallu qu'elle soit aveugle et sourde pour ne pas en constater les effets.

— Lui qui était si fier de sa vue exceptionnelle et de ses mains hyper stables, souffla Lowenbaum en secouant la tête. Et il s'est mis au Funk, en sachant très bien qu'il perdrait les deux.

— Vous avez déjà rencontré un accro au Funk qui ne se pensait pas capable de gérer les effets... jusqu'au moment où il était trop tard ? Je me rends à l'hôpital. J'ai quatre agents sur place pour le surveiller. À moins qu'il soit mourant, il sera en prison dès ce soir.

Feeney haussa les épaules.

— J'ai entendu le médecin dire qu'il aurait besoin d'être opéré à l'œil droit, et peut-être aussi au gauche. Même avec des soins, il ne retrouvera jamais toute son acuité. Une partie des dommages vient du Funk. Il a aussi des brûlures sur le mollet, là où le cuir de sa botte l'a brûlé. Je ne vais pas pleurer pour lui.

— C'était un type bien, autrefois. Je ne vais pas pleurer pour lui, moi non plus, ajouta Lowenbaum. Mais je suis bien triste qu'il se soit perdu comme ça.

— Sa fille est toujours en cavale, leur rappela Eve.

Elle se leva sans prêter attention à la brûlure superficielle le long de son bras.

— Et elle n'a aucun problème de vue ou de mains qui tremblent, elle. Alors on le soigne, on l'enferme et on le fait parler.

— C'est son enfant, Dallas. Je ne vois pas comment vous espérez le retourner contre elle.

— C'est un junkie, répondit-elle d'un ton catégorique. Il parlera.

Mais ce ne serait pas cette nuit-là. Eve se querella avec les infirmières, les médecins et finalement avec le chirurgien. En vain. Reginald Mackie ne pouvait pas sortir – et ne sortirait pas – de l'hôpital avant au moins douze heures.

— Nous avons retiré seize éclats de lentille infrarouge de son œil droit et sept de son œil gauche.

— Il a tué sept personnes en deux jours.

Le chirurgien laissa échapper un soupir. Sans doute ses propres yeux trahissaient-ils une grande fatigue mais Eve s'en fichait.

— Vous faites votre travail, lieutenant. Je fais le mien. Les infos que je vous donne sont factuelles. Son addiction a déjà compromis sa vision, sa rétine et ses nerfs optiques. Le traumatisme de ce soir n'a fait qu'endommager plus encore ses cornées et ses rétines. Une fois guéri de son addiction, il fera un candidat viable pour une greffe, ou au moins une opération chirurgicale supplémentaire, mais dans l'immédiat nous avons fait tout ce qui pouvait l'être. Ses yeux et lui ont besoin de repos. Nous devons le maintenir sous observation car il y a un vrai risque de détérioration et d'infection.

— Il est conscient ?

— Oui, il devrait l'être. Il est également attaché et sous surveillance. Nos propres agents de sécurité prêtent main-forte à vos hommes. Nous sommes parfaitement conscients de son identité et de ce qu'il a fait.

— Je veux lui parler.

— Du point de vue médical, je n'y vois aucune objection. Il a la tête dans un stabilisateur. Nous ne voulons pas qu'il la bouge, ni qu'il entrouvre les yeux d'une quelconque manière, durant les douze prochaines heures. Après cela, je l'examinerai de nouveau, avec l'espoir de pouvoir le déclarer apte à quitter l'hôpital sous votre égide.

Obligée d'admettre qu'elle n'obtiendrait pas mieux, Eve se rendit jusqu'à la chambre de Mackie. Elle passa devant les deux agents qui gardaient la porte et pénétra à l'intérieur, où se tenaient deux sentinelles supplémentaires.

Mackie était allongé, immobile, sa tête légèrement inclinée à l'intérieur de l'espèce de cage du stabilisateur, les yeux recouverts de bandages. Des tubes couraient de son corps jusqu'à une série de machines qui cliquetaient et bourdonnaient.

Comme elle détestait les hôpitaux ! Cela avait toujours été le cas depuis qu'elle s'était réveillée dans une chambre de ce genre à l'âge de huit ans. Battue, brisée, sans la moindre idée de l'endroit où elle se trouvait... ni de qui elle était.

Mackie, lui, le savait très bien.

Elle fit signe aux agents de sortir puis s'approcha du lit.

— Enregistrement, ordonna-t-elle d'une voix claire.

Elle vit les doigts de Mackie se crisper en réaction.

— Dallas, lieutenant Eve, interroge Mackie, Reginald. Mackie, au cas où cela vous aurait échappé, vous êtes en état d'arrestation pour plusieurs chefs d'accusation de meurtre, complot visant à commettre un meurtre, possession d'armes illégales, attaque à main armée contre des représentants de la loi et un paquet d'autres délits de moindre gravité. Une belle cascade de chefs d'accusation, comme on dit dans le métier. Par ailleurs, au cas où vous les auriez oubliés, je vais vous relire vos droits.

Comme elle récitait lentement le code Miranda révisé, elle observa Mackie, le vit serrer les mâchoires, lèvres pincées, tandis que ses doigts pianotaient sur les draps.

— Avez-vous compris vos droits et obligations dans ce cadre ? Je sais que vous êtes réveillé et conscient, Mackie, dit-elle après un silence. Et vous savez que vous ne tarderez pas à sortir d'ici pour vous retrouver en cellule. Faire obstruction ne vous mènera nulle part. Nous la trouverons.

Elle vit le soupçon d'un sourire se former sur les lèvres pincées de Mackie.

— Vous en doutez ? Détrompez-vous. Nous la trouverons et lorsque ce sera fait, elle passera en prison beaucoup plus d'années que vous n'en avez à vivre. Elle a quinze ans ? Elle pourrait bien rester en cage pendant un bon siècle, hors-planète. Sans jamais plus revoir le soleil. Si vous vous imaginez que son âge jouera en sa faveur, là aussi détrompez-vous. J'ai déjà fait enfermer quelqu'un de plus jeune qu'elle. Si vous m'obligez à partir en chasse, je me donnerai pour mission de faire en sorte qu'elle passe le restant de ses jours en cage, comme un animal.

Malgré ses mains qui tremblaient, Mackie parvint à tendre le majeur de sa main droite.

— Oh, j'en prends pour mon grade. Je suppose que vous êtes content de vous, allongé là avec les veines pleines d'antalgiques et de médicaments pour atténuer les effets de manque du Funk. Mais ça ne durera pas. Je me demande si vous croyez Willow en chemin pour l'Alaska. Oui, ajouta-t-elle en le voyant serrer les poings, on est au courant pour l'Alaska. Si elle était partie, on l'aurait déjà appréhendée, menottée et jetée en cellule. Mais elle ne va pas en Alaska, espèce d'idiot. Elle a sa liste personnelle de cibles à abattre. À commencer par sa mère, son beau-père et son petit frère.

— Menteuse, croassa-t-il.

— Elle a aussi mis la main sur les plans de son lycée.

— Sortez d'ici.

— Et les noms des employés de l'école et des élèves qu'elle prévoit d'éliminer.

La respiration de Mackie se fit saccadée, haletante. Les tremblements s'intensifièrent.

— Avocat, grogna-t-il.

Eve fit semblant de mal interpréter le terme.

— Nous savons que vous aviez un avocat sur votre liste. Là, je parle de la liste de votre fille.

— Avocat, répéta-t-il. Je veux un avocat.

— Vous comprenez donc vos droits et obligations ?

— Je les comprends et je veux un avocat.

— C'est votre choix. Mauvais, en l'occurrence, mais ce n'est pas étonnant quand on connaît votre parcours. Donnez-moi un nom ou un numéro et nous ferons venir votre avocat.

— Commis d'office.

— Vous voulez être représenté par un avocat commis d'office. D'accord. C'est vraiment un très mauvais choix, mais je vais lancer la procédure. D'après le médecin, vous serez prêt à sortir dans moins de douze heures. Profitez bien du confort de cette chambre tant que c'est encore possible. Après ça, les choses vont sérieusement se détériorer. Fin de l'interrogatoire.

Eve s'avança jusqu'à la porte, éteignit son enregistreur.

— Vous avez beaucoup de sang sur les mains, Mackie. Auquel viendra peut-être s'ajouter celui de votre fille avant que cette affaire soit bouclée. Réfléchissez-y pendant que vous attendez votre avocat.

Elle sortit et fit un geste du pouce pour indiquer aux deux agents en uniforme de retourner dans la chambre.

— Il a demandé un avocat, indiqua-t-elle aux gardes de la porte. Je vais arranger ça. Que personne n'entre dans cette chambre en dehors dudit avocat et du personnel soignant autorisé. Vérifiez l'identité de tout le monde et assurez-vous que quiconque entre ne porte pas d'arme.

— À vos ordres, lieutenant.

— Trouvez-vous des sièges, conseilla-t-elle. La nuit s'annonce longue.

Elle s'éloigna à la recherche de l'infirmière cadre, à qui elle présenta son insigne.

— Je veux être informée à la minute où Reginald Mackie sera déclaré apte à être transporté.

— Bien sûr.

— Il a demandé un avocat et je vais lui en envoyer un. Personne ne devra avoir accès à lui en dehors de l'avocat en question, une fois nommé, du personnel nécessaire pour ses soins et des policiers associés à l'enquête.

— Compris.

— Si quiconque tente d'obtenir des informations quant à son état, prenez note du contact mais ne leur dites rien.

— Je ne suis pas une débutante, lieutenant. Je sais comment il faut procéder.

— Bien. Veillez à ce que ce soit aussi le cas des autres.

Eve repartit et dégaina son communicateur afin d'entamer les démarches pour fournir à Mackie son avocat commis d'office.

Connors l'accosta et lui tendit un tube de Pepsi.

— Le café ici est meilleur que celui du Central, mais pas de beaucoup, dit-il.

— Merci. J'ai encore besoin de quelques minutes. Je veux informer le commandant, parler à Peabody, et m'assurer que Mira sera disponible, avec toutes ses casquettes, quand j'emmènerai enfin Mackie en salle d'interrogatoire demain. Et je veux aussi m'entretenir avec Nadine, qu'elle inonde les écrans avec les photos de la fille. Les autres médias suivront.

— Prends ton temps.

Il lui fallut une demi-heure mais, une fois convaincue d'avoir fait tout le maximum, elle lança le tube vide dans le recycleur. Un panier à deux points.

— Mackie se convainc peut-être qu'elle est en route pour l'Alaska, mais elle est toujours là. Toujours à New York. Et elle prépare sa prochaine attaque.

— Je suis d'accord avec toi mais il n'y a rien que tu puisses faire ici et maintenant. Tu devrais rentrer à la maison et prendre un peu de repos.

— Oui, tu as sans doute raison...

Elle lança un regard en arrière tandis que Connors la guidait vers l'ascenseur.

— Je lui souhaite de bien dormir cette nuit parce que c'est la dernière qu'il ne passe pas derrière les barreaux.

14

Elle s'endormit dans la voiture. Son mini-ordinateur lui échappa des mains pour retomber sur ses genoux. Connors tendit la main pour le ramasser et le glisser dans la poche d'Eve, dont il inclina ensuite le siège en arrière.

Il s'inquiétait pour elle. Il avait beau comprendre qu'elle agissait ainsi par nécessité, qu'elle poussait son équipe et elle-même jusqu'à la limite parce qu'elle n'avait pas le choix, il s'inquiétait à son sujet.

Il savait à quel point ses défenses s'amenuisaient quand elle travaillait jusqu'à l'épuisement.

Au moins allait-elle dormir quelques heures dans son propre lit, se dit-il pour se rassurer comme ils franchissaient le portail de leur demeure. Et il ferait en sorte qu'elle mange un petit-déjeuner correct une fois levée.

Lui aussi s'assurait de toujours faire le nécessaire, et Eve était systématiquement en tête de ses priorités.

Il s'apprêtait à la porter pour l'emmener directement au lit quand elle bougea et ouvrit les yeux.

— Ça ira, marmonna-t-elle en se redressant en position assise. Je suis encore debout.

— Tu as besoin de sommeil, dit-il en lui glissant un bras autour de la taille sur le chemin.

— Oui. Je me suis presque endormie. Il faut que je me lève à 6 heures. Non, 5 h 30 plutôt. Je veux régler quelques trucs avant de me rendre au Central, pour être prête à accueillir Mackie.

— 5 h 30, noté.

— Je peux compter sur toi pour ça.

Elle inclina la tête vers l'épaule de Connors, sentit qu'elle était à deux doigts de dormir debout.

— On ne peut pas faire autre chose que du porridge ? Je sais que tu penses déjà à ce que tu vas me faire à manger demain.

— Des pancakes, dit-il.

Submergé par une vague d'amour, il lui embrassa doucement les cheveux.

— Avec du bacon et des fruits rouges, ajouta-t-il.

Il finit par la porter sur le reste du chemin, lui retira ses boots tandis qu'elle se débarrassait maladroitement de son manteau. Ils la déshabillèrent de concert. Elle parvint à maugréer un « merci » en se glissant sous les couvertures. Le temps qu'il la rejoigne et la prenne dans ses bras, elle était déjà profondément endormie.

Il s'abandonna à son tour au sommeil.

Eve se tenait debout sur le cercle de glace blanche couvert de flaques de sang. Le vent avait le tranchant d'un rasoir. Au cœur de la nuit noire, le sang paraissait noir par contraste avec le blanc et les corps dont il s'écoulait étaient d'un gris pâle et maladif.

Elle fit face à la fille, la fille à peau lisse, aux dreadlocks noires et aux yeux d'un vert plein d'audace.

Et l'émotion qu'elle ressentit à cet instant, en plongeant son regard dans ces audacieux yeux verts, évoquait la pitié. Un sentiment qu'elle devait repousser, même en rêve.

— Je suis meilleure que toi, lui lança Willow avec un sourire suffisant.

— Pour tuer des civils désarmés ? Oui, je te l'accorde volontiers.

— Je suis meilleure en tout. Je sais ce que je suis. *J'aime* ce que je suis. Et je suis la meilleure pour ça. Mais toi ? Toi, tu fais semblant d'être ce que tu n'es pas.

— Je suis flic. Je n'ai pas à faire semblant.

— Tu es une tueuse, tout comme moi.

— Nous ne nous ressemblons en rien.

Pourtant quelque chose réagit dans le for intérieur d'Eve en entendant ces mots ; ceux de Willow et les siens.

— Tu tues pour le sport, pour le plaisir. Tu tues des gens sans défense et innocents. Parce que tu le peux... jusqu'à ce que j'y mette fin.

— C'est le nombre de morts qui compte, et j'en ai déjà accumulé plus que toi. Les raisons n'ont pas d'importance.

— Bien sûr que si. Qui de nous deux est en fuite et se cache ? Pas moi.

— Je suis là ! lança Willow en ouvrant grands les bras face à une bourrasque de vent. Toi, tu te caches chaque jour. Chaque jour tu fuis la réalité de qui tu es vraiment, au fond de toi.

La lumière rouge se mit à pulser dans l'obscurité de la nuit noire, inondant la glace blanche de reflets écarlates.

— Tu t'es retournée contre ton propre père, ajouta Willow.

Eve baissa les yeux vers le corps de Richard Troy, vers le sang qui s'échappait de plus d'une dizaine de blessures.

— Exact. Et je recommencerais si c'était à refaire.

— Parce que tu es une tueuse.

— Parce que c'était un monstre.

— Qui a décrété que tu avais le droit de choisir et pas moi ? Des gens ont fait du mal à mon père et maintenant ils sont morts.

— Ton père est un salopard égoïste et dérangé.

Willow sourit de nouveau.

— Le tien aussi. Mais mon père m'aime. Il m'a formée, m'a aidée à devenir ce que je suis. Tout comme le tien.

— Je suis devenue ce que je suis malgré lui. En quoi a-t-elle fait du tort à ton père ? demanda Eve en pointant du doigt le cadavre de la jeune fille en rouge.

— Je ne l'aimais pas. Une frimeuse. Le genre qui se croit meilleure que moi. Comme toi. Quand j'aurai terminé, je reviendrai m'occuper de toi.

— Quand j'en aurai fini avec toi, petite détraquée, tu vivras dans une cage de béton. Tout comme ton paternel.

Willow rejeta la tête en arrière dans un éclat de rire.

— Tu me tuerais si tu pouvais, parce que c'est ce que tu es. Mais tu ne me retrouveras pas. J'ai écouté mon père, sale garce. J'ai appris, j'ai travaillé dur et je n'ai pas terminé. Loin de là. Je vais commencer par rayer chaque nom sur ma liste, puis je tuerai tous ceux à qui tu tiens. Je te garderai pour la fin.

Willow leva son fusil d'assaut. Eve dégaina son arme.

— Et ensuite... dit Willow.

Elles tirèrent en même temps.

Eve se réveilla brutalement, au creux des bras de Connors.

— Chut, ma chérie. Tout va bien, ce n'était qu'un rêve.

— Elle dit que nous sommes pareilles. Mais non. Nous ne sommes pas pareilles.

— Tout va bien, répéta Connors. Tu as froid, on dirait. Laisse-moi allumer le feu.

Elle le retint en s'enroulant autour de lui.

— Nous ne sommes pas pareilles. Ce n'est pas parce que nos pères sont des salauds que nous sommes identiques. Mais elle ne renoncera pas, et moi non plus. Qu'est-ce qu'il faut comprendre ?

— Qu'elle est aussi perturbée que son père. Et que tu feras ton travail. Tu feras tout ce qui est nécessaire pour protéger les autres, même quand tu te fais la représentante des morts, de ceux qu'elle a tués. Vous n'êtes pas pareilles, Eve. Vous êtes à l'opposé l'une de l'autre.

— On aurait pu être pareilles. On aurait pu...

Elle pressa son visage contre l'épaule de Connors, une épaule qui était toujours là quand elle en avait le plus besoin.

— À quel point est-ce grâce à toi ? demanda-t-elle.

Elle se pencha en arrière, lui prit le visage entre ses mains. Même dans l'obscurité, elle devinait le bleu sauvage et merveilleux de ses yeux.

— Je t'aime, souffla-t-elle.

— *A ghrá*, répondit-il en l'embrassant avec douceur. Mon unique.

— Je t'aime, répéta-t-elle en déversant tout son amour dans ce baiser. Tu m'as sauvée.

— Mutuellement, dit-il.

Il la rallongea sur le lit et la recouvrit de son corps.

— Nous nous sommes sauvés mutuellement.

Elle avait besoin de lui, de l'acte d'amour physique, tangible. Bouche contre bouche, mains explorant le corps de l'autre, cœur battant contre cœur battant.

Fini le froid, les ténèbres, l'affreuse lumière rouge intermittente et le sang noir sur fond blanc. Bienvenue à la chaleur, à la beauté et à la passion, à toute la magie qu'il avait fait naître dans la vie d'Eve par son seul amour.

Quoi qu'elle ait pu être, quoi qu'elle ait pu devenir, elle était plus encore grâce à cet amour.

« Si forte, songea Connors, et en même temps si vulnérable. »

Deux aspects d'Eve en conflit permanent. Mais cette dynamique définissait ce qu'elle était. Et à cet instant, elle était avant tout sienne.

Alors il l'apaisa avec de longues et douces caresses ; il fit monter son désir à l'aide de petits baisers. Il accueillit et profita du magnifique présent qu'elle représentait pour lui, s'enivra des sensations de ses membres élancés, de ses muscles durs sous la peau souple. La pulsation à son cou, à ses poignets, les battements forts et vivants de son cœur. Tant de vie enchevêtrée à la sienne.

Et c'était exactement ce dont Eve avait besoin en cet instant précis. Plus que de sommeil, de nourriture et même d'oxygène. Elle avait besoin de sentir le corps de Connors s'unir au sien. Comme un témoignage de ce qu'elle était, de ce qu'il était. De ce qu'ils étaient ensemble.

Loin de la mort, loin de la violence, loin du froid.

Elle s'ouvrit pour lui, l'accueillit en elle, s'offrit pleinement à cette étreinte. Ils oscillèrent ensemble, de plus en plus haut, le plaisir allant crescendo, jusqu'à ce que plus rien d'autre n'existe.

Et ils atteignirent ce moment, cet instant exquis où ils laissaient aller en l'autre leur être tout entier.

Remplie par l'amour de Connors, Eve se mit à pleurer.

— Qu'est-ce qu'il y a ? Qu'est-ce qui ne va pas ?

Défait, il l'attira de nouveau à lui et tenta de chasser les larmes à coups de baisers. Eve s'accrochait à lui, tremblante.

— Je ne sais pas, admit-elle dans un souffle.

Alors il changea de position pour pouvoir la tenir et la bercer entre ses bras. Il ne s'en sentait pas moins impuissant.

— C'est idiot, reprit Eve. Pour qui est-ce que je pleure ?

— Tu es épuisée, c'est tout. Nerveusement et physiquement.

C'était plus que cela, elle le savait, mais sans pouvoir mettre le doigt dessus. Ses larmes, si intenses et si brûlantes, étaient motivées par quelque chose, coulaient pour quelqu'un.

— Ça va, dit-elle. Excuse-moi. Ça va.

— Je vais te chercher un cocktail relaxant.

— Non, non. Rappelle-toi, je dois me lever dans quelques heures. Quelle heure est-il ?

Alors même qu'elle posait la question, son communicateur sonna.

Elle se releva d'un bond, les joues toujours humides de larmes, et se précipita pour récupérer l'appareil toujours dans la poche de son pantalon de la veille.

— Éclairage à dix pour cent, ordonna Connors.

— Blocage de la vidéo, dit Eve.

Elle inspira avant de répondre à l'appel :

— Ici Dallas.

— *Dallas, lieutenant Eve, communication du Central. Rendez-vous au Madison Square Garden, croisement de la 31e Rue et de la Septième Avenue. Multiples victimes.*

— Reçu. Contactez Peabody, inspecteur Delia et Lowenbaum, Lieutenant... euh, Mitchell. Je suis en route.

Connors lui lança ses vêtements puis récupéra les siens.

— Il s'agit sûrement de l'avocat, dit Eve en s'habillant. À moins qu'elle ait décidé d'improviser, il doit s'agir de l'avocat que nous n'avons pas pu identifier. Il est plus de 2 heures du matin. Comment a-t-elle fait pour le retrouver ?

— Un concert au Madison Square pour fêter sa reconstruction, répondit Connors. J'imagine que ça s'est terminé aux alentours de 2 heures. Et la salle devait être pleine à craquer. Eve... Mavis était l'une des têtes d'affiche.

Les doigts d'Eve faillirent laisser échapper la sangle du holster qu'elle était en train d'ajuster. Elle s'efforça d'enfiler le reste de sa tenue comme si de rien n'était. Mavis ne serait pas sortie en même temps que la foule. Non, Mavis ne ferait pas partie des victimes.

« Je tuerai tous ceux à qui tu tiens. »

— On avait des billets, ajouta Connors.

Occupée à mettre ses boots, Eve redressa la tête.

— Quoi ? Des billets pour ce concert ?

— Je les ai donnés à Summerset.

Connors se mouvait de manière vive et précise. Il tendit à Eve son manteau puis s'empara du sien. Mais ses yeux... Elle lisait à présent l'inquiétude dans son regard.

— Tu prends le volant, lui dit-elle comme ils se précipitaient hors de la chambre. Je vais essayer de les contacter tous les deux.

« Tous ceux à qui tu tiens. »

Elle afficha le contact de Mavis sur son écran tout en dévalant l'escalier.

Salut ! Je ne suis pas joignable parce que je suis en plein milieu d'un truc génial. Mais on se parle plus tard. Laissez-moi un petit mot pour me dire à propos de quoi. Ciao !

— Mavis, rappelle-moi. C'est urgent. Si tu es encore à Madison Square, reste à l'intérieur. Reste à l'intérieur.

À peine installée dans la voiture, elle appela Summerset.

Je ne suis pas disponible pour le moment. Merci de laisser votre nom, un numéro de téléphone et un bref message. Je vous rappellerai dès que possible.

— Merde, merde, merde… Ils vont bien. Tous les deux. Je suis sûre qu'ils vont bien.

Elle envisagea un instant de joindre Leonardo mais se dit que s'il était resté à la maison avec le bébé, un tel appel ne servirait qu'à le terrifier.

« Ça ne nous avancerait à rien. À rien », se répéta-t-elle intérieurement tandis que Connors accélérait en franchissant le portail.

Elle choisit de régler le communicateur de la console de bord pour qu'il appelle Mavis et Summerset en boucle tandis qu'elle-même contactait Baxter et enclenchait ses gyrophares.

Baxter, qui n'avait pas bloqué la vidéo, avait l'air à la fois épuisé et vaguement halluciné. Un léger duvet recouvrait ses joues et sa coiffure était désordonnée.

— Ici Baxter.

— Elle a frappé au Madison Square, pendant un gros concert. Je suis en route. Prévenez l'équipe. Je veux Jenkinson et Reineke sur place. Que les autres se rendent au Central, sauf instructions contraires de ma part.

— Compris.

Elle raccrocha pour joindre Feeney.

— Je suis déjà en chemin, répondit-il en apparaissant à l'écran. McNab m'a fait passer l'info. Arrivée prévue dans une quinzaine de minutes. Tu sais combien on a de victimes ?

— Non, on est encore à cinq minutes. Je voudrais localiser les communicateurs de Mavis et Summerset. Ils se trouvaient tous les deux à ce concert.

— Bon Dieu. Je m'en occupe... Merde.

Il coupa la communication. Eve fit la seule chose qui lui vint à l'esprit : elle toucha le bras de Connors et le serra dans un bref geste de réconfort. Puis elle rassembla ses forces pour faire face à ce qui allait suivre.

— Dès que nous les aurons trouvés, j'aurai besoin que Feeney, McNab et toi bossiez sur le programme. Il faut localiser le poste de tir. Elle n'y sera plus mais il faut qu'on le trouve.

— Je crois qu'il y allait avec Ivanna. Ivanna Liski. Il a mentionné qu'il dînait avec elle et qu'il allait « élargir son horizon musical avec ce fichu concert ». Et je... Je lui ai suggéré d'emmener Ivanna dans les coulisses pour rencontrer Mavis. Qu'il devrait voir si c'était possible.

Ivanna. Une blonde délicate, se remémora Eve, ancienne ballerine... et ex-espionne. Ancien amour de Summerset, également, sans doute.

— Ils étaient donc probablement tous les deux à l'intérieur lors de l'attaque. On va les retrouver.

La Septième Avenue était plongée dans le chaos. Connors emprunta la 35e Rue, slalomant entre véhicules et barrières de sécurité au milieu du vacarme des sirènes et des lumières aveuglantes.

Eve avait déjà connu ce chaos auparavant, quand le groupe connu sous le nom de Cassandra avait fait sauter le stade dans sa folle quête pour détruire tous les lieux emblématiques de New York. Et à présent qu'il avait été reconstruit, rénové et rouvert, ce lieu indéfectible venait d'être pris pour cible par un autre tueur.

Aurait-elle dû s'en douter ? Anticiper l'attaque ?

Elle chassa ces pensées et bondit hors de la voiture en même temps que Connors.

— Attends, l'enjoignit-elle. Ils ne te laisseront pas passer et j'ai besoin de mon kit de terrain.

Elle le récupéra dans le coffre, accrocha son insigne au revers de son manteau puis tous deux fendirent la foule qui s'était massée contre le cordon policier.

— Lieutenant ! Bon Dieu, lieutenant, c'est un vrai bordel ici !

— Maintenez le cordon de sécurité, répondit Eve à l'agent qui l'interpellait. Et commencez à l'élargir. Je veux une zone dégagée allant de la Sixième Avenue à l'est jusqu'à la Huitième à l'ouest, et deux pâtés de maisons au nord et au sud. Combien de victimes ?

— Je ne pourrais pas vous dire, lieutenant. On nous a appelés pour gérer les attroupements. J'ai entendu parler d'une vingtaine de victimes mais je n'en suis pas sûr.

Eve reprit sa route au milieu d'une zone envahie de policiers, d'ambulanciers et de civils en pleurs. Ainsi, constata-t-elle en approchant du stade, que de morts et de blessés.

Des hélicoptères tournoyaient au-dessus de leurs têtes – ceux de la police et des médias – et au sol, sur les trottoirs, les flics et le personnel médical se démenaient pour aider les blessés et protéger les corps des défunts. Pour maintenir l'ordre alors qu'une nouvelle attaque pouvait être lancée de n'importe où.

Les gyrophares des voitures de police inondaient le monde de rouge et de bleu. L'air était saturé par les cris de détresse et l'odeur cuivrée du sang.

— Ah, bon Dieu...

Comme ils se tenaient épaule contre épaule, elle perçut le frisson qui traversa Connors.

— Il est là, dit-il. Là-bas, en train d'aider les ambulanciers.

Eve repéra à son tour Summerset, avec sa silhouette décharnée, sa crinière de cheveux gris et ses mains longues et fines... à présent tachées de sang comme il se tenait agenouillé auprès d'une femme qui saignait d'une blessure au flanc et d'une entaille à la tempe.

Elle sentit une onde de soulagement dans sa propre poitrine et emboîta le pas de Connors. Celui-ci s'accroupit à côté de Summerset et le prit par le bras.

— Tu es blessé ? Dis-moi si tu es blessé.

— Non, nous étions à l'intérieur. On sortait. On a... J'ai entendu les cris. J'ai vu... Il faut que je stoppe cette hémorragie.

Summerset s'exprimait d'un ton sec, presque froid, mais quand il leva les yeux vers elle, Eve y lut l'horreur et le chagrin.

— Mavis et Leonardo n'ont rien, dit-il. Ils sont dedans, ils ne sont pas sortis. J'ai envoyé Ivanna les rejoindre.

Les yeux d'Eve la piquaient et elle sentit sa gorge se serrer. Elle dut se contenter de hocher la tête. Puis, prenant une profonde inspiration, elle s'accroupit à son tour pour regarder Summerset dans les yeux.

— Allumez votre communicateur, dit-elle.

— Quoi ?

— Il faut que vous allumiez votre communicateur, au cas où j'aurais besoin de vous joindre. Il faudra que je vous interroge par la suite, dans le détail. Mais pour le moment rallumez simplement votre communicateur et continuez ce que vous êtes en train de faire... Vous êtes entre de bonnes mains, dit-elle à la femme blessée qui braquait sur elle des yeux rendus vitreux par le choc. De bonnes mains, répéta-t-elle en se relevant.

Elle pivota sur elle-même et remplit de nouveau ses poumons.

— Vous... et vous, lança-t-elle en attrapant au hasard deux agents en uniforme. Je veux une escouade pour escorter les ambulances et les véhicules d'urgence jusqu'à cette zone. Qu'on dégage la voie pour que les équipes médicales puissent entrer et ressortir sans mal. Que rien, je répète, que rien ni personne ne passe au-delà de la Sixième, de la Huitième, de la 36e ou de la 32e qui ne soit pas du NYPSD ou du personnel médical. Bougez-vous ! Tout de suite !

Elle pivota vers deux autres agents.

— Et vous ! lança-t-elle. Vous pensez qu'ouvrir de grands yeux éberlués va aider les gens ? Rentrez dans le stade et remettez-y un minimum d'ordre. Que personne n'en sorte sans mon feu vert. On se bouge !

— Le sergent nous a dit de rester ici, répondit l'un d'eux.

Eve le fusilla du regard puis désigna son insigne.

— Qu'est-ce que ça dit ?

— Lieutenant.

— Et le lieutenant vient de vous donner un ordre.

Elle s'éloigna rapidement pour rejoindre une femme-médecin qu'elle connaissait.

— Peut-on transporter certains des blessés légers à l'intérieur ?

— On pourrait, répondit le médecin. Mais ils en ont bloqué l'accès.

— Je le débloque. Si vous pouvez dépêcher deux soignants, ils n'auront qu'à traiter les blessures légères à l'intérieur. On va faire en sorte de dégager un chemin pour les transports.

— Alléluia.

— Vous connaissez le nombre de victimes ?

La femme médecin secoua la tête.

— J'ai compté une dizaine de morts et deux fois plus de blessés. Ça pourrait être plus.

— Dallas ?

Jetant un coup d'œil par-dessus son épaule, Eve fut surprise de voir Berenski boiter dans sa direction, l'œil gonflé et amoché.

— Vous êtes blessé ?

— J'ai été un peu bousculé dans la panique, rien de plus. J'étais avec quelques copains du labo. On s'en est tous bien sortis mais... Les gens couraient, criaient, se piétinaient mutuellement pour essayer de s'enfuir. Ils pensaient que le stade allait de nouveau sauter.

Le souffle court, il contempla les alentours avec un regard un peu lointain.

— Bon sang, Dallas... Quel merdier...

— Vous voulez qu'un médecin vous examine ?

— Non. Non. J'ai une formation médicale de base, mais je suis pas sûr d'en savoir assez pour me rendre utile.

— Je vois Feeney qui arrive. Joignez-vous à lui et à l'équipe de la DDE. Travaillez sur le programme.

— Ouais, ça, je peux faire. Je peux faire, répéta-t-il en clopinant vers Feeney.

Aucun moyen de préserver l'état de la scène de crime, estima-t-elle. Elle avait fait ce qu'elle pouvait pour sécuriser les lieux. Elle prit donc une nouvelle inspiration, chassa toutes les pensées parasites de son esprit et balaya les lieux du regard...

« Tu attendais que le concert se termine. Il était sûrement retransmis en direct, tu avais un moyen de le regarder à l'écran ou au moins de suivre son déroulement. La cible était-elle là ? L'un des noms de la liste ? Ou bien s'agissait-il d'une pure démonstration de force ? Les portes s'ouvrent, les gens commencent à sortir. As-tu attendu ? Combien de temps avant que tu t'accordes le feu vert ? »

Retournant vers Summerset, elle constata qu'il avait arrêté l'hémorragie et s'occupait à présent, avec précaution, de la blessure à la tête, plus superficielle.

— Je vous réquisitionne en tant que consultant expert. Domaine médical, dit-elle.

— Je...

— Vous voyez ce médecin, là-bas ? enchaîna Eve avec un geste de la main. Elle est solide et fiable. Vous allez travailler avec elle pour faire en sorte que les blessés légers soient transportés à l'intérieur du stade. Je veux qu'ils soient correctement installés mais dans une zone délimitée. L'un de mes agents viendra ensuite les interroger, puis ils seront libres de partir une fois leur témoignage recueilli. Les gens les plus gravement blessés seront triés sur place et transportés aussi vite que possible vers un établissement hospitalier. Je dois m'occuper des morts, vous comprenez ? Vous pouvez participer à vous occuper des vivants.

— Oui, d'accord.

— Il me faudra une liste à jour des noms de toutes les personnes que vous aurez soignées ou déplacées. Compris ?

— Sans problème.

— Je vous contacterai si j'ai besoin de vous pour autre chose.

Elle vit Connors et Feeney pénétrer dans le stade, suivis par un Berenski boitillant.

— Vous voyez cet homme, le crâne d'œuf qui boite ?

— Oui.

— Quand vous aurez le temps, examinez-le. Il s'est fait amocher dans la bousculade. Il sera en compagnie de Connors et Feeney.

— Je ferai de mon mieux.

— Si vous voyez Mavis, dites-lui…

— Ça aussi, c'est compris.

— D'accord.

Eve fit passer son kit de terrain dans son autre main et s'éloigna pour commencer à prendre soin des morts.

Elle en avait identifié deux et se penchait sur le troisième quand Peabody arriva au pas de course.

— Je suis désolée. Mon Dieu, Dallas, on n'arrivait pas à passer. C'est pratiquement l'émeute de l'autre côté des barricades. On a carrément l'impression que Whitney a mobilisé tous les flics de la ville pour tenir la foule à l'écart. Vous voulez que je commence les identifications ?

— Je crois qu'on tient notre cible. Jonah Rothstein, trente-huit ans, avocat. Très probablement notre insaisissable avocat. Il a été touché au ventre, une manière de s'assurer qu'il se viderait de son sang avant que quiconque puisse faire quoi que ce soit pour lui, mais en agonisant néanmoins pendant plusieurs minutes. Vous voyez ces traînées sanglantes ? Il a essayé de ramper. Et regardez ses jambes : après l'avoir atteint au ventre, elle l'a visé deux fois de plus, un tir dans chaque jambe. C'est la première fois qu'elle effectue plusieurs frappes sur la même victime. Ce type est notre cible.

Eve se redressa en position accroupie.

— Il émerge du concert au milieu de la foule, sans doute enthousiasmé par le spectacle. Il est peut-être accompagné de quelqu'un – il est divorcé – et elle le guette. Cette fois, oui, je dirais que cette fois c'est lui qu'elle a abattu en premier. Elle ne voulait pas courir le risque de le perdre dans la foule prise de panique. Après quoi elle a visé des gens au hasard. Pas pour dissimuler sa véritable cible, ce n'est plus nécessaire maintenant. Juste pour le plaisir. Appelez Morris, ajouta Eve.

— C'est déjà fait. Il est en route. Il est peut-être même arrivé avant nous.

— Je ne l'ai pas vu. Cette victime doit être transportée en priorité à la morgue. Veillez à ce que Rothstein soit pris en charge au plus vite.

— Je vais gérer ça avec Morris. Dallas, vous savez combien de gens sont morts ?

Eve se releva. Le personnel médical poursuivait le tri des blessés, mais beaucoup avaient déjà été conduits à l'intérieur tandis que les individus indemnes étaient libérés une fois leur identité vérifiée.

Aux yeux d'Eve le décor, avec ces corps étendus sur la chaussée froide et éclaboussée de sang, évoquait un champ de bataille. Elle dénombra quatorze silhouettes gisant à terre, inertes. Et il y en avait peut-être d'autres.

— Occupons-nous-en, un par un.

Le décompte final monta à seize personnes mortes sur place et deux autres décédées des suites de leurs blessures dans les heures qui suivirent. Plus quatre-vingt-quatre blessés.

C'est avec le poids de toutes ces victimes sur ses épaules qu'Eve se dirigea vers l'intérieur du stade, dans l'air glacial qui précédait l'aube. Il était temps de s'attaquer à l'étape suivante.

Elle balaya du regard l'immense hall d'entrée, avec son sol en marbre sous les éclairages puissants, puis s'approcha de Jenkinson.

— Je vous écoute, dit-elle.

— Les rapports sont contradictoires. La plupart des gens n'ont rien compris à ce qui se passait. Beaucoup ne sont même pas arrivés dehors, ils ont été bousculés, jetés à terre et piétinés dans l'enceinte du stade. Quelqu'un a crié un truc à propos d'une bombe et c'est ce qui a mis le feu aux poudres.

La mine sombre et fatiguée, il fit lui aussi courir son regard sur le hall. Les blessés avaient été emmenés mais des traces de sang maculaient encore le sol jonché d'articles divers perdus et oubliés dans la panique.

— Même chose dehors, d'après ce qu'on nous a dit. Les témoignages divergent quant à la première frappe, mais j'ai trouvé un agent de sécurité qui avait gardé son sang-froid et il affirme que les deux premières victimes ont été abattues à 1 h 50 et 1 h 51. Dix minutes après que les gens ont commencé à sortir, d'après lui.

Jenkinson se frotta la nuque puis vérifia le contenu de ses notes.

— Un homme en pardessus noir, avec des cheveux blonds mi-longs. Ce serait lui, le premier visé, d'après l'agent de sécurité. Puis une femme rousse, manteau noir ou gris foncé. Mais il dit aussi que la première victime a subi une deuxième frappe, voire une troisième. Il ne peut pas affirmer avec certitude si c'était après la deuxième ou la troisième victime. Les choses sont vite parties en vrille.

— Cet agent ne serait pas un ancien policier ?

— C'est marrant que vous posiez la question. Il a passé vingt-cinq ans chez nous, essentiellement dans le Queens.

— Il a toujours l'œil. La première victime, le blond avec un manteau noir, était notre avocat. Jonah Rothstein. Trois impacts. Gardez cet agent sous la main au cas où il se rappellerait d'autres détails. Les corps sont désormais à la morgue ou en cours de transport. Certains blessés reçoivent encore des soins dehors mais les choses sont sous contrôle. Je veux que le secteur reste bouclé jusqu'à ce que nous ayons tout réglé. Reineke et vous pouvez passer la main à Carmichael et Santiago. Allez glaner quelques heures de sommeil.

— Compris, lieutenant. Mais si vous avez besoin qu'on revienne sur place, on sera là. Je me suis pris un petit remontant, dit-il en se frottant le visage. Quels salopards. Je les déteste…

— Je vous comprends. Prenez donc quelques heures de repos, parce que la journée va être chargée. Où s'est installée la DDE ?

Malgré son pas alerte, il lui fallut cinq bonnes minutes pour atteindre l'impressionnant centre de sécurité où son équipe de geeks était à l'œuvre.

Elle lança un coup d'œil aux écrans, tenta de ne pas prêter attention aux termes techniques incompréhensibles qu'ils échangeaient les uns avec les autres, et vit les rayons laser frapper la zone du Madison Square Garden depuis Lexington et la Troisième Avenue. Le quartier de Murray Hill, constata-t-elle.

— On est en train de resserrer la zone potentielle, lui dit Feeney. Quand je dis « on », c'est plutôt Lowenbaum et Berenski.

Elle aperçut effectivement Dickhead penché sur un moniteur à côté de Lowenbaum.

— Si elle utilise la même arme que son salopard de père, nous pensons qu'on peut limiter la zone de recherche à deux pâtés de maisons.

Berenski fit rouler ses épaules et pivota sur son tabouret.

— On ajoute les facteurs liés à l'arme, la portée, la vélocité. On calcule en partant du principe que les tirs sont à pleine puissance, parce qu'avec celle-là ce ne serait guère étonnant, et puis on...

— Je n'ai pas besoin de la formule exacte pour le moment. Donnez-moi simplement les plus hautes probabilités. Faites vite et je vous laisserai peut-être me donner un petit cours technique ensuite.

Il cligna les yeux, pris de court, et passa les doigts sur son ersatz de moustache.

— Ouais, d'accord. On peut faire comme ça.

— On penche plutôt pour ce coin-là, dit Connors en désignant trois immeubles. Les deux premiers sont sur Lexington, l'autre sur la Troisième Avenue.

— Elle aime l'East Side, fit remarquer Eve. C'est le quartier qu'elle connaît le mieux.

— Il semblerait. L'apport de nos experts en armement au programme a largement affiné les résultats. Ces trois-là sont tous des immeubles à faible niveau de sécurité, avec des bureaux bon marché et des appartements bas de gamme en location.

— On commencera par là. Vous pouvez appliquer les mêmes calculs à l'attaque sur Times Square ?

— Je suis en train, dit McNab. On devrait pouvoir vous fournir rapidement les emplacements les plus probables en tenant compte de ces facteurs.

— Peabody, transmettez les résultats à Baxter et Trueheart, puis envoyez l'agent Carmichael et son équipe visiter les lieux, dit Eve.

Elle consulta sa montre.

— Soyez prête à repartir pour le Central quand je vous ferai signe.

Elle avait un dernier arrêt à effectuer. Elle redescendit au niveau de l'entrée, demanda son chemin et prit la direction des loges. Il semblait improbable qu'elle puisse y obtenir des informations utiles à sa chasse à l'homme. Mais elle n'imaginait pas partir sans avoir vu ceux qu'elle aimait.

Les gens que Willow avait menacés de mort dans son rêve.

Elle entendit Nadine avant de la voir, reconnut sa voix empreinte d'une grande fatigue. Elle était assise par terre, dos au mur, à l'extérieur de l'une des loges. Étonnamment, son maquillage et sa coiffure demeuraient impeccables, prêts à passer devant la caméra. Elle portait une veste en cuir bleu flashy par-dessus une élégante combinaison noire.

Nadine se tenait hanche contre hanche avec un homme à la chevelure noire parsemée de mèches violettes qui bouclait par-dessus le col d'un tee-shirt noir et d'un gilet noir clouté. Il arborait un jean sombre, des bottes usées lacées jusqu'aux chevilles et suffisamment d'anneaux aux oreilles pour rivaliser avec McNab.

Son regard – paupières tombantes, bleu cristallin – croisa celui d'Eve. Sa bouche s'incurva légèrement, accentuant les fossettes de ses joues.

— Voilà ta copine flic, Lois.

— Quoi ? Oh, Dallas !

Nadine se releva précipitamment.

— Qu'est-ce que vous savez ? Que pouvez-vous me dire ? Je suis en contact avec la régie et on a besoin de plus de détails.

Eve songea qu'il était sans doute préférable qu'elle n'ait pas su que Nadine était présente. Une source d'inquiétude en moins.

— Qu'est-ce que *vous* savez ? répliqua-t-elle. Qu'avez-vous vu ? Qu'avez-vous entendu ? Ma mission prime sur le reste.

— Je n'ai rien vu ni entendu du tout. J'étais ici, dans les loges de Mavis, quand l'équipe de sécurité a débarqué en annonçant qu'il y avait un problème. Ils refusent de nous laisser quitter la zone. La compagne de Summerset a été escortée jusqu'ici. Elle est à l'intérieur avec Mavis et Leonardo. Trina aussi est là.

Nadine désigna, en face d'eux, la porte sur laquelle était inscrit le nom de Mavis.

— Allez, Dallas, dites-moi tout. J'en suis réduite à donner des miettes d'informations à mon producteur.

Eve se contenta de dévisager le compagnon de Nadine.

— Qui êtes-vous ?

Nadine laissa échapper un petit rire.

— Je te l'avais dit, lança-t-elle à l'inconnu.

— C'est rafraîchissant, dit-il. Je m'appelle Jake Kincade.

— Ça ne lui dira rien non plus. Dallas, Jake est une rock star. Une vraie. Avenue A, ça vous dit quelque chose ? C'est son groupe, toujours parmi les meilleures ventes depuis quinze ans maintenant.

— Plus ou moins, dit-il. Mais ça n'est pas vraiment important, là tout de suite, si ? Bref…

Il se redressa sur ses longues jambes et lui fit face du haut de son mètre quatre-vingt-quinze, talons de bottes compris, en lui tendant la main.

— Je dirais bien « enchanté » mais la situation est loin d'être un enchantement.

— Combien de morts ? insista Nadine. Vous pouvez au moins me confirmer ça ? C'est important, Dallas.

— Oui, ça l'est. Seize à l'heure actuelle. Deux personnes de plus risquent fort de ne pas survivre, mais nous avons seize décès confirmés sur la scène de crime.

— Bon sang…

Jake tourna la tête vers le fond du corridor.

— Mon groupe est entassé dans les loges, avec nos roadies allongés les uns sur les autres comme des chiots. Ils sont tous en sécurité. Aucun d'entre eux n'a rien eu mais... J'ai les noms de certaines personnes à qui on a offert des billets. Une dizaine. Vous pourriez vérifier pour voir... ?

Eve sortit son carnet.

— Donnez-moi les noms.

Elle les vérifia tandis qu'il récitait la liste de mémoire.

— Aucun d'entre eux n'apparaît parmi les individus décédés ou gravement blessés, dit-elle. Je n'ai pas encore tous les noms des blessés légers, par contre.

— Ça me va. C'est un sacré soulagement. Merci. Ils... En fait, ils avaient gagné un concours pour assister aux répétitions et venir dans les loges avant le concert.

— Jake se rongeait les sangs à l'idée que l'un d'eux puisse être blessé, voire pire, dit Nadine.

— Je vais faire en sorte que vous puissiez tous rentrer chez vous, dit Eve. Ça pourra prendre une petite demi-heure mais quelqu'un va descendre et vous escorter jusqu'à l'extérieur.

— Je n'irai nulle part avant d'avoir eu un tête-à-tête avec vous, répliqua Nadine. La diffusion pourra se faire à distance.

— Rien ne t'arrête, Lois, murmura Jake.

Nadine tourna vers lui un regard étincelant.

— La ville ne va pas tarder à se réveiller, poursuivit-elle en consultant sa montre incrustée de brillants. C'est même déjà le cas. Les gens doivent savoir, Dallas ! C'est leur ville et la nuit dernière était importante. Quelqu'un l'a éclaboussée de beaucoup de sang. Votre travail consiste à arrêter le responsable. Le mien à informer la population, non seulement de ce qui s'est passé ici mais du fait que vous ferez tout ce qui peut l'être pour retrouver le coupable.

— Elle est très forte dans sa partie, commenta Jake, les pouces glissés au coin de ses poches. Et elle affirme que vous l'êtes aussi.

— Je vais vous accorder cinq minutes. C'est tout le temps dont je dispose, précisa Eve avant que Nadine puisse protester. Mais il faut d'abord que je...

Elle lança un regard vers la loge de Mavis.

— Je vais préparer le matériel, dit la journaliste.

— Et moi, m'assurer que le groupe est prêt à partir.

Comme Jake s'éloignait dans le couloir, Eve se tourna vers Nadine.

— Pourquoi Loïs ?

— Comme Loïs Lane, la journaliste de choc du *Daily Planet*. Superman, Dallas, vous avez quand même dû en entendre parler ?

— Oui. Et où est-il, d'ailleurs ? répondit Eve.

Elle ouvrit discrètement la porte de la loge.

À l'intérieur, Leonardo dormait assis sur un fauteuil, Mavis pelotonnée sur ses genoux tel un chat ronronnant. Trina – sans doute venue s'occuper de sa coiffure et de son maquillage – était allongée par terre sur un tapis multicolore. Eve reconnut la vieille amie de Summerset, Ivanna Liski, endormie sur un sofa.

Mais son regard retourna vers Mavis et sa chevelure semblable à un arc-en-ciel désordonné, son joli visage de fée détendu dans le sommeil, enveloppée par les grands bras de Leonardo.

Parce que ses yeux la piquaient et que son estomac se nouait, Eve appuya la tête contre le montant de la porte en tâchant de simplement respirer.

Nadine lui passa une main dans le dos dans un geste de réconfort.

— C'est quand vous voulez, lui dit-elle.

Avec un hochement de tête, Eve se redressa et referma la porte pour leur accorder quelques minutes de plus.

— Allons-y, dit-elle.

15

Tandis qu'il travaillait une fois de plus au service des policiers, l'inquiétude pesait lourdement sur l'esprit de Connors. Il avait beau s'être longuement entraîné à garder son sang-froid et l'esprit clair en temps de crise – sans quoi la tête brûlée en lui aurait passé l'essentiel de son existence en cellule – il avait les épaules si crispées par l'inquiétude qu'elles en devenaient douloureuses.

Sa femme – le centre de son univers – était en chemin vers l'épuisement, ayant à peine eu le temps de se remettre du cauchemar qui avait agité les deux brèves heures de sommeil qu'elle avait difficilement glanées.

Il l'avait lu sur son visage quand elle était passée voir où ils en étaient : cette pâleur aux ombres marquées, sa peau translucide et ses yeux aux cernes violacés.

Il percevait à peu près la même chose auprès des flics dévoués qui œuvraient à ses côtés, cette fatigue tendue comme un ressort derrière leur détermination profonde à aller jusqu'au bout, à ne rien lâcher.

Et il n'y avait pas grand-chose qu'il puisse faire pour arranger les choses. Ce n'était pas le lieu ni le moment pour commander des litres de bon café et des plateaux de nourriture. Ni l'argent ni le pouvoir qu'il avait travaillé toute sa vie à amasser ne pouvaient l'aider.

Aussi employait-il tout son talent et toute sa créativité technologique, avec le sentiment que c'était loin d'être suffisant.

Comment appréhender un tueur en identifiant l'endroit où il s'était trouvé... et où il ne se trouvait certainement plus ? Eve, son flic préféré, dirait que chaque détail comptait. Aussi s'appliquait-il à trouver les détails en question.

Son inquiétude pour Eve se mélangeait à celle qu'il ressentait envers Summerset.

Quelle aide leur offrait-il à présent ?

Il était hanté par l'expression de chagrin et d'horreur sur les traits de Summerset, le sang sur ses mains et, plus encore, le léger tremblement dans sa voix.

C'était un choc, toujours, ces rares aperçus de fragilité chez l'homme qui l'avait pratiquement élevé, l'avait sauvé des ruelles sordides, des passages à tabac, de la faim et de la misère. Qui l'avait aidé à développer cette maîtrise intérieure et à contrôler la fureur qui faisait rage dans les tréfonds de son être.

Où en serait-il, qui serait-il, sans ces deux forces compliquées et contraires ? Il n'aurait pas pu le dire, ne le saurait jamais, mais certainement pas là où il était ni qui il était désormais, à collaborer avec ces flics qu'il avait autrefois détestés.

Eve traquait une tueuse, prête à affronter celui qui avait formé son enfant à tuer. Summerset s'occupait des blessés.

Et lui... Eh bien, il avait fait tout ce qu'il pouvait pour réduire l'éventail des lieux, des positions, des possibilités.

Il se leva et tourna son attention vers Feeney. Une figure paternelle pour Eve. Tout n'était qu'une question de figures paternelles, n'est-ce pas ? Feeney, Summerset, Mackie. Ceux qui formaient et éduquaient, pour le meilleur ou pour le pire.

— Je dois aller trouver Summerset et m'assurer qu'il va bien, dit-il.

— Allez-y, lui répondit Feeney. On est bons ici. Mieux même que je ne l'aurais cru. Vous allez commercialiser ce programme auprès du NYPSD ?

— On considérera plutôt ça comme un cadeau. J'organiserai la cession des droits.

Voilà au moins une chose qui serait utile, se dit-il en les laissant à leur tâche.

Il tenta d'appeler Summerset sur son communicateur mais n'eut droit qu'à son répondeur vidéo. Il avait oublié de rallumer son fichu appareil, ou bien il était trop occupé à éponger du sang ou poser une attelle pour répondre.

Connors envisagea d'appeler Eve mais se dit qu'elle n'apprécierait pas plus que lui-même de voir son travail interrompu en situation de crise.

Lorsqu'il s'aventura au-dehors, les policiers qui montaient la garde ou vaquaient à leurs occupations se contentèrent de hocher la tête sur son passage.

« Autrefois ils m'auraient poursuivi de toutes leurs forces », songea-t-il.

Cette époque était révolue et, même s'il entretenait une pointe de nostalgie pour le frisson de ces aventures passées, il n'aurait pour rien au monde renoncé à la vie qu'il menait à présent, pas même avec le poids de l'inquiétude.

Il la vit en premier, émergeant d'un pas de porte qui, d'après le plan qu'il avait mémorisé, menait aux coulisses, côté gauche. Elle lui parut terriblement pâle et, parce qu'il connaissait si bien ses yeux, il sut tout de suite qu'elle avait pleuré.

Tout en marchant, elle parlait dans son communicateur. Sans doute pour donner de nouvelles instructions, coordonner l'action de ses troupes et recevoir leurs rapports.

Comme il s'avançait vers elle, Summerset franchit les portes menant aux loges du côté droit.

Connors lui trouva de nouveau l'air frêle, les os du crâne trop proéminents sous la peau tirée de son visage. Ce qui se lisait dans ses yeux était plus que de la fatigue. Des larmes, de nouveau, du genre qui vous brûlent le ventre, vous calcinent le cœur et ne s'apaisent pas une fois versées.

À cet instant précis, Connors se sentit partagé entre eux, ces deux amours essentiels, ces deux forces opposées.

Puis il vit Summerset vaciller, très légèrement, et appuyer sa main sur le dos d'un siège pour conserver son équilibre. Un geste qui scella le choix de Connors. Il changea de direction pour rejoindre l'homme qui lui avait offert une vie.

— Il faut que tu t'asseyes, dit-il sur un ton plus sec qu'il ne l'aurait voulu, la gorge serrée par une inquiétude renouvelée. Je vais te chercher de l'eau.

— Je vais bien. Ce n'est pas le cas de beaucoup. Il y a eu tellement de victimes.

— Tu vas tout de même t'asseoir, insista Connors alors qu'Eve les rejoignait. Tous les deux, d'ailleurs ! Vous pouvez bien vous asseoir pendant cinq foutues minutes pendant que je vais vous chercher un foutu verre d'eau.

— Il faut qu'on se rende au Central. Je vais vous demander de m'accompagner, dit Eve à Summerset. Pour faire votre déposition.

— Merde, non ! s'agaça Connors. Il faut qu'il rentre à la maison et se repose. Tu ne vois pas qu'il est lessivé ?

— Ce sera plus facile que de le faire ici, dit Eve. Je pourrai vous faire raccompagner à la maison ensuite.

— Il rentre chez nous, point final. Je vais l'y emmener moi-même.

Eve se tourna brusquement vers lui, une expression furieuse dans le regard.

— Il s'agit d'une enquête de police, nous sommes sur une scène de crime et c'est moi qui décide qui part, pour où et à quel moment !

— Alors arrête-nous tous les deux puisque tu n'as apparemment rien de mieux à faire. C'est comme ça que tu le traites après qu'il a plongé les mains dans le sang ?

— Ne me tente pas, répliqua-t-elle. Je n'ai pas le temps pour ce genre de scène.

— Si c'est une scène que tu veux, tu vas être servie.

— Ça suffit, tous les deux !

Quoique tremblante de fatigue, la voix de Summerset n'en était pas moins empreinte d'autorité.

— Vous vous comportez comme des enfants de deux ans qui n'auraient pas fait leur sieste, ajouta-t-il.

— Je t'ai dit de t'asseoir ! rétorqua Connors.

— Et c'est ce que je vais faire, malgré la grossièreté dont tu fais preuve. Parce que j'en ai besoin.

Summerset se laissa tomber sur un siège dans l'allée avec un soupir.

— Je me rendrai au Central, bien entendu, mais avant de partir je voudrais m'assurer qu'Ivanna va bien.

— Je viens de la voir. Elle va bien et nous la faisons raccompagner chez elle. Je lui ai dit que vous la contacteriez dès que possible.

— Et les autres ? Mavis, Leonardo, Nadine, Trina ?

— Même chose. Ils sont tous...

La voix d'Eve dérailla. Elle se racla la gorge.

— Ils vont tous bien.

— Voilà qui me rassure, dit Summerset.

Il croisa le regard d'Eve pendant quelques instants et soupira de nouveau. Puis il se tourna vers Connors.

— Un peu d'eau me ferait du bien, en fait.

— Je vais te la chercher. Ne bouge pas d'ici.

— Je lui ai fait peur, expliqua Summerset à Eve une fois qu'ils furent seuls. C'est difficile d'être confronté à la faiblesse de la personne qui vous a élevé.

— Je comprends, mais...

— Et il s'inquiète pour vous. Lieutenant, votre épuisement et votre accablement ont l'air à la hauteur de ceux que je ressens moi-même. Et que peut-il faire pour nous, s'interroge-t-il, quand celle qu'il aime plus que tout doit faire appel à celui pour lequel il ressent l'amour d'un enfant pour son parent ? Eh bien, nous rugir dessus, bien entendu, termina-t-il avec un léger sourire.

Eve se sentit vaciller sur le fil du rasoir, consciente que si elle penchait trop d'un côté, elle s'effondrerait. Elle n'avait donc pas d'autre choix, estima-t-elle, que de pencher dans la direction opposée et de tenir bon.

— Je suis désolée mais nous avons si peu de temps. Je ne peux pas attendre pour passer à l'étape suivante.

— Compris, répondit Summerset. J'aimerais rentrer. Le garçon avait raison. J'aimerais vraiment rentrer à la maison. Nous pourrions nous faire gagner mutuellement du temps en faisant les choses ici et maintenant. Est-ce possible ?

— Oui. Je m'étais dit que vous voudriez peut-être vous échapper d'ici.

— Vous-même ne vous échappez jamais, si ?

Connors revint avec deux tubes d'eau.

— Chut, mon garçon, lui souffla Summerset alors qu'il s'apprêtait à leur dire quelque chose. Je suis sur le point de faire ma déposition auprès du lieutenant. Nous sommes tombés d'accord pour le faire ici même.

Eve s'assit en face de lui, de l'autre côté de la travée.

— J'ai les yeux en face des trous mais j'aimerais aussi savoir ce que les vôtres ont vu.

Elle enclencha son enregistreur et énonça à voix haute les informations essentielles.

— Racontez-moi ce dont vous vous souvenez.

— Nous étions presque arrivés aux portes de sortie, Ivanna et moi, presque au-dehors. C'était une soirée de fête, avec une population très variée. La foule... Je crois que le stade était complet, donc nous étions entourés par la foule au départ. Mais...

Voyant Summerset se frotter la tempe, Connors sortit un antalgique d'une petite boîte.

— Prends ça, dit-il.

Il crispa la mâchoire face à la froideur du regard de Summerset, mais ajouta :

— S'il te plaît.

— Merci.

Summerset dégoupilla le tube, prit le cachet et but une longue gorgée d'eau.

— Il me semble... Oui, j'étais sur le point de faire franchir le seuil à Ivanna quand j'ai vu quelqu'un chuter. Il était blessé au ventre. Ça aussi, j'ai pu le voir. Il y a eu des cris alors qu'une autre personne s'effondrait, touchée à la tête. Puis la panique. Les gens couraient, se bousculaient. J'ai tiré Ivanna sur le côté et j'ai rebroussé chemin pour la sortir de la cohue. Elle a protesté mais a vite compris qu'on n'avait pas le temps. Elle m'a promis de retourner jusqu'aux coulisses, auprès de Mavis. Nous y étions passés avant le concert et elle ne doutait pas de retrouver le chemin. Autour de nous, tous les autres cherchaient à sortir.

— L'homme qui est tombé le premier. Décrivez-le-moi.

— La trentaine, cheveux blonds. Caucasien. Il avait un manteau noir, déboutonné, et j'ai vu le sang se répandre à travers le tissu. Le temps que je revienne à son chevet, il était mort. Touché par deux tirs supplémentaires, un dans chaque jambe. J'ai entendu des cris, des crissements de pneus. Alors que je courais aider une femme jetée au sol par le mouvement de foule, j'en ai vu une autre se faire renverser par une voiture en traversant sans regarder. Et puis j'ai...

— Quoi ?

— J'ai bien peur que pendant un moment je ne me sois retrouvé projeté dans un autre endroit, à une autre époque... À Londres durant une autre attaque, à l'époque des Guerres Urbaines. Les mêmes sons, les mêmes odeurs, le même sentiment d'urgence et de peur. Des corps étendus à terre dans leur sang, les blessés appelant à l'aide, les sanglots et les tentatives désespérées pour s'échapper.

Il contempla son tube d'eau pendant quelques secondes avant de boire une nouvelle gorgée.

— Je suis resté bloqué, dit-il, figé entre ce passé et le présent, et je n'ai rien fait. Je suis resté là, debout, les bras ballants. Puis quelqu'un m'a poussé et je suis tombé. Tombé à côté du corps d'une femme que nul secours ne pouvait plus sauver. J'ai vu qu'il n'y avait rien à faire pour elle, absolument rien. Je suis alors revenu à moi... et au présent. Il y avait un garçon de vingt ans à peine, sans doute moins, ayant perdu connaissance. Quelqu'un lui a marché dessus, en lui piétinant la main. J'ai entendu les os se briser. J'ai fait ce que j'ai pu pour lui jusqu'à ce que les secours médicaux débarquent.

Il marqua un temps d'arrêt et but de nouveau.

— Les gens tombaient encore mais les médecins et la police se sont précipités pour les aider. J'ai crié que j'étais formé aux premiers secours et l'un d'eux m'a lancé un kit. Alors on a fait ce que l'on a pu, comme sur n'importe quel champ de bataille. Je ne sais pas combien de temps ça a duré. Des minutes ? Des heures ? Puis vous êtes arrivée, et mon garçon aussi. Un semblant d'ordre est rapidement revenu, grâce à vous. Je me suis occupé d'autres blessés au-dehors, puis à l'intérieur. Et maintenant nous voilà ici.

Eve attendit un instant avant de reprendre la parole.

— La femme dont vous vous occupiez quand nous sommes arrivés ?

— Elle s'en sortira, je crois. Ils l'ont emmenée dès que son état leur a paru suffisamment stable. Ils ont parlé de plus de dix morts. Combien de victimes ? Vous le savez ?

— Seize mortes sur place et deux décédées des suites de leurs blessures. Donc dix-huit au total. Il y en aurait eu plus si vous n'aviez pas été là, si vous ne leur aviez pas apporté votre aide.

— Dix-huit...

Summerset baissa la tête, les yeux rivés sur l'eau dans sa main.

— Nous n'avons pas pu sauver ces dix-huit-là, alors nous nous reposerons sur vous pour faire en sorte qu'ils comptent, pour leur apporter la justice qu'ils méritent, dit-il.

— Ils comptent. De même que les blessés. Je vous donnerai leurs noms, ceux des vivants comme des morts.

Il releva la tête et croisa son regard.

— Merci.

— Connors peut vous ramener à la maison.

— Non, je pense qu'il va rester avec vous. Il n'y a plus rien à faire ici pour moi, mais tout reste à faire pour vous. Je prendrai un calmant et j'irai me coucher, promit-il à Connors.

Lorsqu'il se leva, il parut avoir recouvré une certaine stabilité.

— Je préférerais que tu ne sois pas tout seul, dit Connors.

— J'aurai le chat avec moi, répondit Summerset.

Puis il fit quelque chose qu'Eve ne l'avait jamais vu faire auparavant. Il se pencha et embrassa Connors sur la joue.

Touchée, embarrassée, Eve se leva à son tour.

— Je vais vous trouver un chauffeur.

Elle fit quelques pas puis se retourna.

— Vous savez, les équipes médicales et les policiers qui se sont précipités... Dire qu'il s'agit de leur métier ne diminue en rien les risques qu'ils prennent et le courage qu'ils affichent. Ce n'est pas votre métier mais vous avez pris les mêmes risques, fait preuve du même courage. Je ne l'oublierai pas.

— Je devrais t'accompagner, dit Connors.

Summerset secoua la tête.

— Non. J'ai besoin de calme et de retrouver mon lit. Et j'admets que le chat m'apportera une touche de réconfort. Les guerres ne se terminent jamais vraiment tant qu'il existe des gens qui estiment avoir le droit, ou même le devoir, de faucher des vies.

Ce n'est plus ma guerre à présent, mais c'est celle d'Eve. Et puisque c'est la sienne, c'est aussi la tienne. Je suis fier de vous deux et j'espère que vous m'apporterez de paisibles nouvelles en rentrant à la maison.

Il laissa échapper un nouveau et long soupir puis serra l'épaule de Connors.

— Je vais aller voir comment va Ivanna, me poser auprès d'elle et laisser notre chère lieutenant me faire ramener à la maison.

— Nous vous ramènerons chez vous tous les deux, lui dit Eve. Je vais veiller à ce que vous soyez tous raccompagnés comme il se doit.

— Merci. Je vais bien, mon garçon. Ce n'est que de la fatigue.

— Alors je te ramène auprès d'Ivanna et je vous escorterai au moment de partir.

Plus tard, Connors accompagna Summerset jusqu'à la voiture de police qui stationnait devant la sortie. Quand Eve le rejoignit, il perçut une raideur dans sa posture. Une part de colère, estima-t-il, et une autre de détermination brute à rester debout.

— Il n'y a rien que tu puisses faire, dit-elle.

— Je me sens assez inutile comme ça sans avoir besoin que tu en rajoutes, répliqua-t-il sèchement.

— Inutile, tu parles. Sans toi nous n'aurions jamais trouvé leurs postes de tir, et nous avons désormais identifié les trois. Ils permettront peut-être de repérer la prochaine position de Willow Mackie, sa prochaine cible. Toi, inutile ? Laisse-moi rire.

— Alors il doit bien y avoir autre chose que je puisse faire.

— Tu aurais dû repartir avec lui. Rentre à la maison, veille à ce qu'il aille se coucher et va dormir, toi aussi.

— Il sait ce qu'il veut et je n'irai pas dormir sans toi. Tu veux qu'on perde du temps à se disputer là-dessus ?

— Comme tu voudras.

Elle s'éloigna d'un pas rapide.

— J'ai envoyé Peabody en éclaireur, dit-elle. Je dois consulter Mira puis j'emmènerai Mackie en salle d'interrogatoire.

— Je vais voir quelle aide je peux apporter ailleurs.

Il s'arrêta et saisit Eve par le bras. Fermement.

— Il avait l'air choqué et fragile. Je n'ai pas supporté l'idée que tu puisses le pousser dans ses retranchements. Ni toi-même dans les tiens, d'ailleurs. Je ne supportais pas de me retrouver pris en tenaille entre vous deux alors que vous aviez l'air prêts à vous effondrer mais que ni l'un ni l'autre ne voulait m'écouter.

— Il s'en est très bien tiré, dit Eve.

Elle lâcha un bref soupir.

— Je n'avais pas l'intention de le pousser dans ses retranchements mais j'avais besoin de savoir ce qu'il avait vu. Il était sur place, en première ligne, une situation qui ne lui est pas inconnue. De quoi me fournir une bonne idée des événements. Elle va frapper de nouveau, et sans doute plus rapidement désormais. J'avais besoin de Summerset.

— Je sais.

— Ce qu'il a fait ? Je ne saurais pas te dire à quel point je suis admirative. Il aurait pu retourner à l'intérieur, se mettre à l'abri, mais il est sorti et a risqué sa vie pour sauver celles d'autres personnes.

— Il a sauvé la mienne, et toi aussi. Ça rend les choses compliquées pour moi.

Elle s'arrêta devant sa voiture.

— Tu as fait de lui l'homme qu'il est, voilà ce que je vois, dit-elle.

Elle secoua la tête face à l'air stupéfait de Connors.

— Il ne serait pas encore avec toi si ce n'était pas le cas. Tu dis que nous nous sommes sauvés mutuellement. Eh bien, avant mon arrivée, vous avez fait de même l'un pour l'autre. D'une autre manière, en suivant une autre voie, mais ce n'en est pas moins le cas. Tu lui as donné une raison d'être, et tu lui as donné un fils. Alors mettons donc toutes ces bêtises de côté.

— Promis, dit-il.

Puis il l'attira dans ses bras et la serra fort.

— Personne ne nous observe, là. Alors accorde-moi ça. J'en ai besoin. Je te jure que c'est vrai.

Elle lui accorda ce dont il avait besoin et, se cramponnant à lui, reçut ce dont elle avait besoin.

— Tu t'es rendu compte que l'Irlandais irascible en toi était ressorti tout à l'heure ? Qu'il a essayé de nous forcer la main pour faire ce que tu estimais nécessaire ?

— Et ça a super bien marché !

Il desserra son étreinte et recula d'un pas.

— Je vais te chercher un remontant. Pas immédiatement, pas ces cocktails que tu détestes parce qu'ils te mettent les nerfs en pelote. Je vais t'en trouver un qui te convienne.

— Si quelqu'un en est capable, c'est bien toi. Tu peux prendre le volant. J'ai des appels à passer.

Il s'installa à la place du conducteur puis tourna les yeux vers Eve.

— Est-ce que ce nouveau regard sur les choses, si l'on peut dire, signifie qu'on met aussi de côté les piques entre Summerset et toi ?

— Aucune chance.

— Bon, ça nous garantit quelques bons moments à venir...

Elle traversa le Central au pas de course sans remarquer – contrairement à Connors – la façon dont les autres policiers et le personnel qui la reconnaissaient s'écartaient pour la laisser passer.

Au moment où elle franchit le seuil de la Criminelle, Peabody se redressa derrière son ordinateur.

— Mira est dans votre bureau. La police scientifique a investi tous les postes de tir. On fait le tri dans les dépositions de témoins. Quelques-unes pourraient s'avérer exploitables.

— Continuez comme ça. Mackie ?

— En route. Avec son avocat.

— Qu'on l'emmène en salle d'interrogatoire à la seconde où il arrivera. Accordez-moi dix minutes avec Mira.

— Je vais monter à la DDE, lui dit Connors. Et si je ne peux pas me rendre utile là-haut, j'irai ailleurs.

— Tu pourrais dormir une petite heure en salle de repos.

— Pas dans cette vie, ni même dans la prochaine.

— Snob, va.

— Si tu le dis.

Il l'aurait volontiers embrassée ; il en avait très envie. Mais il acceptait l'existence de règles du mariage pour elle comme pour lui. Il se contenta donc de passer le doigt sur la fossette à son menton et s'éloigna.

Ils feraient tous les deux ce qu'ils pouvaient. Connors avait déjà prévu d'accéder à distance au système de sécurité de leur maison pour s'assurer que Summerset était bien rentré... et au lit.

Après quoi il irait trouver ce fichu remontant pour son flic préféré.

Dans le bureau d'Eve, Mira se tenait debout face au tableau récapitulant l'affaire. Elle avait abandonné son manteau sur la chaise réservée aux visiteurs. Si les vêtements ne faisaient pas partie des priorités d'Eve, l'observation si. Elle observa donc que Mira avait troqué ses habituels tailleurs et escarpins pour un pantalon noir moulant avec des bottes noires remontant jusqu'aux genoux et un pull bleu ample.

— Je dois le mettre à jour, dit-elle au sujet du tableau.

Mira ne se retourna pas.

— Ça donne déjà une bonne idée de la situation. Et on m'a informée en détail de l'attaque de ce matin.

— J'ai besoin d'un café. Vous voulez votre espèce de thé ?

— Oui, merci. Elle poursuit le plan de son père. Elle cherche toujours à obtenir son approbation.

— Elle aime tuer.

— Oui. Beaucoup même, mais elle reste une enfant, et l'enfant en elle cherche à satisfaire les attentes de son père. C'est la nature de leur lien. Cela a commencé avec les armes, en cultivant ses talents de tireuse, pour évoluer vers la vengeance. Et tandis que Mackie a perdu la main du fait de son addiction, les compétences de sa fille se sont affinées. L'élève a dépassé le maître. Elle est devenue son arme.

— Elle aime ça, insista Eve.

— De nouveau, je suis d'accord.

Mira prit son thé et tint la tasse au creux de sa paume en examinant les portraits des victimes.

— Lors de la première attaque, les deux autres victimes servaient essentiellement de couverture. Ou en tout cas c'est ce dont Mackie s'était convaincu. Mais je m'interroge. A-t-il ressenti de la fierté en la voyant atteindre trois cibles avec une telle maîtrise ?

Je pense que oui. Lors de la deuxième attaque, nous avons eu cinq personnes touchées, dont quatre mortes, ce qui montre qu'il l'a laissée mettre ses talents à l'épreuve. Ou alors elle a décidé elle-même d'augmenter le nombre de frappes. Et à présent la troisième attaque.

— Dix-huit morts.

— Oui. Elle est désormais libre d'agir à sa guise. Plus personne pour lui dire d'arrêter.

— Il en sera fier ?

— Je crois que oui. Il voit peut-être, ou une partie de lui en tout cas, qu'elle prend plaisir à tuer. Pas à suivre le plan, pas à accomplir la mission, mais à exercer son pouvoir de vie et de mort. Mais elle n'en reste pas moins son enfant, celle qu'il a formée. Et qu'il aime.

— Quel genre d'amour est-ce là ? demanda sèchement Eve. Un amour qui pousse à faire de son enfant un monstre ?

— Si pervers que cela puisse paraître, pour lui c'est sincère. Il s'est sacrifié pour la sauver. Il l'a éloignée non seulement dans l'espoir qu'elle irait au bout de la mission mais sans doute aussi pour la protéger.

Mira pivota sur elle-même pour faire face à Eve.

— C'était un policier. Il savait forcément qu'une fois que vous les auriez identifiés vous identifieriez aussi au moins quelques-unes de leurs cibles. Et que lesdites cibles deviendraient donc inaccessibles.

— Allez dire ça à Jonah Rothstein.

Eve sortit la photo d'identité de Rothstein de son kit de terrain et l'accrocha sur le tableau.

— Inutile de vous blâmer alors que vous savez qui est la vraie responsable.

— Je n'ai pas pu... Non, se reprit Eve en inspirant entre ses dents. Inutile, effectivement. Donc le professeur – le maître – veut voir la mission menée à son terme. Et pour cela il faut que l'élève demeure en sécurité. Libre. Et le père protège son enfant, alors même qu'il a participé à la pervertir pour faire d'elle une tueuse. Pour faire ce qu'elle a fait, je pense que c'était en elle depuis le départ. Dans les profondeurs de son être. Il n'a eu qu'à le percevoir et l'exploiter.

» Il n'est par contre pas au courant des objectifs personnels qu'elle s'est fixés. Elle a été assez maligne pour les garder pour elle. Est-ce que ça aura de l'importance pour lui ? Quand je lui ai parlé de sa liste de cibles à l'hôpital, il n'était pas prêt à me croire. Qu'elle puisse vouloir tuer sa propre mère, son propre frère, ses professeurs et des camarades d'école ? Il a violemment écarté cette idée. Quand je ferai en sorte qu'il y croie, est-ce qu'il en aura quelque chose à foutre ?

— Vous devez faire en sorte que oui, répondit Mira avec un hochement de tête. Qu'il en ait *énormément* à foutre, pourrait-on dire, afin qu'il vous fournisse des informations sur l'endroit où elle pourrait être.

En d'autres circonstances, Eve aurait pu s'amuser de voir l'usage presque clinique que faisait Mira d'une expression grossière.

— Très juste, dit-elle.

— Je pense que les enfants sont importants pour lui. Après le divorce, un homme dans sa situation, avec une carrière exigeante, aurait pu opter pour un droit de visite généreux plutôt qu'une garde partagée. Et c'est la perte de sa nouvelle épouse et de la possibilité d'un autre enfant qui lui a fait perdre la tête.

— Je devrais donc insister sur le petit frère, sur le lycée.

— Ils constitueront sans doute vos arguments les plus solides.

Eve opina du chef.

— Elle ne va pas se rendre en Alaska pour y mener une vie libre et sauvage, contrairement à ce qu'il avait prévu pour elle. Elle va rester ici même et embrayer sur sa propre mission. Il lui a enseigné à tuer et maintenant elle va se servir de cet enseignement pour éliminer tous ceux qui l'ont contrariée. En restant donc dans mon viseur. En danger. Oui, oui, je vais jouer là-dessus.

— Souhaitez-vous que je sois présente lors de l'interrogatoire ?

— Non, je veux qu'il me regarde, moi. Celle qui traque sa gamine. Je veux qu'il y pense, en sachant qu'elle est toujours en ville. En sachant qu'elle n'est pas loin et moi non plus. Et en sachant très bien, en tant qu'ancien flic, ce que nous pensons de ceux qui s'en prennent à nos collègues. Il ne sera pas difficile de lui faire croire que je préférerais abattre sa fille plutôt que de la laisser jouer la carte de la jeune fille sous influence pour qu'elle purge sa peine dans une confortable prison pour mineurs.

Comme Mira ne répondait rien, Eve se tourna vers elle pour croiser son regard.

— Non, précisa-t-elle. Je n'agirais ainsi qu'en dernier ressort. Je veux qu'elle me voie, qu'elle sache que c'est moi qui l'ai arrêtée. Je veux qu'elle se souvienne de moi quotidiennement pour le restant de sa très longue vie.

— Vous n'êtes pas comme elle.

— J'aurais pu l'être. Qui sait de quelle manière Richard Troy aurait pu me pervertir s'il avait eu plus de temps.

— Non. L'inné et l'acquis, les deux comptent, les deux nous façonnent. Mais à un moment, à de nombreux moments, ce sont les choix que nous faisons, les chemins que nous empruntons, qui nous définissent. Vous avez fait vos choix, elle a fait les siens.

— Oui. C'est vrai. Et nos chemins vont se croiser. Je vous le garantis. Alors nous verrons de quelle étoffe nous sommes faites toutes les deux. Pour cela, il faut que je fasse craquer Mackie. Je vais faire craquer Mackie.

— Je serai dans la salle d'observation. Si vous avez besoin de moi.

— D'accord.

Comme Mira se tournait pour sortir, Cher Reo apparut sur le seuil du bureau d'Eve.

— Mackie se trouve en salle d'interrogatoire A, annonça la substitut du procureur. Je suis venue vous avertir que mon patron refuse de négocier un quelconque accord avec lui. Ancien flic devenu meurtrier de masse et tueur de policiers. Les preuves sont nombreuses et implacables. Des aveux nous arrangeraient, évidemment, mais le bureau du procureur est convaincu que nous disposons de plus qu'il n'en faut pour le faire condamner.

— Bien compris.

— Néanmoins...

— Au diable les « néanmoins ».

— Néanmoins, reprit Reo, si Mackie nous révélait où se terre sa fille *avant* qu'elle tue ou blesse quelqu'un d'autre, et si elle se rendait sans résistance, le bureau du procureur donnerait son accord pour qu'elle soit jugée en tant que mineure.

— C'est n'importe quoi, Reo !

Celle-ci leva une main et passa l'autre dans ses cheveux aux boucles malmenées par le vent sur le trajet.

— Ce sont des munitions que nous vous offrons, Dallas. Il a besoin de bonnes raisons pour nous mener à elle avant qu'elle abatte un nouveau groupe de gens. Docteur Mira ?

— Cela pourrait fonctionner à deux niveaux. Sur son instinct paternel à la protéger, et sur son besoin de voir la mission terminée, quel que soit le temps que cela prendra.

— Et c'est exactement ce qu'elle fera si on la laisse ressortir pour ses dix-huit ans.

Reo inclina la tête.

— Et quelles sont les chances pour que cela se produise réellement ? Qu'elle se rende sans résister et sans avoir fait de nouveaux dégâts ?

Plutôt que de répondre, Eve avala une gorgée de café en attendant que son indignation initiale retombe et que la caféine fasse son effet.

— D'accord, dit-elle ensuite. D'accord, je saisis. Elle ne se rendra jamais sans combattre. C'est gravé dans le marbre ? La condition n'est pas négociable ?

Reo sourit.

— Si elle résiste d'une quelconque manière, ne serait-ce qu'en vous écrasant les orteils, l'accord sera nul et non avenu.

— Laissez-moi le travailler un peu au corps. Si je n'arrive pas à le faire céder, on balancera votre proposition. De cette façon, cela lui donnera l'impression d'une concession de notre part. Je ne veux pas commencer par mettre un accord potentiel sur la table.

— Très bien. Ça marche pour moi. Son avocat a été désigné par le juge. Un certain Ken Pratt. Il a la réputation d'être une espèce de saint patron des causes perdues parmi les commis d'office.

— D'accord. J'y vais.

— Je serai en salle d'observation si vous avez besoin de me faire intervenir pour l'accord.

— Si c'est le cas, on forcera le trait. Je ferai mine d'être vraiment en colère. Je pourrais même vous traiter de noms d'oiseaux.

— Ce ne serait pas la première fois, lui répondit Reo avec un sourire solaire.

16

Eve appela Peabody tout en rassemblant les éléments dont elle avait besoin.

— L'une des blessées dont l'état s'était stabilisé a eu un problème, lui annonça son équipière. Je n'ai pas tous les détails – c'est un truc médical compliqué – mais elle repasse sous le bistouri.

— Son nom ?

— Adele Ninsky.

La femme dont s'occupait Summerset au moment où Eve était arrivée sur place. Eve tâcha d'écarter cette pensée.

— Je voudrais que vous insistiez sur l'angle père-fille, dit-elle. Le devoir parental, cette pauvre ado livrée à elle-même. Vous pouvez vous montrer dure avec lui mais adoucissez vos propos quand vous parlez d'elle.

— Compris. Ce ne devrait pas être très difficile.

— Ça devrait pourtant l'être, répondit Eve. Regardez le tableau. Ça devrait l'être.

Puis elle récupéra ses dossiers et sortit. Peabody accéléra le pas pour la rattraper.

— Baxter et Trueheart ont dégoté un témoin qui l'aurait apparemment vue quelques minutes avant l'attaque sur Times Square. Il ne l'a pas reconnue avant qu'ils l'interrogent et lui montrent le portrait dessiné par Yancy. Il a dit l'avoir croisée devant un immeuble alors qu'il s'apprêtait à entrer et qu'elle en sortait. Il lui a tenu la porte. Elle portait une grande mallette en métal et un sac de voyage à roulettes. Plus un sac à dos. Il s'en souvient parce qu'il lui a proposé de l'aider et qu'elle lui a décoché, je cite, « un sourire flippant » en rétorquant qu'elle n'avait besoin de l'aide de personne. Un peu remonté, il l'a suivie du regard pendant une minute. Il pense qu'elle se dirigeait vers l'arrêt de bus, plus bas sur le même pâté de maisons. Ils sont en train de vérifier.

— Bien, dit Eve.

Elle s'arrêta à la porte de la salle d'interrogatoire.

— Pas d'erreurs, dit-elle simplement.

Puis elle franchit le seuil de la salle.

— Enregistrement, lança-t-elle immédiatement.

Elle énonça les informations attendues en début de session tout en jaugeant du regard les deux hommes assis à la table.

Mackie était pâle, avec une expression de défi, les yeux protégés par des lunettes légèrement teintées. Derrière les verres, elle aperçut des yeux contusionnés et injectés de sang mais n'en conçut aucune pitié pour lui.

L'avocat portait un costume bon marché et une fine cravate noire. L'idéalisme se lisait sans mal sur son visage aux joues mal rasées.

Eve s'assit, empila ses dossiers et croisa les mains par-dessus.

— Bon, Mackie, nous y voilà.

— Mon client est sous l'effet d'un traitement médical à la suite de blessures graves subies dans des circonstances discutables. En conséquence de quoi...

— Foutaises. Si vous avez consulté le dossier, maître, vous savez qu'il n'y a rien eu de discutable.

Votre client a tiré sur des représentants des forces de l'ordre.

— Reste à savoir si lesdits représentants se sont clairement présentés comme tels. Nous porterons plainte pour effraction, harcèlement policier et usage excessif de la force.

— Oui, bonne chance avec ça, répondit-elle tout en souriant à Mackie. Vous savez que cet avocat raconte n'importe quoi et que ça ne change rien à rien. Nous y voilà, donc.

— Du fait des blessures de mon client, vous êtes limitées à des périodes d'interrogatoire d'une heure. Mon client profitera de trente minutes de pause garanties au terme d'une heure. Au nom de mon client, je demande à ce qu'il soit ramené à l'hôpital pour une évaluation médicale complète après ladite heure.

— Je refuse, comme j'en ai l'autorité, puisque l'équipe soignante a signé sa décharge. Il pourra passer sa demi-heure en cellule ou, si vous insistez, être examiné médicalement ici même, par un médecin. L'hôpital, c'est terminé pour lui. Vous ne reverrez plus jamais l'extérieur, Mackie. À partir de maintenant, c'est cellule et barreaux permanents. Vous allez bien vous amuser au milieu des prisonniers de droit commun. Vous savez à quel point ils adorent les ex-flics. Ne gâchez pas l'heure dont je dispose, lança-t-elle à Pratt. J'ai des questions pour votre client. Voici la première : où est-elle ? Où est votre fille ? Où est Willow Mackie ?

— Comment le saurais-je ? J'étais hospitalisé.

— Vous vous êtes tenu au courant des derniers événements ? Votre avocat vous a-t-il informé de ce qu'a fait votre fille la nuit dernière ? Dix-huit morts, cette fois-ci. De quoi vous gonfler la poitrine de fierté.

— Mon client était privé de tout contact avec l'extérieur au moment de cet incident et ne peut en aucun cas être tenu responsable de…

— Encore des conneries. Vous êtes responsable, martela Eve. Responsable d'avoir transformé la chair de votre chair en tueuse de sang-froid. Dix-huit personnes. Pères et mères, fils et filles. Tout cela parce que vous avez joué de malchance.

Mackie bondit sur sa chaise.

— Joué de malchance ?

— Oui. Vous n'avez pas eu de bol. Votre femme ne regardait pas où elle allait. Et maintenant elle est morte.

— On lui a foncé dessus !

— Non, elle a traversé sans regarder parce qu'elle était trop bête pour faire attention. Et vous n'avez pas su gérer, donc vous avez plongé dans le Funk. Regardez comme vos mains tremblent. Pathétique. Ce qu'ils vous donnent pour vous maintenir à flot ne suffit pas, hein ? Ça ne sera jamais suffisant. Vous vous êtes détruit parce que votre femme était trop tête en l'air pour emprunter le passage piéton. Et en voyant que ça ne réglait rien, vous avez décidé de détruire tous ceux qui vous viendraient à l'esprit.

— Y compris votre propre fille, ajouta Peabody, juste assez fort pour être entendue et d'une voix chargée d'émotion. C'est ça que je n'arrive pas à comprendre ni à avaler. Ce n'est qu'une enfant et il s'est servi d'elle, il l'a fichue en l'air. Vous l'avez détruite, monsieur Mackie. Comment va-t-elle pouvoir vivre avec ce qu'elle a fait ? Ce que vous, son propre père, lui avez ordonné de faire ?

— Vous ne savez rien de ma Will, rétorqua-t-il.

— Je sais qu'à quinze ans elle devrait penser aux garçons, à la musique, aux devoirs, à des fêtes entre copains autour de pizzas et de vidéos. Je sais qu'elle devrait se poser mille questions sur le choix de ses tenues.

— Pas ma Will.

— Pas votre Will, répéta Peabody avec dédain. Parce que vous n'approuveriez pas. Vous pensez que toutes ces choses sont frivoles, qu'elles n'ont aucune importance, mais pourtant si. Elles constituent des briques essentielles, des rites de passage. Elles font partie de l'enfance dont vous l'avez privée. La voilà devenue une meurtrière et une fugitive. Sa vie est fichue.

— Elle ne fait que commencer, rétorqua-t-il.

— Il pense qu'elle part en Alaska, lança Eve avec un sourire délibérément narquois. Pour vivre de la terre, aussi libre qu'un... Qu'est-ce qu'on trouve en Alaska ?

— Des ours. Des élans. Des loups également. Des chevreuils. Plein de chevreuils.

— Voilà. Aussi libre qu'un chevreuil. Mais les hommes chassent le chevreuil, non ? C'est pas ce qu'ils font, là-bas ? C'est aussi ça, vivre de la terre, n'est-ce pas ?

Eve se radossa sur son siège.

— Je suis en train de remonter sa piste, comme un chevreuil que l'on traque. J'ai lancé certains de mes meilleurs limiers après elle. Elle a laissé des traces, Mackie.

Eve ouvrit un dossier et lut à haute voix les adresses des trois postes de tir. Elle vit les mains tremblantes de Mackie se serrer jusqu'à former des poings tremblants.

— J'ai déjà un témoin à l'un de ces endroits qui l'a vue sortir de l'immeuble. Voilà la question que je me pose. Au moment de vous séparer, lui avez-vous dit de filer dare-dare en Alaska ou lui avez-vous demandé de terminer d'abord la mission ?

— Mon client nie toutes les allégations au sujet de sa fille, Willow Mackie. Si elle est introuvable, c'est à cause de la peur que lui inspire la police à la suite des fausses accusations de vos services envers elle.

— Mais bien sûr. N'espérez pas me ralentir avec vos foutaises d'avocat. Un père aimant lui aurait dit de s'enfuir, aussi loin et aussi vite que possible.

— Ce n'est pas un père aimant, commenta Peabody.

— Je suis un bon père !

Le rouge était monté aux joues de Mackie sous le coup de l'indignation.

— Bien plus que le crétin incapable que sa mère a épousé ! cracha-t-il.

— On parle ici d'un « crétin incapable » avec un bon métier et une jolie maison.

Eve scruta ses yeux abîmés et furieux derrière les lunettes protectrices.

— Celui qui n'est pas un junkie. Oui, ça doit titiller pas mal.

— Ce n'est pas son père.

— Non, mais elle vivait la moitié du temps avec lui. Vous œuvriez à changer ça, à obtenir la garde à plein temps, et puis – oups – votre femme meurt. Et tout part en vrille.

Les tremblements des mains de Mackie s'intensifièrent. Son visage était envahi de rougeurs.

— Je pense que vous lui avez dit de s'enfuir, poursuivit Eve. « Va en Alaska. Profite un peu de la vie. » Après quoi vous faites office de sacrifice, de diversion. Elle pourra revenir deux ou trois ans plus tard pour terminer le travail : Marta Beck, Marian Jacoby, Jonah Rothstein, Brian Fine, Alyce Ellison. Mais, hé, elle reste une ado. Rebelle, réfractaire à l'autorité. Elle a désobéi à papa. Et maintenant dix-huit personnes sont mortes.

Eve ouvrit un dossier et étala les photos sur la table.

— Dix-huit personnes dont le seul tort a été de se rendre à un concert.

Elle vit le regard de Mackie aller et venir sur les photos.

— Ce sont eux, les malchanceux, cette fois. Ils ont eu le malheur de se trouver au même endroit que Rothstein. Un avocat, comme vous, précisa-t-elle à l'intention de Pratt. Mackie l'avait engagé pour tenter de faire un procès au conducteur ayant percuté sa femme qui traversait hors des clous et au policier ayant pourtant livré une estimation correcte des événements. Rien qu'un avocat, comme vous, faisant son métier, comme vous. Mais il n'a pas obtenu les résultats attendus par Mackie, qui a décidé qu'il devait mourir.

— Mon client nie...

— Sauf qu'elle a raté son coup.

Eve vit Mackie redresser vivement les yeux derrière ses lunettes.

— Là, c'est Willow qui a fait oups. J'imagine que l'excitation était si forte qu'elle a raté sa cible.

— Will ne manque jamais sa cible.

Eve se pencha vers lui.

— Qu'en savez-vous ? Vous l'avez déjà vue viser un être humain ?

— Je vous dis qu'elle ne rate jamais sa cible. Où est sa photo ? demanda-t-il en désignant les images des victimes. Où elle est ?

— Qui sélectionnait les victimes collatérales ? Vous l'avez laissée faire ? Puisque c'est vous qui désigniez la cible principale, vous la laissiez choisir le reste ?

— Où est la photo de Rothstein ?

— Je vous ai dit qu'elle avait raté sa cible.

— Vous mentez. Will peut arracher l'oreille d'un lapin à huit cents mètres de distance.

— Monsieur Mackie... dit Pratt en posant une main sur son bras.

Mackie se dégagea.

— Je veux voir sa photo sur cette table !

— Il y avait foule. De nuit, tard, beaucoup de gens.

— C'est moi qui l'ai formée !

Le tremblement des mains de Mackie avait à présent gagné ses bras et ses épaules.

— Elle n'aurait pas tiré si elle n'était pas sûre de son coup, affirma-t-il.

— Les choses sont peut-être différentes quand vous n'êtes pas là pour lui donner le feu vert. Vous étiez présent pour le lui donner pour la patinoire, pour Times Square, non ?

— Ça ne fait pas de différence. Pas pour elle. Elle ne rate jamais.

— Mais vous étiez bien sur place, pour lui donner le feu vert, afin de tuer le Dr Michaelson puis l'agent Russo, oui ou non ?

— Ne répondez pas à cette question, dit Pratt.

— Oui ! Oui, mais ça n'a pas d'importance, dit Mackie.

L'indignation qu'il ressentait à voir ainsi critiquer les capacités de sa fille s'entendait nettement dans sa voix.

— C'est la meilleure tireuse que j'aie jamais vue. Meilleure même que moi. Elle n'aurait pas raté Rothstein.

— Vous êtes en train de me dire qu'une fille de seulement quinze ans a abattu Michaelson et deux autres personnes au Wollman Rink. Puis quatre autres, y compris l'agent de police Russo, sur Times Square ?

— Vous pensez que j'aurais pu effectuer de telles frappes avec des mains comme celles-ci ? Avec mes yeux ?

— Elle l'a fait pour vous ?

— Pour nous. Susann aurait fait une meilleure mère pour elle, une *vraie* mère. Nous allions former une famille. Ils ont détruit tout ça. Détruit ma famille ! Ils ne méritent pas de vivre.

— Vous et votre fille, Willow Mackie, avez planifié le meurtre des personnes sur cette liste.

Eve sortit une version imprimée de son dossier.

— Plus le nombre d'individus nécessaire selon vous pour tenter de dissimuler votre lien avec les cibles, ajouta-t-elle.

— Cet entretien est terminé, annonça Pratt en se levant d'un bond.

— Elle est mes yeux, mes mains ! Il ne s'agit pas de meurtres mais de justice. De justice pour ma femme et mon fils.

Eve ouvrit les autres dossiers pour étaler des photos de victimes supplémentaires.

— Et tous ces gens ? Toutes celles et ceux qui se trouvaient simplement au mauvais endroit au mauvais moment ?

— Pourquoi compteraient-ils plus que Susann et mon fils ? Pourquoi mériteraient-ils une vie, une famille, quand je n'en ai plus ?

— Pourquoi compteraient-ils moins ? répliqua Eve.

— J'ai dit que l'entretien était terminé !

Visiblement secoué, Pratt avait du mal à garder son calme.

— Je dois m'entretenir avec mon client, dit-il. Nous allons prendre notre pause à présent.

— Faites.

Eve entreprit de rassembler les photos.

— Où est Rothstein ?

— Hors de votre portée, répondit-elle en se levant. Tout comme les autres personnes de la liste. Et hors de celle de Willow. Réfléchissez-y. Nous reprendrons dans trente minutes. Fin de l'interrogatoire.

Elle sortit et marcha droit vers son bureau. Tandis que Peabody se dirigeait vers l'autochef pour prendre un café, Eve s'assit pour examiner le mug transportable posé au centre de son plan de travail, avec une étiquette qui disait : « À BOIRE ».

Elle souleva le couvercle et huma soupçonneusement le contenu. Elle fronça les sourcils ; la boisson sentait le chocolat malté.

— Qu'est-ce que c'est ? s'enquit Peabody.

— Une concoction de Connors.

Eve prit une gorgée prudente. Ça avait le goût du chocolat malté. Du vrai.

Elle regarda le café que Peabody avait posé sur son bureau, puis le mug. Et, songeant à Connors, but la moitié du remontant.

Elle tendit ensuite le mug à Peabody.

— Vous n'avez pas bonne mine, dit-elle. Buvez le reste.

Peabody avala une petite gorgée, écarquilla les yeux.

— Oh, ça donne l'impression de contenir un milliard de calories mais...

Elle but le reste d'un trait.

— C'était un coup de génie, dit-elle ensuite. Lui faire croire qu'elle avait raté Rothstein.

— Ça m'est venu sur le moment. Je me doutais qu'il serait en colère, soit contre elle pour avoir foiré son coup, soit contre moi pour oser dire qu'elle avait foiré. L'ego de Mackie – vis-à-vis de lui-même et de sa protégée – l'a forcé à confesser plusieurs meurtres et à impliquer sa fille au passage. C'était suffisant pour ce premier round.

— Je m'en veux de ne pas y avoir pensé, dit Mira depuis le seuil. De l'orgueil. Il y a une large part d'orgueil paternel dans sa psychose. Willow est à la fois ses yeux, ses mains, son arme, son enfant. La combinaison de tout cela. Il va se retrouver derrière les barreaux, Eve, et je doute qu'il soit déclaré juridiquement irresponsable, mais c'est un homme profondément dérangé.

— Il pourra rester dérangé pour le reste de sa triste existence, tant qu'elle se déroule en cage. Pour lui, c'est réglé, reste à s'occuper d'elle. Il se fiche peut-être que son ex et son nouveau mari soient visés. Il se fiche peut-être que leur enfant de sept ans soit visé. Mais si elle est ses yeux et ses mains, comment expliquer qu'elle vise des cibles qu'il n'a pas choisies ? Voyons s'il peut rationaliser son projet de les abattre. Et puis le lycée, tous ces gamins. Si ça ne fonctionne pas et que je n'arrive pas à le faire trébucher autrement, on mettra l'accord du procureur sur la table. Un accord qui lui laisse la possibilité de croire qu'elle sera détenue dans un endroit sûr pendant deux ans avant de ressortir et de finir le boulot. Le fait qu'elle ait son propre plan, sa propre liste, ça donne du poids à l'idée qu'elle ne quittera pas la ville et qu'il risque de la perdre, de perdre ses yeux et ses mains.

— Il estime être un bon père, commenta Peabody. Il était sincère, ça se voyait. Comme s'il avait su voir le talent inné de sa fille, le mettre en valeur, l'aider à l'affiner.

— Il en veut au beau-père qui est plus stable et a mieux réussi dans la vie… et a enfanté un fils, ajouta Mira. Il a toujours du ressentiment envers son ex-femme. Mais le demi-frère pourrait faire vibrer une corde sensible. C'est là-dessus que j'insisterais.

— Peabody, voyez combien de photos mignonnes du garçon vous pouvez récupérer. Anniversaires, Noël, ce genre de choses. Des portraits de lui bébé. Ils avaient un chiot, non ? Des photos avec le chiot.

— Compris.

— Faites-les-lui regarder, dit Mira tandis que Peabody s'éloignait en hâte. Le côté charmant et innocent. Rappelez-lui que cet enfant est en partie du même sang que sa fille. J'ai la conviction que l'envie de son enfant de tuer quelqu'un de son propre sang ne le laissera pas indifférent. Peut-être pas la mère ; c'est une adulte qui a fait des choix avec lesquels Mackie est en désaccord. Mais ce petit garçon n'a pas le choix. Tout comme son fils, s'il était né, n'en aurait pas eu non plus.

— Et aurait été en partie du même sang que Willow. Compris.

— Vous avez repris des couleurs, constata Mira.

— Ah oui ? Un petit coup de Connors.

— C'est un euphémisme ? Quand auriez-vous eu le temps pour ça ?

— Je voulais… Non, non.

À la fois amusée et consternée, Eve leva le mug.

— Un remontant. Fourni par Connors. Il en aura sans doute refilé à la moitié des effectifs de la brigade pendant qu'il y était.

Tâchant de ne pas penser à Mira l'imaginant en pleins ébats, Eve changea de sujet.

— Comment se fait-il que vous ne soyez pas en tailleur et talons à vous fouler les chevilles ?

— J'ai dû me dépêcher pour arriver ce matin. Et nous sommes samedi. Je n'ai pas de consultations officielles le samedi.

— Samedi…

À quel moment avait-on entamé le week-end ?

— Je vois, dit-elle.

— Rechargez vos batteries, lui dit Mira avec une tape sur l'épaule. Je serai de nouveau en salle d'observation quand vous reprendrez.

Elle s'arrêta sur le seuil pour ajouter :

— Les défenses de Mackie s'effritent. Et vous avez aussi secoué son avocat.

— S'ils n'avaient pas fait cette pause, j'aurais pu le faire craquer. Là, ils ont eu le temps de se reprendre, de renforcer leurs défenses. Mais j'y arriverai.

« J'y arriverai », se répéta-t-elle intérieurement avant de se préparer au round suivant.

Elle avait rechargé ses batteries. Peut-être était-ce la pause, ou bien le remontant, mais elle avait retrouvé l'esprit clair et une énergie renouvelée. Avant de s'attaquer de nouveau à Mackie, elle prit des nouvelles de Baxter.

— Salut, Dallas. Le conducteur du bus s'est souvenu d'elle, ou plutôt d'un « jeune » monté dans son bus avec les bagages décrits par le précédent témoin. On dirait qu'elle s'est rendue directement à l'appart utilisé pour l'attaque sur Madison Square. Mon petit gars et moi continuons à enquêter auprès des bus sur cette ligne. Je sens qu'on tient un truc.

— Ne le lâchez pas. Je retourne interroger Mackie. S'il laisse échapper quoi que ce soit, je vous orienterai dans la bonne direction.

— Ne le lâchez pas, vous non plus.

Oui, songea Eve en quittant son bureau. Ils ne lâcheraient rien avant d'avoir obtenu des résultats. Elle aussi sentait qu'elle tenait quelque chose.

Arrivée dans la salle commune, elle vit Peabody qui s'entretenait avec un civil.

— Lieutenant, je vous présente Aaron Taylor. Il était présent au concert hier soir avec Jonah Rothstein.

— J'étais... On était. J'ai entendu que... Vous êtes sûres que Jonah est... ?

— Je suis désolée, monsieur Taylor.

En entendant ces mots, Taylor se couvrit le visage de ses mains.

— Je ne comprends pas. Je ne vois pas comment ça pourrait...

Peabody se leva et lui tira un siège.

— Asseyez-vous, monsieur Taylor.

— Je ne sais pas quoi faire. Je suis sorti de l'autre côté, c'est plus proche de chez moi. Nous avions des sièges dans l'orchestre, que Jonah avait réussi à trouver en novembre. On...

— Vous et M. Rothstein étiez amis, dit Eve.

— Depuis le lycée. On est arrivés ensemble à New York, on est restés colocataires jusqu'à ce que je me marie. C'est mon meilleur ami. Je ne...

— Vous êtes allés au concert ensemble, dit Eve pour l'inciter à reprendre.

— Ouais. Ouais. Il s'était vanté sur tous les réseaux sociaux d'avoir récupéré de super bonnes places. Il ne parlait que de ça depuis des semaines. On y est allés ensemble et... je suis reparti par l'autre côté ensuite.

— Il avait parlé de son programme de la soirée sur les réseaux sociaux ?

— Il avait même créé un compte à rebours.

Aaron appuya du bout des doigts sur ses paupières gonflées de larmes.

— Nous sommes de grands fans d'Avenue A. Jonah est un acharné depuis l'université. Il a organisé son planning en fonction du concert. Il avait des réunions dans d'autres villes toute la semaine, mais il s'est débrouillé pour être de retour hier soir. Il n'arrêtait pas de me répéter : « Mec, avec toutes les fois où on a dû se contenter du poulailler pour voir Avenue A et Jake Kincade, est-ce que t'aurais cru qu'un jour on se retrouverait ici ? Des places dans l'orchestre du Madison Square ? »

» J'ai pris l'autre sortie pour repartir. Il voulait qu'on aille prendre un verre, mais il fallait vraiment que je rentre. On avait convenu qu'il passe chez moi ce soir... Il devait passer ce soir, mais il est sorti d'un côté et moi de l'autre.

— Monsieur Taylor... Aaron, dit Eve en scrutant son visage défait. Il n'y a pas de sens à tout cela, pas de logique. Je voudrais savoir si Jonah vous parlait parfois de son travail.

— Ouais, ça lui arrivait. Ça l'aidait à clarifier son analyse. On était en droit ensemble. Je travaille dans le droit fiscal.

— Vous avait-il déjà parlé de Reginald Mackie ?

— Le type qu'on voit sur tous les écrans ? Avec la gamine ? Le type qui fait toutes ces horreurs...

Les larmes refluèrent derrière l'étonnement.

— Vous voulez dire que Jonah le connaissait ?

— Il n'a jamais mentionné le nom de Mackie ?

— Il ne m'aurait pas donné de nom. Une anecdote, peut-être, une histoire marrante. Ou alors un coup de colère, mais sans nommer son client. On est comme des frères, franchement, mais il n'aurait pas divulgué d'informations confidentielles.

— D'accord, mais avait-il fait mention d'un client désireux d'assigner des gens en justice pour la mort de sa femme ? Quelqu'un qui aurait traversé sans regarder et été percuté par un véhicule. Une femme enceinte.

— Je... Je... Ça me dit quelque chose. C'est pour ça qu'il est mort ?!

Saisi de colère, Aaron se leva de sa chaise.

— C'est ça, le mobile ? Il avait essayé *d'aider* ce salopard. Et sans se faire payer, parce qu'il avait de l'empathie pour lui. Sur son temps personnel. Il l'a surtout fait parce que le pauvre gars n'avait rien dans son dossier. Elle a traversé en pleine rue, au milieu de la circulation. Les gens l'ont vue. Jonah les a tous rencontrés, il a même fait une enquête, sur son temps libre. Et quand il a fini par lui dire qu'il ne pouvait rien faire pour lui, ce connard a pété un plomb. Et l'ado... Il a essayé de les aider, sur son temps et son argent personnels. C'est un type bien, vous comprenez ? Des gens comme Jonah, il n'y en a pas beaucoup.

— Je comprends. Que disiez-vous à propos de l'ado ?

— Le... Jonah m'a dit que l'homme en question... C'est ce fameux Mackie, c'est ça ? Bref, qu'il était très mal. Qu'il cherchait un moyen de dépasser l'épreuve, quelqu'un à accuser. Même le docteur sous prétexte que le rendez-vous avait pris du retard, ou carrément la responsable de sa femme au magasin. Tout le monde était coupable... sauf celle qui avait traversé sans regarder. Vous voyez le topo ?

— Je vois. L'ado, Aaron.

— Il m'a dit qu'elle faisait peur. Ce sont ses mots. Qu'elle était venue le voir deux semaines après qu'il avait dit à Mackie qu'il ne pouvait rien pour lui et essayé de l'orienter vers une clinique de désintox ou un suivi médical, vu qu'il était évident que le mec se droguait. La gamine s'est mise en travers de son chemin alors qu'il rentrait chez lui avec des plats à emporter. Elle lui a dit qu'il s'imaginait sans doute que tout le monde mourait alors pourquoi en faire tout un plat. Et qu'il découvrirait bientôt tout le plat en question. Qu'il était bien dommage qu'il n'ait pas de femme parce que quelqu'un aurait pu lui donner une raison de traverser la rue en courant. Que quelqu'un pourrait peut-être lui en donner une, à lui aussi. Là, elle lui a montré un pistolet paralysant, ou un objet ressemblant, qu'elle avait dans la poche. Ça lui a filé les jetons.

— Il n'a pas signalé cette menace ? Ni l'arme ?

— Jewel, ma femme, lui a dit qu'il devrait. Mais il a dit que l'ado n'avait que treize ou quatorze ans. Que c'était surtout du cinéma et que le pistolet paralysant était probablement un jouet ou une réplique. Mais ça l'avait secoué. Je connais bien toutes les blagues qu'on fait sur les avocats. Mais Jonah, lui, croyait sincèrement dans la bonté des gens. Il pensait vraiment qu'ils avaient besoin que quelqu'un les représente. Ce type n'avait rien qui aille dans son sens, mais Jonah a quand même essayé. Et maintenant il est mort.

— Maintenant c'est à nous de le représenter. Je vous promets de le faire au mieux de mes capacités. Vous nous avez aidés en venant nous voir. Vous l'avez aidé, lui.

— Je peux le voir ? Y a-t-il un endroit où je puisse me rendre pour le voir ? Ses parents... On a fait la grasse matinée, Jewel et moi. On n'a rien su jusqu'à ce que le père de Jonah... Ils arrivent de Floride. Ils font partie de ces gens qui vont passer l'hiver en Floride, et là ils ont pris un avion, mais... Je peux le voir ?

— Inspecteur Peabody, pouvez-vous organiser cela ? Et faire en sorte qu'Aaron soit escorté auprès de son ami, puis ramené chez lui ?

— Oui, lieutenant.

— Il croyait vraiment en la justice, dit Aaron.

— Moi aussi, affirma Eve avant de s'éloigner pour rejoindre Lowenbaum qui semblait l'attendre.

— J'ai entendu une partie de l'échange, lui dit-il. Je ne voulais pas vous interrompre.

— Une raison de plus pour briser les résistances de Mackie et retrouver sa psychopathe de fille.

— Je voulais vous demander si je pouvais être présent au prochain round, si je pouvais vous aider à interroger Mac.

Eve s'y était attendue. Elle l'attira dans le couloir avant de répondre.

— Si j'étais à votre place, j'émettrais le même souhait. Mais il vous verra comme son lieutenant, et cela risque d'embrouiller la situation. Vous avez pris du galon et vous avez été contraint de le pousser vers la sortie.

— Je comprends, mais je voudrais simplement...

— Lowenbaum, même s'il avait réussi à aller au bout de la mission qu'il s'est fixée, je ne crois pas qu'il serait parti pour l'Alaska. Ou s'il l'avait fait, il n'y serait pas resté. Il n'y aurait pas trouvé ce qu'il espérait, il n'aurait jamais eu le sentiment d'avoir tourné la page. Tout cela serait resté en lui. Et il aurait rédigé une nouvelle liste. Laquelle comprendrait votre nom.

Il y eut une seconde de silence.

— Vous en êtes déjà arrivé aux mêmes conclusions, devina-t-elle.

— Ouais...

Lowenbaum tourna la tête vers le couloir, le regard dans le vide.

— Ouais, reprit-il, j'en suis arrivé aux mêmes conclusions. Mon nom, celui du mari de l'ex, Patroni et sans doute quelques autres. Mais il n'en est pas encore arrivé là.

— Vous en êtes sûr ?

Après quelques secondes, Lowenbaum secoua la tête.

— Non, loin de là. Seulement c'est...

— ... difficile de rester sur la touche. C'est pourtant ce que je vais vous demander de faire. Restez dans une position d'observateur. Et si vous observez quelque chose susceptible de m'aider, faites-moi signe.

— Vous avez raison. Je sais que vous avez raison.

Résigné, Lowenbaum laissa échapper un soupir.

— D'accord. Insistez sur le gamin, le demi-frère. Il en voulait toujours à son ex – beaucoup de gens en veulent à leur ex pendant le restant de leurs jours – mais il aimait bien le petit. Je l'ai entendu dire que Will et Zach étaient les deux seules contributions positives de Zoe au monde. Il a même emmené Willow à quelques spectacles d'école du gamin – des pièces ou des concerts – parce qu'il estimait important qu'elle participe à la vie de son frère.

— Bien. C'est bon à savoir. Je m'en servirai.

Elle patienta en regardant passer deux agents en uniforme qui escortaient Aaron vers l'ascenseur.

— Ça nous fait des munitions supplémentaires, dit-elle tout en faisant signe à Peabody. Gardez votre sang-froid, Lowenbaum. Et restez dans le coin.

— Comptez sur moi.

Elle passa elle-même quelques instants en salle d'observation pour jauger la situation. L'avocat parlait – de manière enflammée et empreinte de tension, estima Eve – tandis que Mackie regardait droit devant lui, les traits figés.

« Tu es en rogne, songea-t-elle. Bien, très bien. Reste donc dans cet état. »

Et Mackie avait les mains tremblantes. Il avait beau les serrer l'une contre l'autre, elle vit que les tremblements s'étaient intensifiés. Il aurait bientôt besoin d'une nouvelle dose de son traitement médical.

Elle fit un signe du menton à Peabody.

— C'est reparti pour une heure, dit-elle.

Lorsqu'elle entra dans la salle d'interrogatoire, Pratt se cala contre le dossier de sa chaise, sans rien dire.

— Enregistrement. Dallas, lieutenant Eve et Peabody, inspecteur Delia reprennent l'interrogatoire de Mackie, Reginald, assisté de son avocat.

Eve posa de nouveaux ses dossiers sur la table.

— Alors, où en étions-nous ?

— Je réitère ma requête de voir mon client retourner à l'hôpital pour une évaluation médicale.

— Et je réitère mon « foutaises » pour les raisons déjà exposées.

— Rothstein est mort, dit Mackie en plongeant son regard dans celui d'Eve. Je lui ai demandé de vérifier pendant la pause. Je savais qu'elle n'avait pas manqué sa cible.

— Correct. L'homme qui a tenté de vous aider, gratuitement, qui a accepté votre affaire dénuée de fondement et y a consacré du temps sans se faire payer est mort. De la main de votre fille et dans le cadre de votre association de malfaiteurs.

— Il s'est contenté de s'aligner sur les bobards des autres. Voilà ce qu'il a fait.

— Mon client ne peut pas être tenu responsable de vos allégations concernant son enfant mineure, dit l'avocat.

— Ils ont oublié de vous expliquer le sens des mots « association de malfaiteurs », Pratt ? Votre client – je parle de vous, Mackie – a avoué, c'est dûment enregistré, avoir participé à ladite association en vue de commettre des meurtres et s'être rendu complice de la mort de vingt-cinq personnes à ce jour.

— Mon client était hospitalisé et en état d'arrestation durant l'incident de Madison Square, si bien que...

— Je vous en prie, arrêtez de nous faire perdre notre temps. Il a admis tout cela, c'est enregistré. Je me fiche de savoir s'il était en Argentine hier soir. Il est aussi coupable qu'elle. Tout comme il sera coupable si elle tente de rayer les noms restants sur la liste de votre client. Ou sur sa propre liste.

— Elle n'a pas de liste à elle. Vous mentez. Une fois de plus.

— Comme si vous n'étiez pas au courant ! s'agaça Peabody. Vous êtes son père. Vous savez ce qu'elle prévoit de faire. C'est vous qui l'avez lancée sur cette voie.

— C'est là que nous ne sommes pas d'accord, répondit Eve avec un haussement d'épaules à l'intention de Peabody. Je ne crois pas qu'il soit au courant. Pas à propos de sa liste à elle. De la mission qu'elle s'est fixée. Je ne crois pas non plus qu'il sache qu'elle est allée provoquer certains des individus sur sa liste à lui, comme Rothstein, entre autres. Qu'elle les a menacés en exhibant un pistolet paralysant. C'est une erreur de stratégie grossière et il est suffisamment bien entraîné, même avec les effets du Funk, pour ne pas commettre ce genre d'impair stupide.

— Encore des mensonges. Comme quand vous disiez qu'elle avait raté Rothstein.

— Je n'ai pas besoin de mentir, cette fois. J'ai sa liste ici même.

Eve ouvrit le dossier mais marqua une pause avant d'en extraire le document.

— Au fait, nous savons qu'elle se déplace à pied ou en bus. Nous avons plusieurs conducteurs qui se souviennent d'elle. Il faut dire que votre fille fait sa petite impression.

Eve sortit la liste et posa la feuille sur la table.

— Elle n'a pas pris la peine d'utiliser des initiales. Elle a mis les noms complets, car elle n'imaginait pas qu'on puisse vérifier le contenu de l'ordinateur de son petit frère pour y trouver les documents qu'elle y a cachés.

Mackie y jeta à peine un coup d'œil avant d'écarter le papier.

— C'est vous qui l'avez écrit. Ça ne vient pas d'elle.

— Oh, une part de vous, la part qui n'est pas démolie par le Funk, sait que ça vient d'elle. C'est sa nature. Une part de vous savait ce qu'était Willow et s'en est servi. Vos yeux et vos mains associés à un esprit et un cœur noirs comme la nuit. Peut-être que voir ça chez un être issu de vous constituait une raison de plus de tomber dans la drogue. Histoire d'oublier un peu ce qui fait mal.

— Toujours à mentir. Vous voudriez me faire croire que Will ferait du mal à sa propre mère, à son petit frère ? Vous n'y arriverez pas.

— Je note que vous ne dites rien au sujet du beau-père ni du personnel du lycée mais mettons cela de côté pour le moment.

Elle sortit les photos de Zach Stuben que Peabody avait récupérées.

— Mignon, ce petit. Personnellement, les enfants me laissent plutôt indifférente, mais je dois reconnaître que celui-ci est mignon. Et ce chiot... Il fut un temps où il avait un chiot, n'est-ce pas ? Beaucoup d'amour entre eux, ça se voit à la façon dont il serre la bestiole dans ses bras, et à la manière dont ladite bestiole se love contre lui. J'imagine que c'est pour ça que Willow lui a brisé le cou avant de le balancer par la fenêtre aux pieds du gamin.

— Elle n'a jamais fait ça.

— Oh que si. Je parie que c'est vous qui lui avez enseigné comment briser une nuque, où et selon quel angle faire pression. Et elle s'en est servie sur ce petit chien. Parce qu'elle déteste cet enfant, ce mignon bambin inoffensif. Elle le hait simplement parce qu'il existe. Tout comme elle aurait haï votre fils, si vous en aviez eu un. *Elle seule* a le droit d'exister.

— Vous ne la connaissez pas !

— Mais si !

Eve se releva brusquement et fit claquer ses paumes sur la table avant de se pencher vers lui.

— Et vous aussi, dit-elle. Au fond de vous, vous savez. Elle lui faisait du mal. Il avait peur d'elle. Votre ex vous en a parlé mais vous ne vouliez rien voir. Le Funk est bien utile pour ça, pour ne pas voir ce que l'on n'a pas envie de voir. Mais vous saviez. Vous avez toujours su !

— Mon client a développé une dépendance à une substance qui...

— La ferme ! explosa Mackie.

— Monsieur Mackie, je suis là pour vous aider. Souvenez-vous de ce dont nous avons discuté et laissez-moi faire mon travail. Je dois m'entretenir avec...

— Je vous ai dit de la fermer ! À quoi vous servez ? Vous êtes comme les autres, à rester bien sagement dans le rang, à exploiter le système. Je n'ai pas besoin de vous.

— Je vous représente, monsieur Mackie. Laissez-moi faire mon travail et...

— Vous ne représentez que vous-même. Voilà la vérité. Maintenant fermez-la et dégagez ! Je n'ai pas besoin de vous. Je ne veux pas de vous ici. Je n'ai besoin de personne.

Il se redressa brusquement, tirant sur ses chaînes cadenassées au sol. Le vif mouvement de recul de

Pratt, et la chute de sa chaise qui s'ensuivit, le sauva des mains de Mackie qui tentait de l'agripper.

Eve se redressa lentement.

— Assis. Tout de suite, dit-elle.

— Vous n'êtes qu'une menteuse. Il est dans le coup, lui aussi !

— Asseyez-vous ou je vous fais mordre la poussière.

— Essayez donc.

Comme Eve contournait la table, Pratt se releva maladroitement. Il resta hors de portée de Mackie, mais Eve fut positivement impressionnée de ne pas le voir se précipiter vers la sortie.

— Mon client est en manque. Il a besoin...

— Je ne suis pas votre client ! Dégagez !

— Si vous voulez qu'il parte, vous devrez le congédier officiellement pour l'enregistrement, annonça froidement Eve. Vous devrez renoncer formellement à votre droit d'être assisté juridiquement. Dans le cas contraire, il restera ici.

— Vous êtes viré ! Je renonce à mon droit de recevoir une assistance juridique à la con. Maintenant allez-y un peu, sale garce, qu'on rigole.

— Avec plaisir.

Elle esquiva sans mal son coup de poing limité par ses chaînes et le jeta à terre d'une balayette dans les jambes.

— Restez au sol, lui lança-t-elle sur un ton d'avertissement. Vous n'êtes ni en état ni en position de me battre. Je vais vous donner une dernière chance de revoir votre idée de congédier l'avocat mandaté par la justice. Prenez une minute, Mackie. Reprenez-vous et réfléchissez.

Les tremblements de Mackie remontaient le long de ses bras jusque dans sa poitrine.

— Virez-le-moi d'ici ! gronda-t-il. Cette sale fouine a voulu me convaincre de chercher un accord. Vous croyez que je conclurais un accord avec vous ? Virez-le !

— C'est très clair.

Peabody se leva et se dirigea vers la porte.

— Le suspect a congédié son avocat et renoncé à son droit d'être assisté juridiquement. Si j'étais vous, Pratt, je filerais avant qu'il inscrive votre nom sur une liste.

Sans un mot, le visage pâle, Pratt récupéra son attaché-case et sortit.

— L'avocat congédié a quitté la salle d'interrogatoire, annonça Peabody à voix haute en refermant la porte.

— Vous allez vous asseoir ou je dois vous faire remettre en cellule ?

Toujours au sol, Mackie darda sur Eve un regard malveillant.

— Votre tour viendra, dit-il.

— Oui, tôt ou tard. Mais vous ne serez pas là pour le voir. Assis, Mackie.

17

Il s'assit. Les rougeurs sur son visage étaient revenues et il avait les yeux plus injectés de sang que jamais.

Eve sortit les plans du lycée et les déplia devant lui.

— Voici une partie de la mission qu'elle s'est donnée. Vous pouvez voir qu'elle a entouré les voies d'accès et les points faibles des lieux. Quelque chose que vous lui aurez sans doute enseigné.

— Non.

— Mère, beau-père, petit frère. Ils sont les premiers sur la liste. C'est envers eux qu'elle éprouve la haine et la colère les plus profondes. Après quoi, libérée de leur présence, elle viserait le principal, la psychologue et les étudiants dont elle estime qu'ils lui ont fait du tort, l'ont insultée ou avaient une dent contre elle. Vous lui avez appris à voir ces affronts comme autant de crimes, vous lui avez fourni une excuse pour tuer.

— Mensonges.

— Vous savez très bien que j'ai raison, mais accrochez-vous à cette idée de mensonges si ça peut vous aider à faire face. Vous n'avez pas bonne mine, Mackie. Je peux autoriser l'administration d'une nouvelle dose du traitement approuvé par les médecins si vous en avez besoin pour continuer.

— Je n'ai besoin de rien qui vienne de vous, espèce de sale menteuse !

— Très bien. Revenons à notre affaire.

Elle lui mit sous les yeux quelques-unes des photos de Zach.

— Elle a tué son chien et prévoit de le tuer à son tour. Il est actuellement sous protection policière. Vous savez que ça ne pourra pas durer indéfiniment. Et elle patientera. À moins que nous l'arrêtions, elle attendra aussi longtemps que nécessaire puis lui trouer le crâne d'un tir de laser. Il est du même sang qu'elle, ils ont la même mère. Ça aurait pu être votre enfant, et pourtant elle patientera aussi longtemps que nécessaire.

— Elle n'a aucune raison de faire ça.

— Elle a *toutes* les raisons, rétorqua Eve en abattant son poing sur la table. Il lui a *pris* quelque chose. N'avez-vous pas participé à justifier l'usage des compétences que vous lui avez enseignées pour faire tomber quiconque lui prenait quelque chose ? Un jour de pluie, un type descend la rue en voiture quand soudain une femme traverse en courant devant lui. Il essaie de s'arrêter, de faire une embardée, mais c'est trop tard. Est-ce qu'il la visait, Mackie ? Est-ce qu'il s'était levé ce matin-là en prévoyant de la tuer ? A-t-il passé des jours, des semaines, des mois à planifier la manière de s'y prendre ? S'est-il dit qu'il pourrait faucher au passage quelques passants innocents sous prétexte qu'ils n'avaient pas d'importance ? Cette mort avait de l'importance.

— Il l'a tuée et ils n'ont *rien* fait.

— Alors vous le prenez en ligne de mire, ce type qui a tenté de s'arrêter, vous visez le médecin et son assistante administrative parce que le rendez-vous de Susann a été décalé, et vous visez sa patronne qui lui adressait des remarques parce qu'elle arrivait souvent en retard et ne faisait pas son travail.

— Elle faisait de son mieux !

— Qui a dit que le mieux de quelqu'un est forcément toujours suffisant ? Dans quel monde vivez-vous ? Vous avez pris pour cible l'avocat que vous avez contacté parce qu'il n'était pas en mesure de tout arranger pour vous. Et vous vous servez de votre fille pour abattre ces gens parce que vous n'en êtes plus capable à force de vous défoncer. Qui a eu l'idée d'abattre plus de monde ? Elle, je parie. Parce qu'elle avait envie de ressentir ce frisson, ce pouvoir de vie ou de mort. Et afin de s'entraîner pour être en mesure, le jour où elle s'attaquerait à sa propre liste, d'abattre sa mère et son petit frère.

Les paupières des yeux abîmés de Mackie étaient agitées de tics.

— Nous allons en Alaska, dit-il.

— Elle n'a jamais eu l'intention de se rendre en Alaska. Pourquoi voudrait-elle y aller ? C'est une adolescente new-yorkaise de quinze ans et la ville offre tout ce dont elle a besoin et envie. Des cibles en veux-tu en voilà.

» Elle tuera ce petit garçon, ce mignon petit gamin, parce que sa mère a eu l'audace d'avoir un deuxième enfant. Elle ne l'aura pas aujourd'hui, ni demain, ni la semaine prochaine. Mais dans six mois ou un an, quand il s'imaginera être de nouveau en sécurité ? Alors qu'il sera en train de jouer dehors avec des copains, elle les éliminera tous, lui et ses amis. Parce qu'elle en est capable, parce que vous lui avez appris comment faire et fourni une excuse pour le faire.

— Elle ne ferait pas ça, répliqua Mackie.

Mais il avait détourné le regard.

— Vous savez que si, reprit Eve. Il aura peut-être douze ans quand elle lui tombera dessus. Lui et deux ou trois copains sur le chemin de la salle d'arcade, en train de faire de l'airboard ou de traîner au parc. Et boum ! Elle les tuera tous. Comme elle l'a tué, lui.

Elle sortit la photo d'Alan Markum.

— Cet homme et sa femme profitaient d'une journée rien qu'à eux, leur anniversaire de mariage. Elle s'apprêtait à lui annoncer qu'ils allaient avoir un bébé. Elle n'en a pas eu l'occasion, pas plus que ce bébé n'aura l'occasion de connaître son père. Et c'est de votre fait, Mackie, à vous et à Willow. Vous lui avez ôté la vie par caprice et voilà un autre enfant qui grandira sans père. Pour quoi ? Pour pouvoir cacher que votre véritable cible était un médecin occupé à faire naître une nouvelle vie dans ce monde détraqué, si bien que ses rendez-vous ont pris du retard ?

» Vous leur avez arraché quelque chose. À cette femme enceinte, tout comme l'était la vôtre. En suivant vos règles, nous devrions vous exécuter, Willow et vous. Vous avez arraché son père à cet enfant.

— C'est eux qui m'ont arraché ce qui comptait pour moi.

Eve rapprocha un peu plus la photo.

— En quoi vous a-t-il pris quoi que ce soit ? demanda-t-elle. En quoi Alan Markum vous a-t-il arraché quoi que ce soit ? Il ne vous a jamais rencontré, vous ne le connaissiez pas. Qu'a-t-il fait pour mériter la mort, pour mériter de ne jamais pouvoir tenir son fils ou sa fille dans ses bras ?

— Nous… Il fallait protéger la mission. Dommages collatéraux.

— C'est tout ? C'est ça que vous lui avez enseigné. Donc ce gamin, ce jeune qui venait d'avoir dix-sept ans le jour même ?

Elle lança la photo de Nathaniel sur la table.

— Ce garçon que sa mère adorait, qui ne vous avait absolument rien fait, ce n'est qu'une quantité négligeable ? Sa vie ne signifie *rien* ?

— Il fallait qu'on aille au bout... répondit-il.

Sa voix tremblait à présent et il avait les larmes aux yeux.

— Nous voulions la justice pour Susann. Pour Gabriel.

— Vous aviez besoin de faire couler le sang et Willow en rêvait. Elle a besoin de sa dose de meurtre comme vous du Funk. Vous la lui avez offerte. Vous aviez besoin d'un coupable donc vous avez établi votre liste et tant pis pour ceux qui se retrouveraient dans la ligne de mire de Willow. Et maintenant c'est son tour, dit-elle en posant le doigt sur la photo de Zach. Voilà ce que vous avez créé. Voilà le genre de choses que vous avez déclenché.

— Elle partira pour l'Alaska, pour y vivre libre. Vous ne la retrouverez jamais.

— Elle n'ira nulle part. Vous n'avez toujours pas compris ? s'enflamma Eve en se levant d'un bond pour faire le tour de la table. Elle n'en a pas terminé ; elle n'en aura jamais terminé. Osez donc me dire que vous n'envisagiez pas déjà d'autres noms ? Qui d'autre vous a mis des bâtons dans les roues d'après votre cerveau malade, Mackie ? Le beau-père ? Oh, je vous parie mon insigne qu'il était déjà en lice pour votre mission suivante.

Elle capta l'étincelle dans ses yeux larmoyants et ravagés.

— Il a pris votre place. Et Lowenbaum. Il vous a poussé vers la sortie. Patroni, qui n'a pas su vous comprendre. Oh oui, vous étiez déjà en train d'envisager tout ça. Et Willow est comme vous. Elle cherche quelqu'un à blâmer pour faire couler le sang. Vos yeux et vos mains, Mackie. C'est une camée, Mackie, tout comme vous. Sauf que son addiction, c'est la mort, et que c'est vous qui lui avez offert sa première dose.

— Elle venge...

— Rien du tout ! l'interrompit Eve. Ce n'est pas une question de justice, espèce de pauvre détraqué. Ce n'est même pas une histoire de vengeance. C'est une affaire de meurtre. Vous lui avez donné le feu vert pour tuer qui elle voulait. Ça se résume à ça. Voilà ce qu'elle fait à présent. Et ce petit garçon est en tête de liste. Ne m'obligez pas à abattre Willow. Regardez-moi, bon sang ! Ne m'obligez pas à l'abattre et ne croyez pas, pas même une seconde, que j'hésiterai à le faire si elle ne me laisse pas le choix. Sa vie est entre vos mains tremblantes car, avec ou sans vous, je vais la retrouver. Avec ou sans vous, je vais l'arrêter. Mais sans vous, je serai peut-être contrainte de donner le feu vert à quelqu'un. Sans vous, elle pourrait ne jamais avoir seize ans.

— Vous ne la trouverez pas.

— Mais si. Elle pourra m'inscrire sur sa liste si ce n'est pas déjà fait, mais je la trouverai la première. C'est une tueuse de flic, Mackie, et tous les policiers de cette ville sont à ses trousses. Certains d'entre eux n'attendront peut-être pas le feu vert officiel. Vous ne serez pas là pour la retenir. Ni pour l'aider à garder la tête froide. Elle a déjà fait des erreurs et elle en commettra d'autres. Elle a quinze ans et, sans son père pour l'épauler, elle va faire des bourdes. Elle est seule et toutes les cibles sur votre liste et la sienne sont hors de portée. Elle va perdre son sang-froid, attaquer un autre endroit, commettre plus de dommages collatéraux et nous l'abattrons. C'est vous qui aurez alors sa mort sur la conscience. La mort de votre fille.

— Non.

— Elle vous a déjà désobéi, intervint Peabody d'une voix douce. Vous lui aviez dit de quitter la ville. Vous aviez sans doute déjà planifié l'itinéraire à suivre, mais elle ne l'a pas emprunté. Elle n'est pas partie, n'est pas allée se réfugier en lieu sûr. Parce qu'elle ne peut pas.

— Elle ne peut pas, approuva Eve, parce que les missions, la vôtre et la sienne, passent en premier. Tant qu'il sera en vie, dit-elle en pointant de nouveau le portrait de Zach, elle restera ici. Et parce qu'elle sera ici, je la trouverai. Priez pour que ce soit moi plutôt qu'un autre flic. Je lui donnerai une chance de se rendre. Priez pour qu'elle la saisisse.

— Elle va...

— ... mourir, énonça Eve d'une voix dénuée d'émotion. Y a-t-il assez de Funk dans ce monde pour vous faire avaler une telle pilule ?

— Fichez-moi la paix !

— Désolée, Mackie, il va falloir vous habituer à ce que les choses ne se passent pas comme vous le voulez. Je n'ai pas à vous ficher en paix. Vous avez été arrêté pour complot visant à commettre plusieurs meurtres, ce que vous avez officiellement avoué. La vie telle que vous la connaissiez est terminée. Vous passerez le restant de vos jours à vous voir dicter où aller, quand manger, quand dormir. Tout cela au sein d'une prison hors-planète.

Il tourna vers elle un regard chargé de haine.

— C'est ça, le sort que vous réservez à ma fille ?

— Je veux que votre fille reste en vie. Vous pouvez me croire. Je veux qu'elle vive, Mackie. Pas vous ?

— C'est la chair de ma chair.

— Est-ce que ça compte à ses yeux ? Ce petit garçon partage le même sang qu'elle. C'est son frère. Et si elle l'avait en ligne de mire à l'instant où nous parlons, il finirait à la morgue. Ne m'obligez pas à l'y envoyer, elle aussi, Mackie. Aidez-moi à l'appréhender, ne m'obligez pas à l'abattre.

— Pour qu'elle termine sa vie dans une cage ?

Eve laissa échapper un long soupir, se redressa et fit les cent pas à travers la pièce. Elle décocha un très discret hochement de tête au miroir sans tain.

— J'ai la nette impression que vous préféreriez la voir morte que vivante et que par conséquent je perds mon temps avec vous. Peabody, ramenez ce pauvre type dans sa...

On frappa sèchement à la porte. Eve s'interrompit, lança un juron dans un souffle et ouvrit le panneau.

— Quoi ? Je suis en plein interrogatoire.

— Et moi, je suis venue proposer un accord au suspect, répliqua Reo.

Elle s'avança à l'intérieur, sûre d'elle, et posa sa mallette sur la table.

— Pas question ! dit Eve. Allons en discuter à l'extérieur, maître.

— Nous sommes tous ici au service de la protection de cette ville et de ses habitants. À des fins d'enregistrement : Reo, substitut du procureur, Cher, participe désormais à l'interrogatoire. Le bureau du procureur a un accord à vous proposer, monsieur Mackie.

— Il n'a rien demandé de tel, s'agaça Eve. Sortez.

— L'accord en question implique Willow Mackie. Son avenir. Voulez-vous un avenir pour votre fille, monsieur ?

— Je ne vous aiderai pas.

— Alors aidez-la, elle. Je suis autorisée à vous faire la proposition suivante : si vous nous donnez des informations menant à l'arrestation de votre fille avant – et j'insiste là-dessus, *avant* – qu'elle tue ou blesse qui que ce soit d'autre, si elle se rend sans résister, nous accepterons de la juger en tant que mineure pour tous les chefs d'accusation retenus contre elle.

— N'importe quoi ! C'est n'importe quoi ! s'emporta Eve.

Elle saisit Reo par le bras.

— Dehors, Reo.

Celle-ci se contenta d'arracher son bras à la prise d'Eve.

— Dallas, ces instructions viennent du plus haut niveau. Votre patron et le mien ont donné leur feu vert.

— C'est quoi, ces conneries pour dégonflés ? s'emporta Eve. Elle a tué vingt-cinq personnes de sang-froid. Des dizaines d'autres ont été blessées et traumatisées. On ne parle pas d'une gamine ayant piqué une voiture, merde !

Reo se tourna froidement vers elle.

— Et si vous aviez fait en sorte de l'appréhender, je n'aurais pas besoin de proposer cet accord. Ce n'est pas ma faute si vous n'êtes pas capable de trouver et d'arrêter une adolescente. Allez-y, posez encore une fois la main sur moi ! lança-t-elle sur un ton de défi comme Eve faisait un pas vers elle. Vous vous retrouverez écartée de l'enquête en moins de temps qu'il n'en faut pour le dire. Faites votre boulot, lieutenant, et laissez-moi faire le mien.

— Oh, je compte bien faire mon boulot. Peabody, on y va. En chasse !

Elle ouvrit la porte avec un geste brusque.

— Vous feriez mieux de conclure votre accord vite fait, lança-t-elle, parce que si je la retrouve avant que l'encre soit sèche, Willow Mackie sera à moi. Dallas et Peabody quittent cet interrogatoire qui tourne à la farce !

Elle claqua la porte derrière elle, roula des épaules puis fonça vers la salle d'observation.

— Quelle actrice, dit Connors. Je suis heureux d'être arrivé avant que le rideau retombe.

Eve se contenta de murmurer « allez, allez... » pour elle-même, les yeux braqués sur Mackie derrière le miroir.

— Expliquez-moi cette histoire de jugement en tant que mineure, dit-il.

— Vous êtes bien conscient qu'étant donné la gravité des crimes dont elle est accusée, Willow Mackie pourra et sera jugée comme une adulte.

Reo s'assit sur le siège qu'Eve venait de quitter, dans une attitude parfaitement professionnelle.

— Elle pourrait être – et ce sera le cas – jugée coupable et condamnée à la prison à perpétuité, et cela pour plusieurs chefs d'accusation. Elle serait alors transportée vers une colonie pénale hors-planète où elle passerait, compte tenu de l'espérance de vie actuelle, le siècle qui vient.

— C'est peut-être moi qui l'ai forcée à faire tout ça.

— Ça ne prendra pas, Mackie, répondit calmement Reo. Vous n'auriez pas pu la forcer à faire feu avec une telle précision. Et vous n'étiez pas là hier soir quand dix-huit personnes ont été abattues.

— Je lui ai mis la pression, je l'ai influencée. Je lui ai lavé le cerveau.

— Vous pouvez tenter le coup, bien sûr, mais je vous garantis que je ferai voler vos arguments en éclats durant le procès, affirma-t-elle. Et les preuves de son plan pour tuer d'autres personnes m'y aideront. Elle n'était pas sous contrainte. Elle vivait la moitié du temps avec son autre parent et n'a jamais mentionné de quelconques pressions à sa mère, à ses professeurs ni à qui que ce soit d'autre. Et, de fait, le lieutenant Dallas a appris au cours de son enquête qu'elle avait établi sa propre liste de cibles.

Reo marqua un temps d'arrêt pour le laisser prendre la mesure de la situation.

— Malgré tout cela, reprit-elle, Willow Mackie a quinze ans et nous donnerons notre accord aux termes précédemment évoqués pour sauver la vie de personnes innocentes. C'est une proposition que nous ne réitérerons pas, et l'heure tourne. Si colérique que soit le lieutenant, elle a absolument raison sur un point : Willow Mackie tuera de nouveau. Je soupçonne même que ce sera très bientôt si elle n'est pas appréhendée. Si vous nous aidez à empêcher cela de manière pacifique, elle sera jugée en tant que mineure et pourra bénéficier d'une libération au moment de son dix-huitième anniversaire. Comprenez bien qu'elle sera évaluée physiquement et mentalement. Et qu'elle devra donner son accord pour être logée dans un foyer d'accueil et pour suivre une thérapie comprenant d'autres évaluations pendant un an après son dix-huitième anniversaire. Ce sont nos conditions. Souhaitez-vous qu'un conseiller juridique examine les termes et en discute avec vous ?

— Je n'ai besoin de personne. Laissez-moi voir. Laissez-moi lire.

— Il va signer, souffla Eve en observant la scène.

— Vous avez entamé son assurance, dit Mira. Et vos propos sur le petit garçon ont ébranlé la confiance qu'il a en elle. Il a peur pour elle, mais pas seulement qu'elle puisse être capturée et arrêtée, voire blessée. Il s'inquiète de ce qu'elle pourrait faire s'il n'est pas là pour la retenir.

— Il savait ce qu'elle était, ce qu'elle avait en elle. Il peut prétendre le contraire, mais il le savait. Et il a exploité ce potentiel au service de son plan dérangé.

Elle aurait peut-être tué sans lui à un moment ou à un autre, mais il lui a fourni les compétences, les armes et les raisons de le faire. Ils auront tous les deux de longues, très longues années pour réfléchir à qui a le plus manipulé l'autre.

— S'il signe, dit Peabody, elle sortira de prison dans moins de trois ans.

— Qu'il signe, déjà. Nous verrons le reste ensuite.

— Cet accord est pourri, commenta Peabody. Je sais que vous jouiez la comédie avec Reo, mais ça reste un accord bien pourri.

— Pas si pourri que ça s'il nous aide à l'arrêter avant qu'elle abatte vingt-cinq citoyens supplémentaires. Et elle essaiera d'augmenter son score la prochaine fois. De se surpasser. Elle doit aussi regarder les infos, pour voir ce que l'on raconte sur elle et lire entre les lignes. Elle a sans doute modifié un peu son apparence. Peut-être en accentuant son côté garçon. Ou alors elle se sera pris une perruque, pour faire très fille. Elle a dû organiser tout ça, en digne fille de son père.

— Je veux une autre garantie, dit Mackie à Reo. Je veux la garantie qu'elle sera amenée ici vivante et indemne.

— Monsieur Mackie, je suis substitut du procureur, pas agent de police. Je ne peux rien garantir de ce qui arrivera durant la tentative pour l'appréhender. Si elle résiste, si elle tire sur des policiers ou des civils...

— Qu'ils la ramènent en vie, ou je ne signerai rien.

— Je peux modifier l'accord de la manière suivante : je peux vous promettre que toutes les mesures seront prises pour faire en sorte de ramener votre fille en vie. Qu'aucun agent de police ne fera usage de force excessive ni n'ordonnera qu'on l'abatte. Si je vous disais pouvoir faire plus, vous sauriez que je vous mens. Je vous offre la meilleure chance qu'elle puisse avoir.

— Ajoutez-le. Ajoutez-le et je signerai.

— Laissez-moi valider officiellement le changement. Reo, substitut du procureur, Cher, quitte l'interrogatoire.

Elle sortit, inspira à fond, puis alluma son communicateur. Tandis qu'elle s'entretenait avec son supérieur, elle leva une main pour faire signe à Eve de patienter.

— C'est ça. Oui, monsieur. J'ai l'enquêtrice chargée de l'affaire avec moi et elle a connaissance de ces nouveaux termes. Ce sera fait.

Elle raccrocha et fit un signe de tête à Eve.

— C'est bon. Ils vont ajouter cette mention et envoyer l'accord amendé. Vous pourrez le faire respecter ?

— Que les choses soient claires, Reo. Je veux la capturer vivante. Je veux qu'elle se retrouve en prison avec lui. Je veux la regarder droit dans les yeux et lui dire qu'elle est finie.

— Et quand elle aura dix-huit ans ?

Eve se contenta d'un sourire froid et sans joie.

— Allez chercher vos documents, puis nous verrons ce qu'il a à nous dire.

Elle se détourna pour répondre à son propre communicateur.

— Ici Dallas.

— La piste se réchauffe, lieutenant, lui dit Baxter. On l'aurait vue évoluant vers l'est sur la 52e Rue ce matin. On retourne dans son ancien quartier.

— Posez la question chez le glacier. Divine. Elle a un faible pour cet endroit.

— On y va. Au pire, ce sera l'occasion de se prendre une boule de Péché Chocolat sur un cône au sucre. Comment ça se passe de votre côté ?

— On est sur le point de conclure. Je vous tiendrai informés.

Elle attendit le retour de Reo.

— J'ai votre accord pour dégonflés, lui lança celle-ci.

— Alors faisons-en bon usage. On estime qu'elle se cache du côté de l'endroit où son père les logeait avant la première attaque. Voyons s'il peut nous rapprocher d'elle avant qu'elle tue quelqu'un d'autre.

Eve retourna en salle d'interrogatoire et relança l'enregistrement. La peau de Mackie était devenue presque translucide sous un voile de transpiration. Il avait besoin d'une dose, comprit-elle, et arrivait au bout de ses forces.

— Vous pouvez lui offrir une balade de santé, lança-t-elle d'une voix chargée de dégoût. Lui sauver la vie et peut-être – même si vous n'en avez rien à faire – celles de personnes innocentes.

— Trois ans d'incarcération ne constituent pas une balade de santé, répliqua sèchement Reo.

Elle s'assit et tendit l'accord modifié à Mackie.

— Dites ça aux vingt-cinq victimes et à ceux qu'elles laissent derrière elles pour les pleurer.

Eve abattit ses paumes sur la table et se pencha vers le visage couvert de sueur de Mackie.

— Vous pensez que je ne peux plus rien faire ? Ce n'est que temporaire. Quand elle ressortira, je serai là. Je saurai quand elle dort, quand elle mange, quand elle lâche un pet. Et à la première erreur, je lui tomberai dessus. Soyez-en sûr et souvenez-vous-en !

— Ma priorité actuelle consiste à retrouver Willow Mackie avant qu'elle s'en prenne à qui que ce soit d'autre. Cela devrait aussi être la vôtre, lieutenant.

Reo tendit un stylo à Mackie.

— Vous signez en premier, dit-il.

Avec un hochement de tête, Reo signa d'une écriture élégante et précise. Mackie s'empara du stylo et parvint à tracer un paraphe tremblotant.

Reo remit l'accord et le stylo dans sa mallette, qu'elle referma.

— Monsieur Mackie, où est votre fille ?

— Elle devrait être en route vers l'Alaska. On avait défini trois trajets possibles. Elle était censée prendre un bus pour Columbus puis opter pour l'un des trois itinéraires vers l'ouest.

— Mais elle n'est pas en route pour l'Alaska, n'est-ce pas ? répondit Reo d'une voix qui se voulait raisonnable. Où est-elle ? Cet accord sera nul et non avenu à moins que vous nous fournissiez des informations menant à son arrestation.

— Elle est déterminée, avec une sacrée volonté. Ma fille est une gagnante.

Le reniflement de dérision d'Eve poussa Mackie à lever son regard trouble vers elle.

— Vous ne la connaissez pas, dit-il.

— Si *vous*, vous la connaissez, où est-elle ? répliqua-t-elle.

— Elle veut terminer ce qu'on a commencé. Elle n'est pas du genre à abandonner.

— Elle veut plus que ça. Et vous le savez très bien, sans quoi vous n'auriez pas signé cet accord.

— Le connard que sa mère a épousé passe son temps à la tanner !

— Donc, naturellement, il mérite la mort. Si vous voulez sauver la vie de Willow et celle de ce petit garçon, arrêtez de lui trouver des excuses et dites-moi où elle est.

— Si on se trouvait séparés, ou si elle avait besoin de se poser quelque part parce qu'elle ne pouvait pas quitter la ville immédiatement, elle devait retourner à l'appartement. Au quartier qu'on avait bien quadrillé. Un terrain dont elle connaît la configuration et où sa tête est suffisamment connue pour ne pas se faire remarquer.

— Vous voudriez nous faire croire qu'elle est retournée dans un endroit que nous avons déjà identifié ?

— Il y a une cave, une sorte de remise, une vieille buanderie. Les machines sont en panne donc personne ne s'en sert. On y a laissé des provisions et de l'équipement.

Eve se laissa tomber sur une chaise.

— Vous vous imaginez vraiment que nous n'avons pas passé l'immeuble au peigne fin et récupéré l'équipement en question avant de sceller l'accès ? Vous me faites perdre mon temps, Mackie.

— Si elle n'a pas pu accéder à l'immeuble ou si elle a eu l'impression qu'il était surveillé, il y a une location de chambres à bas prix sur Lexington, entre la 39ᵉ et la 40ᵉ Rue. C'est là qu'elle irait en cas de besoin, pour attendre que la pression retombe ou que je la rejoigne. En se faisant discrète.

— Quelles armes porte-t-elle ?

Le voyant hésiter, Eve se pencha de nouveau vers lui.

— Vous voulez qu'elle soit capturée vivante ? Qu'est-ce qu'elle a comme armes ?

— Un Tactical-XT, modèle militaire avec lunette à longue portée et vision nocturne. Deux blasters de poing, un pistolet paralysant de la police, un blaster à pompe laser, six grenades incapacitantes.

— Des lames ?

— Poignard de combat, couteau papillon, matraque télescopique avec baïonnette.

— Des protections ?

— Armure complète. Avec un casque, évidemment.

— Si vous avez omis ne serait-ce qu'un canif et qu'elle s'en sert sur un de mes hommes, cet accord ne vaudra plus rien.

— Elle dispose d'un outil multifonctions avec deux ou trois petites lames. Dites-lui que je lui ai dit de baisser les armes. Dites-lui que son père a dit de baisser les armes et de rester en vie. La cave de l'appartement ou les chambres à louer sur Lexington. Ce sont les planques prévues pour battre en retraite.

— Alors priez pour qu'on l'y trouve. Fin de l'interrogatoire.

Elle le remit à deux agents en uniforme, avec pour instructions de surveiller une éventuelle tentative de suicide. Elle laissa les démarches légales à Reo. Lowenbaum était déjà sorti de la salle d'observation et aboyait des ordres par radio.

— Vous voulez une place dans le camion ? lui demanda-t-il.

— Non. J'ai ce qu'il faut. Il y a déjà deux inspecteurs à moi dans le quartier. Si elle y est, je ne veux pas qu'elle les reconnaisse et fasse feu. Préparez-vous à passer à l'action. Les probabilités penchent plutôt vers les chambres. Elle pourrait tenter de se réfugier dans la cave de l'autre immeuble mais ce serait une erreur, sachant qu'on s'est déjà rendus sur place. Elle ne commettrait pas une telle erreur.

— D'accord, mais on vérifiera la présence de sources de chaleur... si je peux emmener votre équipe de la DDE avec nous.

— Allez-y.

Elle sortit sa propre radio pour contacter Baxter et lui résuma la situation tout en se rendant à la salle commune.

— Reineke, Jenkinson, équipez-vous. Agent Carmichael, choisissez six de vos collègues et faites de même. Santiago, inspecteur Carmichael, vous constituerez la deuxième unité. Équipement complet. La suspecte est Willow Mackie, quinze ans. Elle est armée et dangereuse. Ses armes incluent un Tactical-XT militaire avec lunette longue portée et vision nocturne, deux blasters, un pistolet paralysant, un fusil à pompe laser, des grenades incapacitantes et différentes lames. Ne laissez pas, je répète, ne laissez *pas* son âge vous dissuader de lui balancer une bonne décharge paralysante. Nous voulons la capturer vivante. Le SWAT va se mettre en place pour encercler et sécuriser les lieux. Peabody, affichez un plan du secteur sur cet écran.

Eve élabora le plan tout en parlant.

— Elle ne se laissera pas capturer facilement et si elle nous repère, nous ou l'équipe de Lowenbaum, elle tentera de nous abattre à distance. Elle n'est pas dans cette fichue cave, maugréa-t-elle pour elle-même. Ce serait un très mauvais plan. Elle voudra un poste d'observation en hauteur, avec une vue dégagée des alentours. On vérifiera mais elle n'y sera pas. La chambre bas de gamme…

— Tu voudrais les détails de l'immeuble ? proposa Connors dans son dos.

— Ce serait utile.

Il rejoignit Peabody et interfaça son mini-ordinateur avec le terminal.

— Construit après les Guerres Urbaines, dit-il à Eve. Actuellement utilisé principalement par des CL de bas étage, des voyageurs en transit, des toxicos et des criminels sans envergure. Huit étages, douze chambres par étage. Un petit hall d'accès avec un droïde d'accueil. Paiement en liquide uniquement. Les chambres se louent à la demi-heure, à l'heure, à la nuit ou à la semaine. Ni insonorisation ni panneaux occultants.

— Compris. L'imagerie thermique nous indiquera quelles chambres sont occupées… et quiconque ne serait pas seul. La suspecte n'aura pas de compagnie. Une source audio pourrait s'avérer pratique.

Elle se mit à faire les cent pas devant l'écran.

— On va commencer par le droïde, pour vérifier si elle est sur place. Si c'est le cas, on évacuera les lieux, dans la mesure du possible. Chaque chambre est constituée d'une unique pièce, avec une seule fenêtre et une seule porte.

— Elle pourrait avoir piégé celle de sa chambre, lieutenant, dit Reineke.

— Oui. C'est ce que je ferais à sa place. Je n'aime pas ça.

Elle se remit à faire les cent pas.

— Ce n'est pas non plus une cave mais où est sa porte de sortie ? Les escaliers de secours au-dehors ? Elle doit savoir qu'on couvrira les accès extérieurs.

— Elle pense peut-être pouvoir se frayer un chemin à l'aide de ses armes, intervint Mira. Elle a quinze ans. Elle se sent indestructible, comme si elle était la star de son propre film d'action.

— Possible.

Mais quelque chose turlupinait Eve. Et elle ne put se débarrasser de cette sensation tandis qu'elle affinait l'opération et se préparait à partir.

— Je viens avec toi, lui dit Connors.

— D'accord, répondit-elle, l'esprit ailleurs.

Puis elle tourna la tête vers lui, sourcils froncés.

— Pourquoi ?

— C'est une question personnelle ou professionnelle ?

— Tu serais plus utile auprès de la DDE.

— Pas forcément. Surtout que tu ne penses pas qu'elle se trouve là où ils vont.

— Je ne vois pas pourquoi il mentirait. Pourquoi aurait-il négocié ce fichu accord juste pour nous mentir ensuite ? Il veut qu'elle reste en vie et c'était le bon angle d'attaque, en insistant sur le petit frère, sur le plan de Willow pour l'abattre ainsi que les autres. Je l'ai vu qui réfléchissait, j'ai vu qu'il savait qu'elle le ferait. Mais il veut qu'elle reste en vie, qu'elle puisse sortir de prison après n'y avoir passé que quelques années.

— C'est son enfant.

— Il ne mentait pas, mais...

— Accorde-toi une minute.

Secouant la tête, elle préleva un poignard de combat dans son tiroir. Elle fit coulisser la lame hors du fourreau puis la remit en place.

— L'heure tourne, dit-elle en l'accrochant à sa ceinture.

— Et en ce moment même Lowenbaum place ses hommes de manière à l'encercler. Prends un instant pour laisser sortir ce qui est en train de mijoter dans ton cerveau.

— Ça viendrait plutôt des tripes.

Elle s'arrêta néanmoins, s'assit, les pieds sur le bureau et les yeux braqués vers son tableau.

Voyant Peabody franchir le seuil, Connors leva la main pour lui faire signe de garder le silence.

Cerveau, tripes, instincts, sixième sens ou logique de flic... Quoi que ce soit, il sentait que c'était au travail chez Eve.

Ils patienteraient.

18

Elle aurait dû être en chemin vers l'Alaska... mais ce n'était pas le cas.

Elle était censée prendre un bus pour Columbus... mais ne l'avait pas fait.

Ils avaient une mission... mais elle en avait une autre, personnelle. Cachée à son père, son maître, son mentor.

« Il veut qu'elle vive. Elle veut tuer.

Il lui dit de s'enfuir, de rester en sécurité, d'attendre que ça se tasse.

S'enfuir ? En sécurité ? Un truc de perdants. Et attendre, ça prend trop de temps.

Elle veut tuer. »

— Elle ne l'écoutera pas, murmura Eve. Ce n'est pas parce qu'elle a quinze ans. Son âge joue peut-être un peu mais l'essentiel n'est pas là. Vraiment pas. Elle sait qu'elle est meilleure que lui. Il n'est plus affûté physiquement alors qu'elle l'est parfaitement. Il est faible, n'est-ce pas ?

Elle se releva pour faire les cent pas, les yeux toujours rivés sur le tableau.

— Qui a accompli quoi ? Elle a tout fait. Pas lui. Rester en sécurité ? Ce n'est pas la sécurité qu'elle cherche mais l'action. Elle veut ressentir cette excitation, compter les points, viser des cibles. *Ses* cibles, dit-elle.

— Où irait-elle ? lui demanda Connors.

— Pas dans une piaule pourrie au milieu des prostituées et des junkies. Pas question de se terrer dans un trou et de poireauter jusqu'à va savoir quand. Tout se passe maintenant. Aujourd'hui. Tout tourne autour d'elle. Elle est au centre des événements. Et c'est ce qu'elle veut. Si elle avait cherché la sécurité, elle serait partie. Elle n'est pas partie parce que c'est l'ici et maintenant qui l'intéresse. Ce qu'elle veut prime sur tout le reste. Sa mission. Elle sera rentrée chez elle.

— Si elle est à l'appartement... commença Peabody.

— Ce n'est pas chez elle. C'est le QG, le QG de son père, et cette mission-là est terminée, pour le moment en tout cas. La maison de ville. Celle de sa mère.

Elle se retourna et Connors le vit dans son regard. Son intuition s'était changée en certitude.

— C'est un endroit confortable, c'est chez elle. Vêtements, nourriture, distractions. Là aussi, un quartier qu'elle connaît bien... et désert à cet instant précis. Mais le mieux, le plus important, le plus vital : ils vont revenir. Dans quelques jours, une semaine peut-être, mais ils vont revenir. Les trois individus en tête de sa liste. Ça, c'est une chose pour laquelle elle peut patienter.

— On a posé des scellés.

— Elle trouvera le moyen d'entrer. Son père a dû lui apprendre à contourner des scellés. Elle aura alors la maison pour elle seule, volets occultants activés. Elle pourra regarder la télévision, estimer quand la pression médiatique commencera à baisser. Se poster quelque part et attendre. Attendre qu'ils rentrent, qu'ils se sentent en sécurité, ou en tout cas plus en sécurité que maintenant. Elle n'aura qu'à se cacher, attendre que la maison soit bien fermée et verrouillée, que le silence s'installe. S'occuper d'abord du beau-père, puis de la mère, et enfin du gamin. Ne reste ensuite plus qu'à prendre ce qu'elle veut, tout ce qu'elle veut, et à s'en aller tranquillement. Pour trouver un autre endroit où tuer.

— J'annule l'opération ? demanda Peabody.

— Non.

Soupesant les probabilités face à son intuition, Eve se passa les doigts dans les cheveux, tira sur ses mèches.

— Je peux me tromper, dit-elle. J'en doute, mais c'est une possibilité. On ne change rien.

— Rien que nous trois, alors, dit Connors.

Eve acquiesça du menton.

— Si tu es partant.

— À titre personnel ou professionnel ?

— Très drôle. Peabody, affichez l'endroit sur l'écran.

Elle décrocha sa radio.

— Reineke, je me détache vers une autre cachette potentielle, annonça-t-elle.

C'était un risque, estima-t-elle après avoir vérifié le bon fonctionnement de ses armes et être descendue dans le garage avec Connors et Peabody. Elle chargea un fusil laser, une lunette ainsi que l'équipement que Connors utiliserait depuis sa DLE à l'aspect trompeusement ordinaire. Son oreillette la maintenait en contact permanent avec les autres équipes.

Si les pourcentages s'avéraient exacts, elle serait en mesure de rejoindre l'équipe principale en quelques minutes. Si son intuition était la bonne, elle pourrait rameuter cette même équipe tout aussi rapidement.

La DDE n'avait détecté aucune source de chaleur dans la cave ou dans l'appartement. Ils continuaient à identifier les autres sources au sein des chambres à louer.

Carmichael se ferait passer pour une CL, Santiago pour son client. Ils entreraient dans le hall et s'adresseraient au droïde.

— Je peux envoyer des renforts, indiqua Lowenbaum à Eve. Au moins deux hommes.

— On reste tels quels pour le moment. L'un d'entre nous va se trouver au bon endroit. Dès que nous saurons de qui il s'agit, l'autre le rejoindra au plus vite.

— Bien reçu.

— Essayez de ne pas la tuer, Lowenbaum.

— Même chose de votre côté.

Eve tendit à Peabody un casque à visière.

— Elle visera la tête, affirma-t-elle.

— C'est réconfortant, répondit Peabody en s'installant sur la banquette arrière.

— Je vais conduire, indiqua Eve à Connors. Tu travailleras sur le portable. Elle ne peut pas surveiller les fenêtres vingt-quatre heures sur vingt-quatre, mais aura peut-être placé des caméras afin d'observer la route et les trottoirs.

Au moment de quitter sa place de parking, elle lança un regard vers Connors.

— À quel point tu veux te rapprocher ? demanda-t-elle.

— Les mecs du van ont pris le meilleur équipement, mais je peux me débrouiller avec ce que j'ai. Essayons d'être à moins de quinze mètres de la maison.

Eve réfléchit tout en conduisant. Elle contacta Nadine depuis l'écran de sa montre.

— Soyez prête à diffuser un bulletin d'informations.

— Quoi ?

Nadine leva une main vers ses cheveux, rassemblés en une courte queue-de-cheval et absolument pas prêts à passer à l'image.

— Un scoop à venir ? demanda-t-elle. Je suis rentrée chez moi il y a une heure après avoir fait des interventions hier soir à propos de l'arrestation de Mackie et de la traque pour retrouver sa fille. Vous l'avez appréhendée ?

— Soyez prête quand je vous appellerai, c'est tout, répondit Eve.

Elle coupa la communication et doubla un Rapid Taxi trop lent à son goût.

— Elle sera prête, affirma-t-elle.

— Pour quoi ? se demanda Peabody.

— Pour lancer un bulletin d'informations qui attirera l'attention de notre suspecte à l'écart de la rue et du trottoir devant chez elle.

— Tu vas court-circuiter l'autre opération, devina Connors.

— Pas si elle est là-bas. Pas si je me trompe. Et pas tant que nos collègues ne seront pas tous en sécurité. Mais...

— Mais si elle n'est pas là-bas, si tu ne t'es pas trompée, et que les autres sont tous en sécurité, tu informeras Nadine de l'autre opération. Et si celle-ci se déroule en direct...

Connors sourit tout en affinant les réglages de ses appareils.

— Elle va l'avoir mauvaise contre toi, notre Nadine, ajouta-t-il.

— Elle s'en remettra quand je lui offrirai l'exclusivité de cette opération-ci.

— Ce casque est lourd, se plaignit Peabody. Et il résonne.

Eve lança un coup d'œil au rétroviseur pour constater que son équipière avait enfilé le casque noir et baissé la visière.

— Retirez-le jusqu'au moment où vous en aurez besoin. Vous avez l'air ridicule.

— Pas du tout, la contredit Connors avec un sourire à l'intention de Peabody. Vous faites plutôt Stormtrooper sexy.

— Vraiment ?

— On reste concentrés, les avertit Eve. Je réfléchis encore à la manière d'approcher sans lui laisser le temps de nous abattre.

— J'ai toute confiance en toi, répondit Connors sans cesser de travailler sur son appareil portable, avec l'espoir d'augmenter sa portée.

— Je ne veux pas me garer en double file, au risque d'attirer son attention quand les gens se mettront à klaxonner et à se plaindre. Quand tu disais à moins de quinze mètres, tu pensais à combien ?

— Je pense pouvoir obtenir des données à partir de dix-huit mètres maintenant. Ça mérite de tenter le coup.

Eve envisagea la possibilité d'utiliser l'une des autres maisons alentour, de se servir de son insigne pour installer Connors chez des voisins. Mais elle repéra un emplacement le long du trottoir, à peine assez grand pour un véhicule compact. Elle trouverait le moyen de s'y caser.

Le moyen en question consista à utiliser la DLE pour pousser le véhicule devant eux contre le pare-chocs de son voisin puis à faire de même avec la voiture située derrière eux. Par ce biais, et au prix de nombreuses manœuvres, elle se posa dans l'emplacement.

— On est plutôt à vingt-mètres qu'à dix-huit.

— Si tu ne peux pas agir depuis cet endroit, pourquoi n'as-tu rien dit avant que je me gare ?

— Je n'ai pas dit ça. Donne-moi une petite minute de plus.

Elle porta une main à son oreillette.

— Oui, j'écoute, dit-elle à Jenkinson.

— Santiago et Carmichael sont entrés. D'après le droïde de l'accueil, c'est négatif pour la présence de la suspecte.

— Et il est fiable ?

— Ils ont trouvé le droïde un peu bizarre donc Feeney envoie Callendar pour vérifier. On a une dizaine de sources de chaleur isolées. Les calculs de Feeney nous permettent d'en éliminer quatre. On ne peut pas obtenir un poids et une taille précise, mais ses calculs indiquent que ces quatre-là sont bien trop gros pour être la suspecte.

— On va s'y fier. Nous sommes à une vingtaine de mètres de l'emplacement de la cible. Connors travaille lui aussi à repérer les sources de chaleur. Nous vous tiendrons informés.

Elle mit fin à la transmission et reporta son attention vers Connors.

— Alors ?

— Tu es consciente que c'est censé fonctionner à une portée bien plus réduite, portée que j'ai déjà réussi à augmenter avant que tu y ajoutes encore quelques mètres, donc si tu pouvais m'accorder une minute…

Ce qu'elle fit, non sans tapoter le volant du bout des doigts.

Il serait préférable d'appréhender Willow Mackie dans l'autre endroit. L'hôtel était encerclé, l'arrêter serait plus simple. Mais…

— Bon, dit Connors, voyons si j'ai réussi à accomplir un petit miracle.

Il programma les coordonnées, composa plusieurs codes et examina le petit écran. Le menton appuyé sur le dossier du siège, Peabody scrutait également l'écran à travers sa visière.

— Le scanner marche, commenta-t-elle. Les geeks assurent !

— Reste à voir s'il y a quelqu'un.

Il lança une lente analyse des lieux, en commençant par le rez-de-chaussée.

— Il y a une petite cave en dessous, commenta-t-il, si vous ne le saviez pas déjà. Personne à l'intérieur ni au rez-de-chaussée. Je démarre le scan du premier étage.

L'analyse, mètre par mètre, ne révéla rien.

— Premier étage vide. On passe au deuxième.

« Ici ou là-bas, ici ou là-bas », songea Eve, s'attendant à tout moment à recevoir l'appel de l'une de ses équipes... ou à voir l'écran s'illuminer.

— Ah ! Il semblerait que les geeks ne soient pas les seuls à assurer. L'intuition du flic a encore de l'avenir, dit Connors. La voilà, lieutenant.

— Je la vois, dit Eve, les yeux rivés sur la tache lumineuse à l'écran. Allongée. Je parie qu'elle s'ennuie. Elle regarde la télé et ses moniteurs. On va la réveiller un peu. Lowenbaum !

— Je vous reçois, dit-il. Votre jolie collègue de la DDE est sur place et bosse sur la mémoire du droïde mais il semble qu'il n'y ait aucune trace de la suspecte durant les vingt-quatre dernières heures. Il ne remonte pas plus loin.

— C'est parce qu'elle est ici.

— Merde.

— Je veux que vous laissiez certains de vos hommes à l'hôtel. Visibles, Lowenbaum, mais pas de façon trop évidente. Je vais me servir de votre emplacement pour créer une diversion, la déconcentrer.

Que le reste d'entre vous nous rejoignent le plus vite et le plus discrètement possible. On la tient, Lowenbaum.

— Comptez sur moi.

— Reineke, vous avez entendu ?

— Affirmatif.

— Laissez certains des agents en uniforme. Faites en sorte qu'on les voie. Et envoyez le reste de l'équipe là où je me trouve. Des barricades des deux côtés du pâté de maisons. Restez hors de vue de la maison à moins que je vous dise le contraire. On passe à l'attaque dans cinq minutes.

— Faites attention à vous, lieutenant, et les autres aussi.

Eve rappela Nadine.

— Des policiers du NYPSD et du SWAT convergent vers la suspecte encore en cavale des récents meurtres à longue distance. Le lieutenant Eve Dallas supervise la capture de Willow Mackie, que l'on pense terrée dans un hôtel sur Lexington Avenue. D'après Dallas, une arrestation est imminente.

— Qu'est-ce que vous me faites, là ? Jamais vous ne feriez une annonce pareille… Et vous n'informez jamais les médias durant une opération.

— Vous n'êtes pas un simple média, si ? Écoutez ce que je vous dis. Je vous promets que ça en vaudra la peine. À tous les niveaux. Allez-y, Nadine.

— D'accord, j'y vais. Mais vous me serez redevable.

— J'ai déjà votre récompense sous le coude. À plus tard.

Eve se tourna vers son écran d'ordinateur.

— Ça ne devrait pas lui prendre longtemps, dit-elle.

De fait, il fallut moins de deux minutes avant que le programme de la chaîne 75 soit interrompu par le générique bleu et rouge clignotant d'un flash info urgent.

La journaliste en direct annonça un fait nouveau dans la traque de la suspecte après l'attaque de Madison Square puis donna la parole à Nadine, dont la voix retentit tandis que son portrait apparaissait dans le coin supérieur de l'écran.

— Ici Nadine Furst pour un rapport en direct tandis que la police et la brigade du SWAT convergent…

Eve éteignit l'écran et ouvrit la portière à l'instant où elle vit la source de chaleur se redresser en position assise.

— On a capté son attention. Équipe-toi, ordonnat-elle à Connors en lui lançant un casque.

— Franchement, Eve…

— Soit tu le portes, soit tu restes ici.

Elle sortit le sien et secoua la tête en le regardant.

— Je déteste ces trucs, admit-elle. Ils sont lourds et ils résonnent.

— C'est ce que je disais !

— Je n'ai jamais prétendu que vous aviez tort. D'abord on entre… Grâce à toi, précisa-t-elle à l'intention de Connors. Puis je prendrai l'escalier de devant. Peabody, vous traverserez la maison et emprunterez l'escalier de derrière. Si elle porte une protection totale, visez la tête. Personne ne voudrait rester allongé à regarder la télé avec l'un de ces fichus casques. Assurez-vous bien que votre pistolet paralysant est réglé sur la puissance intermédiaire. Pas question de la ménager mais je ne veux pas risquer la paraplégie. Si elle ne s'effondre pas, augmentez l'intensité. Connors, je voudrais que tu restes en arrière, au premier étage, au cas où elle arriverait à nous échapper. Si ça se produit, tu la neutralises.

— Les renforts ? s'enquit Peabody.

— Le temps de nous mettre en position et d'entrer dans la maison, ils seront là. Où est-elle ? demanda-t-elle à Connors.

— Assise, très probablement par terre. Deuxième étage, façade avant de la maison, au fond de la pièce.

— Elle regarde la télé. Continuez comme ça, Nadine. Vingt mètres à parcourir. Allons-y.

Ils se déplacèrent à vive allure dans l'air froid et clair, Connors gardant un œil sur leur cible grâce à son appareil.

Pas beaucoup de passants dans cette rue plutôt résidentielle, constata Eve. Et la plupart des habitants accordèrent à peine un regard au trio casqué qui remontait la rue à petites foulées.

Mais même les New-Yorkais les plus blasés seraient prompts à s'arrêter et à montrer du doigt une équipe du SWAT. Le but ? Entrer dans la maison avant que l'opération n'attire trop l'attention. Avant que Willow Mackie ne comprenne que sa cachette était découverte.

Ils atteignirent la porte et s'accroupirent contre le mur.

— Peabody, prenez le scanner. Si elle bouge, informez-nous tout de suite. Il faudra qu'elle aille à la fenêtre et soit tournée vers nous en regardant vers le bas pour nous voir. Connors, à toi de jouer.

— Je vérifie d'abord les mesures de sécurité.

— Reineke, au rapport.

— On monte les barricades. Nous arriverons ensuite à pied.

— Couvrez l'arrière de la maison avec Jenkinson. Restez discrets jusqu'à ce que je vous appelle, puis passez à l'assaut. Lowenbaum ?

— J'écoute.

— Visez le deuxième étage, fenêtre sud-est. Elle est assise par terre et regarde la télé, donc si vous devez déplacer vos hommes, faites-le tout de suite, et vite.

— On la voit. Feeney l'a localisée. On est en approche. Je vais poster des tireurs sur les toits des bâtiments en face. J'envoie une autre équipe surveiller l'arrière en complément de vos hommes. Elle est coincée, Dallas.

— Coincée ne veut pas dire capturée. Nous préparons une entrée discrète.

— C'est une petite maligne, commenta Connors. Elle a placé une alarme secondaire, qui envoie sans doute un signal sur son communicateur. C'est futé mais relativement simple. Donne-moi juste quelques instants de plus.

Une installation destinée à donner du temps à Willow Mackie, à la prévenir quand la famille rentrerait à la maison, comprit Eve.

Elle balaya les alentours du regard, capta un bref mouvement sur le toit de la demeure située juste de l'autre côté de la rue.

— Peabody ?

— Elle n'a pas bougé.

— Connors ?

— Alarmes désactivées. Je m'occupe des serrures... Voilà, c'est fait.

— À toutes les unités, nous entrons. Peabody, escalier arrière. Dallas, escalier de devant. Connors, palier en façade du premier étage. On bouge !

Eve tendit la main vers la poignée de la porte.

— Laissez le scanner, Peabody. Traversez la maison et montez directement au second.

Elle ouvrit doucement la porte puis dégaina son arme. Désormais sans outil de surveillance technologique, elle balaya l'entrée du regard puis se redressa lentement.

— Nous sommes à l'intérieur, murmura-t-elle pour l'enregistrement en faisant signe à Peabody d'avancer.

Accompagnée de Connors, elle commença à monter les marches sans émettre la moindre remarque quand il brandit une arme très similaire à la sienne.

— Feeney ? souffla-t-elle dans le micro.

— Je te vois, dit-il. J'ai aussi Connors et Peabody. La cible est toujours dans la même position.

— On se dirige vers elle.

Elle fit signe à Connors. *Reste ici.*

— Baxter, Trueheart, Santiago, Carmichael, passez par-devant et répartissez-vous en éventail.

Elle s'engagea dans le deuxième escalier, l'oreille aux aguets. À mi-chemin, elle capta des voix étouffées, dont celle de Nadine.

Elle gravit deux marches supplémentaires avant d'entendre un grincement caractéristique provenant de l'escalier de derrière. Elle n'eut pas besoin de l'avertissement de Feeney dans son oreillette pour savoir que Willow aussi l'avait entendu. À l'intérieur, la cible se relevait en hâte.

Eve s'élança en courant dans l'escalier.

— Go, go, go ! Police ! cria-t-elle en atterrissant d'un bond sur le palier. Ici la police !

La grenade incapacitante explosa à l'impact à moins d'un mètre d'elle. Même avec la visière, la déflagration lumineuse lui brûla les yeux. Momentanément aveuglée, elle lança une décharge au niveau du sol dans l'espoir d'empêcher la fuite de la cible.

Elle sentit un tir de riposte. La pression et la chaleur contre son épaule et sa hanche la firent pivoter.

Willow lui rentra violemment dedans ; propulsée par son élan, l'adolescente la percuta en plein sternum. Eve chuta, le souffle coupé, mais roula sur elle-même, tendit le bras et parvint à agripper la jeune fille par la cheville.

Ce qui lui valut un méchant coup de pied à la tête qui fit vibrer son casque.

Elle n'y voyait pas grand-chose entre les taches lumineuses et la fumée mais elle entendit des cris autour d'elle et à travers son oreillette, suivis d'un martèlement de bottes. Elle sentit plus qu'elle ne vit sa proie tournoyer sur elle-même, se relever de l'endroit où elle était tombée et tirer en direction des bruits. Eve roula de nouveau sur elle-même, si bien que le coup de pied suivant ne fit que frôler ses côtes. Elle projeta ses jambes en ciseaux et toucha Willow assez fort pour la faire trébucher.

Quelques secondes avant la deuxième explosion lumineuse, elle vit la forme vague de l'adolescente filer vers la gauche. Elle feinta vers la droite, entendit le tir d'une arme de poing siffler dans l'air à l'endroit où elle s'était trouvée. Accroupie, elle effectua une roulade en direction de la porte empruntée par la silhouette floue.

Elle plongea ensuite vers la gauche, si bien que le tir disparut par l'ouverture.

Songeant à son équipe, à la nécessité d'empêcher la cible de fuir, Eve referma la porte derrière elle d'un coup de pied, les enfermant toutes les deux dans la même pièce.

La fumée et l'éclat aveuglant des grenades empêchaient de distinguer clairement la scène. Ce qui signifiait qu'elle ne pouvait pas être vue. Toute tentative de communiquer avec son équipe trahirait sa position.

Elle fit ce que Maître Wu lui avait appris au fil de ces étranges et fascinantes leçons dans le dojo. Elle respira au travers de ses orteils, ne fit qu'un avec le poisson... quoi que ça puisse vouloir dire. Elle prit le risque de soulever sa visière : impossible de respirer et d'entendre quoi que ce soit à cause de l'écho. Elle se tint parfaitement immobile et se laissa diriger par ses seuls sens.

Un bruit infime semblable au mouvement de la fumée dans l'air. Guidée par son instinct, Eve tira dans sa direction, en visant bas. Elle entendit un sifflement de surprise, roula sur elle-même, tira de nouveau.

La porte s'ouvrit brutalement et des cris retentirent. La rafale de frappes laser qui fusèrent aussitôt la poussa à crier « reculez, reculez ! » tout en se redressant d'un bond pour plonger elle-même à couvert.

Elle eut un bref, très bref aperçu de la cible au milieu des volutes de fumée. La fille portait un gilet pare-balles, le laser dans une main et une grenade dans l'autre. La main qui tenait la grenade tremblait de manière visible ; elle avait dû être partiellement paralysée par une décharge.

Eve fit feu en même temps que la grenade explosait. Toujours guidée par ses sens, Eve entendit le son de bottes qui s'élançaient et bondit pour fermer la porte au nez de la fuyarde. Les bruits sourds de l'impact et de la chute ne lui apportèrent qu'un bref instant de satisfaction.

Elle tomba à bras raccourcis sur la cible. Les deux femmes luttèrent au sein de l'étouffant nuage de fumée.

Ce fut âpre. Un coup de genou au bas-ventre ébranla Eve et un coup de coude lui fit monter les larmes aux yeux, mais elle réussit à saisir la main armée de Willow et la tordit. Elles roulèrent à terre, l'ado décochant deux ou trois coups de poing relativement efficaces tandis qu'Eve s'acharnait à la désarmer.

Une décharge de laser partit, trouant le panneau occultant pour briser la fenêtre située derrière.

— Abandonne ! ordonna Eve. Tu n'as nulle part où aller.

— Va te faire !

Entendant la porte s'ouvrir de nouveau, Eve cogna plusieurs fois la main de Willow sur le sol.

— Ne tirez pas ! Ne tirez pas ! Je la tiens… presque. N'allez pas me paralyser.

Elle se décala et pesa de tout son poids pour augmenter la pression. Plus tard, elle estima que ce léger changement de posture avait permis à la pointe du couteau de combat que Willow venait de tirer de sa ceinture de ne lui entailler que la main plutôt que la gorge.

Aiguillonnée par la douleur et l'odeur de son propre sang, Eve changea de tactique.

— Ça suffit !

Elle assena à Willow un violent coup de tête – à son avantage, puisqu'elle était casquée – suivi d'un coup de poing au niveau du larynx.

Elle entendit le couteau tinter au sol, sentit la main qui tenait le laser convulser puis lâcher prise. Toujours à moitié à l'aveugle, Eve se décala de nouveau, plaqua Willow face contre terre et lui tira les bras dans le dos.

— Je la tiens ! s'écria Eve en la menottant. Je l'ai ! Ne tirez pas. Et que quelqu'un dissipe cette fumée.

Prise de légers vertiges et l'estomac retourné, Eve retira son casque. Cela n'arrangea rien ; elle sentit même un violent mal de tête marteler sous son crâne.

Quelqu'un émergea du rideau de fumée pour la rejoindre. Connors, évidemment.

Il s'accroupit auprès d'elle, prit sa main entaillée dans la sienne.

— Il faut faire venir un médecin.

— Non, juste une bonne compresse pour arrêter le saignement.

— Ils sont plusieurs prêts à s'occuper d'elle, donc...

Il la guida vers la porte tandis que l'équipe d'Eve se précipitait à l'intérieur pour prendre le relais.

— Juste un peu d'air frais, souffla-t-elle. Je suis restée combien de temps dans cette purée de pois ? Une heure ?

— Moins de cinq minutes entre la première grenade et l'arrestation.

— Moins de cinq minutes, répéta-t-elle en inspirant l'air moins vicié du premier étage. Ça m'a paru durer une heure.

— Même chose pour moi, répondit-il.

Il sortit un mouchoir pour l'enrouler autour de sa main blessée.

— Impossible de te rejoindre, dit-il. Et alors que j'étais sur le point de le faire, tu m'as claqué la porte au nez.

— J'ai fait en sorte qu'elle se cogne dedans. Je ne voulais pas qu'elle sorte de la pièce. Trop risqué. Ni qu'un membre de mon équipe reçoive une décharge, ou m'en balance une par erreur. Manteau magique ou pas, il y avait beaucoup d'armes sur place. Et je ne pouvais pas vous crier quoi que ce soit, au risque de révéler ma position.

— C'est ce que j'ai supposé. Retournons dans la cuisine, d'accord ? De l'air respirable, un peu d'eau et un endroit où t'asseoir.

— Les trois m'iraient très bien. J'ai respiré par mes orteils.

— Pardon ?

— Maître Wu. Je ne voyais rien à cause de la fumée et du flash, je n'entendais pas grand-chose avec le casque. J'ai respiré par les orteils. Je suis devenu le poisson. Ou peut-être le galet.

Dieu que sa tête tambourinait.

— J'ai dû lever la visière pour le faire, mais...

— Raison pour laquelle tu as un œil au beurre noir.

— Ah oui ?

Elle porta la main à son visage pour le tâter avec précaution.

— Aïe, dit-elle. En tout cas, ça a marché. Le meilleur cadeau de Noël que j'aie jamais reçu.

— Tout le plaisir est pour moi, répondit-il.

Il raffermit sa prise quand elle tituba, intoxiquée par la fumée, puis la guida vers la cuisine où McNab tendait un verre d'eau à une Peabody au visage cendreux.

— L'escalier a grincé, croassa Peabody.

— Le genre de truc qui arrive, répondit Eve.

— Quand la grenade a explosé, ça m'a aveuglée et j'ai raté la marche. Tombée la tête la première.

Eve inclina la tête tandis que Connors allait lui chercher de l'eau.

— D'où votre bleu au menton ?

— Je me suis pris la marche.

Visiblement dépitée, Peabody appuya sa paume sous son menton marqué par un hématome à vif.

— Le casque est remonté d'un coup. Je me suis mordu la langue et j'ai vu trente-six chandelles. Surtout, je n'ai pas assuré vos arrières.

Eve leva un doigt le temps d'avaler suffisamment d'eau pour que la brûlure dans sa gorge ne soit plus qu'une gêne supportable. Son mal de tête, la douleur à l'œil et sa main qui l'élançait nécessiteraient sans doute plus qu'un peu d'eau.

Mais à cet instant, celle-ci lui parut plus délicieuse encore qu'un vrai café.

— Donc vous êtes restée assise dans l'escalier à pleurer comme un bébé ?

— Non ! Je...

— Elle a rampé, dit McNab en massant les épaules de Peabody.

— Je n'y voyais rien. Au début, je vous ai entendue. J'ai entendu les échanges de coups, et ses tirs. Les vôtres aussi. Mais je n'ai pas pris le risque de balancer une décharge qui aurait pu vous toucher.

— Vous avez volontairement fait du bruit, dit Eve qui revivait mentalement la scène. Pour l'inciter à tirer vers vous. Et toi aussi, dit-elle à Connors. Un risque pas très malin... mais c'est ce que j'appelle me venir en renfort.

— Après ça je ne vous entendais plus, reprit Peabody. Et je ne vous voyais plus non plus. Feeney me criait que vous étiez sur ma gauche, sur ma gauche, mais il n'y avait qu'un mur. C'est là que Connors est arrivé et m'a relevée. J'ai entendu les autres qui montaient. On a enfin trouvé la porte.

— Le manteau magique, ajouta McNab en appuyant sa joue contre la tête de Peabody.

— Sans lui j'aurais été touchée au ventre, dit celle-ci. Et vous aussi, lança-t-elle à Connors.

— Chanceux que nous sommes, hein ?

— Et puis vous avez fermé la porte, Dallas.

— Et Mackie a foncé droit dedans, s'est retrouvée par terre. Là, je la tenais.

— Mais vous saignez !

Eve but une nouvelle et délicieuse gorgée d'eau.

— Vous aussi. Mais on l'a eue. Alors savourons-le encore quelques instants.

Elle ferma les paupières avec l'impression que ses yeux avaient été frottés au papier de verre.

— Puis on ira se débarbouiller, dit-elle.

19

Eve prit son temps, laissant même les médecins nettoyer la plaie à sa main et y poser un pansement NuSkin. Les autres traces de coup, et elles ne manquaient pas, attendraient.

Parce qu'elle avait besoin d'un peu d'intimité – et d'air frais – elle sortit en compagnie de Connors.

Ils avaient rapproché les barricades pour bloquer l'accès au périmètre direct de la maison. Ce qui n'empêchait pas les curieux ou les journalistes – quelle différence entre les deux, d'ailleurs ? – de s'agglutiner contre le cordon de sécurité. Eve se contenta de tourner le dos aux caméras sans prêter attention aux questions qu'on lui lançait.

— On pourrait croire que les gens ont mieux à faire, grommela-t-elle.

— Pour la plupart d'entre eux, le meurtre ne fait pas partie du quotidien.

— Ils devraient s'en réjouir.

Elle ressentait le besoin impérieux de botter l'arrière-train de quelqu'un. Voire même le sien.

— J'ai merdé, là-haut, dit-elle.

— Quoi ? Quand et comment ? s'enquit Connors. Souviens-toi que j'y étais, moi aussi.

— Tu n'étais pas ici, répliqua-t-elle en pointant un doigt vers sa tempe. Une trop grande partie de mon cerveau la voyait encore comme une gamine. J'ai dit à tout le monde d'oublier son âge, que ça ne changeait rien. Mais je n'ai pas suivi mon propre conseil. Elle a eu le temps de faire feu sur toi, sur Peabody. Des tirs qui auraient pu causer de sérieux dégâts. Plus les grenades incapacitantes, parce que je n'ai pas agi de manière plus rapide et plus ferme.

— Tu vas devoir visionner les images de ton propre enregistreur pour constater par toi-même à quel point tu délires.

— Plus rapide et plus ferme, répéta-t-elle. Même au moment où je luttais avec elle, j'ai... Je crois que je me suis un peu retenue.

— Si c'est le cas – et, comme j'ai pu vous voir toutes les deux au terme de votre bagarre, je suis plutôt en désaccord – la seule à en avoir subi les conséquences, c'est toi.

Il aurait voulu prendre sa main blessée et l'embrasser, effleurer du bout des lèvres les contusions qui s'assombrissaient sur son visage. Mais il estima qu'à cet instant elle préférerait la possibilité de conserver un air d'autorité à ce geste de réconfort.

— Elle n'est pas comme toi, Eve. Elle n'a jamais été comme toi et ne le sera jamais.

— Je sais...

Le soupir qu'elle laissa échapper forma un nuage éphémère dans l'air froid.

— Je ne l'avais peut-être pas compris jusque-là mais maintenant c'est clair. Et je ne me retiendrai pas au moment de l'interroger.

Elle reporta son attention sur lui, sur ses yeux d'un bleu sauvage. Était-ce vraiment aujourd'hui que, sous l'effet de la fatigue, du malaise et du stress, ils s'étaient disputés devant Summerset en guise d'arbitre ?

Elle avait l'impression que des années s'étaient écoulées depuis.

— Tu devrais rentrer à la maison dormir un peu, lui dit-elle.

Connors plongea la main dans la poche d'Eve pour en sortir le bonnet au flocon et lui enfiler sur la tête.

— Tu as raté l'annonce officielle qui disait que je ne dors que quand tu dors aussi ?

— Dans ce cas, tu devrais rentrer à la maison et acheter une ou deux planètes. Sérieusement, tu dois avoir du travail que tu as mis de côté à cause de tout ceci, non ?

— Je n'aurai qu'à travailler depuis le Central.

Elle poussa un autre soupir et croisa de nouveau son beau regard bleu.

— On va finir par carrément t'installer un bureau sur place.

— Tentant, répondit-il avec un sourire. Mais non merci. Ça rendrait les choses un peu trop officielles pour quelqu'un dans mon genre.

— Le genre qui m'a aidée à capturer Willow Mackie. Ne l'oublie pas. Tu vois les gens, là-bas ? Ceux pour qui le meurtre n'est pas une réalité quotidienne et qui espèrent vraiment voir du sang, peut-être même un corps ? N'importe lequel d'entre eux, Connors. N'importe lequel d'entre eux aurait pu être la prochaine victime. Mais ça, ils ne le comprennent pas. Plus tard, ils bavarderont autour d'une bière en s'émerveillant d'être passés « tout près » d'une tueuse. Tout ça parce que tu as participé à son arrestation.

— Pour autant, ce n'est pas moi qui me retrouve avec une entaille de quinze centimètres à la main, un œil au beurre noir et, n'en doutons pas, un paquet de bleus ailleurs.

— Oui, admit-elle en faisant rouler ses épaules endolories. On examinera « l'ailleurs » en question plus tard.

— Ah, mon bonus personnel.

Eve hocha la tête et rajusta légèrement son bonnet.

— Bon. Si tu préfères travailler depuis le Central, mettons-nous en route. Peabody ! Tu veux bien conduire ? demanda-t-elle à Connors. J'ai quelques préparatifs à régler.

Tâche qu'elle entama alors même qu'ils contournaient la barricade et se dirigeaient vers la voiture, sans se soucier de l'attroupement autour d'eux.

Nadine était la première sur la liste.

— Vous m'avez fourni de fausses informations ! lança immédiatement la journaliste d'une voix pleine de rancœur.

— C'est faux. Je ne vous ai simplement pas fourni *toutes* les informations. Qu'est-ce qui se passe avec votre visage ? Un problème avec votre œil gauche ?

— Pas du tout ! Je tâche de me donner un air présentable entre deux flashs d'informations urgents.

La journaliste continua d'ailleurs à appliquer son mascara d'une main experte sans cesser de tempêter.

— Vous n'étiez pas du tout du côté de Lexington Avenue !

— Pas personnellement, mais une opération policière se déroulait bel et bien sur place, comme je vous l'ai dit.

— Mais ni vous ni Willow Mackie n'y étiez ! Maintenant je dois me rendre aux bureaux de la chaîne pour un direct qui présentera mes bulletins d'infos précédents sous un jour positif pour m'éviter de passer pour une idiote. Tour ça alors que New York One avait la chance d'avoir un journaliste dans les parages de l'endroit où vous avez neutralisé cette petite garce. Ils ont déjà diffusé des images commentées depuis le lieu de l'arrestation.

— Effectivement, vous pourriez faire ça, répondit Eve pendant que Connors conduisait. Ou bien vous pourriez, une fois redevenue présentable, vous rendre au Central pour diffuser un entretien exclusif avec l'enquêtrice qui a dirigé toute l'opération et neutralisé la garce en question. Si vous optez pour la deuxième solution, je vous conseille de faire au plus vite.

— Dans quinze minutes, répondit Nadine avant de couper la communication.

— Peabody, faites en sorte que Willow Mackie soit escortée en salle d'interrogatoire dès qu'elle sera jugée médicalement apte. Et voyez si elle a demandé un avocat... Reo, reprit-elle ensuite dans son communicateur, Willow Mackie a été placée en détention.

— C'est ce que j'avais compris. La chaîne New York One en fait ses choux gras. Je suis en route pour le Central.

— Bien. Il faut qu'on parle.

— Vous avez pris des coups au visage pendant l'arrestation ?

— Oui, il y a eu une petite... échauffourée.

— Comme c'est dommage, répondit Reo avant de lui sourire avec gentillesse. Mettez un peu de glace dessus. On se retrouve sur place.

Eve consacra le reste du trajet à contacter Mira, puis Whitney. À l'instant où Connors arrêta la voiture sur sa place de parking, elle bondit au-dehors.

— Peabody ? demanda-t-elle.

— Salle d'interrogatoire A. Elle a été jugée médicalement apte et sera sur place dans les dix minutes. Le mot « avocat » n'a pas encore été prononcé.

— Bien. Je veux que vous oubliiez son jeune âge.

— C'est fait. Vous pouvez me croire.

— Par contre, agissez comme si ça restait un facteur important pour vous.

— C'est toujours moi qui fais la compatissante, soupira Peabody.

— Parce que vous êtes crédible dans ce rôle. Mais ajoutez-y une posture de prof déçue et un peu en colère face à une élève qui aurait merdé. Une adulte face à une enfant. Et c'est l'adulte qui commande.

— Ça me paraît faisable.

— Ce sera plus complexe que ça et il va falloir décider de la chronologie en accord avec Reo. Je vais commencer par arranger les choses avec Nadine.

Plongée dans ses réflexions, Eve oscillait d'avant en arrière dans l'ascenseur.

— En tout, ça devrait laisser notre suspecte poireauter vingt bonnes minutes seule dans la salle, dit-elle.

— Elle est habituée à attendre, lui fit remarquer Peabody.

— Pas pour ce genre de choses. Si tu as envie d'observer... ajouta-t-elle avec un coup d'œil à Connors.

— Je passerai en fonction de mes autres tâches. Et je ne serai pas loin une fois que tu auras terminé.

Émergeant de l'ascenseur, Eve se dirigea droit vers son bureau.

— Je vais te prendre un café, lui dit Connors, avant de me trouver un coin tranquille pour travailler une petite heure.

— Tu peux te servir de mon bureau.

— Je m'y installerai peut-être mais tu vas en avoir besoin pendant un moment, non ?

Sur ces mots, ils franchirent le seuil pour trouver Reo qui les attendait.

— Vous avez fait vite.

— Je m'étais rendue à mon bureau. Si je dois travailler un samedi, autant être sur place. Bonsoir, Connors.

— Je ne vous dérangerai qu'un instant. Un café ?

— Oui, avec plaisir. Qu'est-il arrivé à votre main ? demanda Reo à Eve.

— Mackie avait un couteau.

Eve s'assit sur le rebord de son bureau et accepta le café que Connors lui tendit.

— J'emporte le mien, dit-il.

Sans se préoccuper de la dignité d'Eve devant Reo, il lui prit le menton entre ses doigts et l'embrassa fermement.

— Va terminer ton affaire, dit-il.

— On se voit demain, dit Reo en souriant. Pour une occasion plus joyeuse.

— Qu'est-ce qu'il y a demain ? s'enquit Eve comme Connors s'éloignait.

— La fête d'anniversaire de Bella.

— Quoi ? Non, c'est… demain ?

— Dimanche après-midi, confirma Reo. Une date qui s'avère tomber parfaitement bien, à présent que nos suspects sont sous les verrous.

Eve baissa les yeux vers sa tasse.

— Quand y en a plus, y en a encore…

— Oh, qu'est-ce qui vous pose problème ? C'est un moment joyeux ! Il y aura du gâteau… et sans doute aussi des boissons rien que pour les adultes… Mais revenons à notre adolescente meurtrière.

— Oui. Un instant. Je veux que Peabody se joigne à nous.

Pour ce faire, Eve se contenta de s'avancer sur le seuil pour crier :

— Peabody !

Elle programma cependant un café accompagné de lait et de sucre qu'elle remit à son équipière quand celle-ci accourut.

— Fermez la porte, dit-elle. Bon, voilà comment je veux jouer le coup. Il va falloir respecter un timing précis.

Eve leur exposa son plan. Ensemble, elles discutèrent stratégie et contraintes légales. Alors qu'elle terminait son café, Eve tourna la tête vers la porte à laquelle quelqu'un venait de frapper sèchement.

— Ce doit être Nadine. Peabody, allez donc voir comment se porte notre suspecte. Depuis la salle d'observation. J'en aurai pour environ dix minutes.

Eve ouvrit la porte. Avant que Nadine puisse déverser le flot de mots que promettait la dureté de son regard, Reo fit un pas vers elle.

— Hé ! Comment allez-vous ? J'ai entendu dire que vous étiez à Madison Square.

— Dans les coulisses, à l'écart des événements.

— Cette fois, vous êtes au cœur de l'action. Et ce n'est pas terminé. Si je n'ai pas l'occasion de vous recroiser avant votre départ, je vous dis à demain.

— Idem.

Peabody, reconnaissant l'éclat dans les yeux de Nadine, s'empressa de sortir à la suite de Reo.

Nadine ferma la porte.

— Vous m'avez menti !

— Non. L'aurais-je fait si cela avait pu sauver des vies ? Absolument. Mais je n'ai pas menti. Je me suis seulement servie de vous, ajouta Eve. Et le résultat est que *vous* avez sauvé des vies. Dont potentiellement la mienne. Merci.

— C'est quoi, ces âneries ?

— Ce n'en sont pas. Vous pouvez consacrer le peu de temps dont nous disposons à vous plaindre de moi ou vous pouvez me laisser vous raconter ce qui s'est passé et obtenir ainsi votre reportage exclusif. À vous de choisir.

La colère se lisait toujours dans le regard de la journaliste.

— Nous sommes censées être amies avant tout, Dallas. De vraies amies.

— Oui, nous le sommes devenues. C'est même la raison pour laquelle je n'ai pas envisagé d'appeler qui que ce soit d'autre. Je connais mes amis. J'en ai peut-être plus que je ne le voudrais mais je les connais, sans quoi ils ne seraient pas mes amis. Et je savais que je pouvais compter sur vous.

— Me dire la vérité ne vous aurait pas empêchée de vous reposer sur moi.

Comprenant qu'elles allaient devoir régler d'abord cette question, Eve haussa les épaules et programma un café pour Nadine.

— Je vous ai dit la vérité. J'ai simplement omis la partie qui aurait compromis votre intégrité journalistique.

Elle tendit sa tasse à Nadine.

— Parce que, soyons claires, Nadine : nous ne sommes pas « censées » être amies. Nous le sommes.

— Et comment avez-vous pu… ?

Visiblement toujours sous l'effet de la colère, Nadine fit l'effort de s'interrompre et leva la main.

— Très bien. Je vous écoute.

— J'étais en chemin vers l'opération sur Lexington. Et je m'en suis écartée pour suivre une intuition. Ça m'est venu brusquement, c'est tout. Et immédiatement j'ai su que si mon intuition était juste j'aurais besoin d'une diversion. Je vous ai informée de l'opération sur Lexington après avoir eu confirmation que la suspecte était terrée chez sa mère… avec un véritable arsenal à portée de main. Si nous avions tenté d'approcher directement, elle nous aurait

435

repérés et vous pouvez être certaine qu'il y aurait des blessés à l'hôpital à présent, voire des macchabées à la morgue, sans l'aide d'une diversion. Votre bulletin d'informations a monopolisé son attention sur l'écran de télévision. Il lui a fait croire qu'elle ne risquait rien là où elle était, ce qui m'a permis d'appeler le reste de l'équipe alors que nous montions à l'assaut.

» Elle est actuellement en salle d'interrogatoire, Nadine, et cela au prix de dommages minimaux, parce que vous lui avez dit ce que j'avais besoin qu'elle entende.

Nadine scruta les traits d'Eve.

— Dommages minimaux ? Vous avez un œil au beurre noir. Et qu'est-il arrivé à votre main ?

— Minimaux, répéta Eve. Vous m'avez offert une fenêtre d'action. Je me suis servie de vous pour ouvrir la fenêtre en question. Vous avez relayé publiquement les informations que je vous avais données, qui ne constituaient pas un mensonge. Pour des raisons évidentes, je ne pouvais pas vous communiquer le reste. Je ne pouvais pas non plus vous le communiquer et vous dire ensuite de ne rapporter que la moitié des faits. Je ne connais pas toutes les règles qui s'appliquent en amitié, mais je dirais que l'une d'elles consiste à ne pas demander ni attendre d'une amie qu'elle compromette son intégrité professionnelle pour vous rendre service.

Nadine expira bruyamment, puis tira le fauteuil d'Eve derrière le bureau et s'assit. Elle but un peu de café.

— L'opération sur Lexington Avenue n'était pas qu'une façade ?

— Non. Nous suivions une piste viable. Viable parce que la personne qui nous avait donné cette piste y croyait. À savoir le père de la suspecte.

Nadine se redressa sur son siège.

— Son père l'a trahie ?

— Pas exactement. Et si vous voulez poser des questions, pourquoi ne pas commencer ? J'ai une affaire à clore ensuite.

Nadine resta assise en silence pendant quelques secondes de plus.

— J'ai détesté me faire doubler par ce crétin de New York One.

Eve haussa de nouveau les épaules.

— Ça arrive, non ? Il détestera sans doute vous voir révéler tous les détails de l'arrestation, suivis des résultats de l'interrogatoire de la suspecte.

— Ça, c'est sûr, s'enthousiasma Nadine.

Elle se leva.

— Je veux pouvoir vous faire confiance, dit-elle.

— Vous pouvez. Nadine, Connors et Peabody ont tous les deux été touchés. Seules leurs protections leur ont évité de se retrouver à la morgue.

— Et vous ?

— Oui, moi aussi. La vérité, c'est que sans cette diversion elle aurait pu se replier dans sa cachette et faire capoter notre opération en abattant des civils au hasard à deux ou trois rues de là. Mais elle n'a pas eu le temps de faire ça, parce que nous avons pu entrer dans la maison. Elle était concentrée sur vous, puis elle a dû se concentrer sur nous. Dommages minimaux, répéta Eve.

— D'accord. Je vais réfléchir à tout ça. Pour l'heure, je vais demander à mon cameraman de nous rejoindre. On va diffuser votre récit de l'arrestation. J'imagine que vous proposez de vous maquiller serait une perte de temps. Vous voulez que ces hématomes se voient.

— Hé, je les ai conquis de haute lutte, répondit Eve avec un sourire.

Peabody quitta le poste d'observation d'où Mira et elle avaient regardé Willow s'ennuyer, l'air maussade, et discuté de la fête d'anniversaire du lendemain. Elle se dirigea vers la salle d'interrogatoire et ouvrit la porte.

Willow releva la tête. Elle avait défait ses dreadlocks, si bien que ses cheveux foncés retombaient en courtes mèches hirsutes. Comme Eve, elle affichait des contusions visibles.

— Il était temps, putain !

— Ça va prendre encore quelques minutes, lui dit Peabody. Vous voulez une boisson ?

— Bon sang... Ouais, répondit l'ado avec un haussement d'épaules. Soda à l'orange.

Avec un hochement de tête, Peabody se retourna... et sursauta en se retrouvant nez à nez avec Eve.

— Désolée. Je ne pensais pas que vous étiez prête. J'ai proposé une boisson à la gamine.

— D'accord. Par contre... Voilà le substitut du procureur. Ne prenez pas toute la journée, Peabody.

— Je ferai vite.

Dans sa précipitation, Peabody laissa la porte légèrement entrouverte.

— Dallas, dit Reo.

— Reo. Je vous avais dit que nous n'avions pas besoin de votre fichu accord !

— Nous avons conclu cet accord avec Mackie pour de bonnes raisons, et vous le savez très bien. Sans les informations qu'il nous a fournies, vous n'auriez pas su à quel genre d'armes vous auriez affaire.

— C'est le truc le moins important. Conclure un marché avec lui en échange d'informations sur elle ? Un marché qui nous oblige à la juger comme une mineure ? Je l'aurais fait tomber même sans ça. On l'a bel et bien arrêtée, non ? Comment allez-vous expliquer aux familles de toutes les victimes que la personne qui leur a ôté la vie ne fera que deux ans de prison ?

— Vous auriez préféré annoncer à plus de familles que leurs proches se trouvaient à la morgue ?

— Avec votre accord, je n'aurai qu'à attendre qu'elle sorte et recommence au moment de ses dix-huit ans.

— La réhabilitation...

— Oh, ne commencez pas à me fatiguer avec ces sornettes. Les gens comme moi risquent leur peau pour mettre les gens comme elle derrière les barreaux. Puis vous débarquez et réduisez leur peine avec vos marchés à la noix pour qu'ils puissent ressortir et recommencer. Elle fera moins de trois ans de prison et vous qualifierez ça de « victoire ».

— Ce n'est pas une question de victoire mais de faire notre travail. Nous avons toutes les deux fait le nôtre, et voilà où cela nous amène. Si vous pouvez la convaincre d'avouer, vous pourrez économiser l'argent public, éviter un procès et tourner la page. Alors, vous êtes prête à finaliser le dossier pour qu'on puisse toutes les deux rentrer chez nous ou vous préférez rester là à vous plaindre du système ?

— Le système ne tourne pas rond.

— Nous sommes prêtes ? demanda Peabody en revenant, un soda à la main.

— Prêtes. Votre présence n'est pas nécessaire pendant l'interrogatoire, Reo.

— Ce n'est pas à vous d'en décider. Nous sommes dans le même camp, Dallas. Alors prenez un peu sur vous.

Peabody poussa la porte.

Eve entra, le visage fermé et les yeux encore brillants de colère.

— Enregistrement, ordonna-t-elle. Dallas, lieutenant Eve ; Peabody, inspecteur Delia ; Reo, substitut du procureur Cher, débutent l'interrogatoire de Mackie, Willow.

Tandis qu'elle énonçait les autres données liées à l'affaire, Peabody posa le soda sur la table. Willow s'en saisit entre ses mains menottées et le porta à sa bouche, un sourire narquois sur les lèvres.

— Vous a-t-on lu vos droits, mademoiselle Mackie ?

— Ouais. Et oui, j'ai tout bien compris. Je vous ai bien amochée. Dommage que votre main ait arrêté mon couteau.

— Ne soyez pas insolente, réagit Peabody avec une grimace désapprobatrice. Vous avez déjà assez d'ennuis comme ça.

— J'aurais pu vous buter, rétorqua Willow. Et vous seriez aussi morte que la conne qui jouait votre rôle dans le film.

— Vous montrer impertinente avec les adultes ne vous aidera en rien, l'avertit Peabody. La situation est on ne peut plus sérieuse, Willow.

— Vous avez débarqué chez moi. Je me suis défendue, c'est tout.

— Nous sommes entrés dans la maison de votre mère dûment mandatés, la corrigea Eve. Et nous vous avons trouvée en possession de nombreuses armes illégales. Des armes dont vous avez fait usage pour attaquer des agents de police.

Willow sourit. Elle aurait pu être une jeune femme séduisante, malgré les hématomes et les éraflures que la baguette de soins et les compresses de glace n'avaient pas fait disparaître. Mais il y avait quelque chose de profondément dérangeant dans ce sourire.

Elle dressa son majeur et se frotta la joue avec tout en regardant Eve.

— Ces armes sont pas à moi. Je m'en suis juste servie pour me défendre.

— Vous avez tiré sur des officiers de police, lui rappela Eve.

— Comment je pouvais savoir que vous étiez des flics ?

— Parce que nous nous sommes identifiés comme tels.

— Comme si c'était forcément vrai !

— Vous avez vu le film ? *L'Affaire Icove* ?

— Ouais. Chaque fois que je le regarde, j'espère que le labo d'Icove sautera avec vous dedans.

Souriant, Willow leva les yeux au ciel.

— Un jour, peut-être… souffla-t-elle.

— Et pourtant vous ne m'avez pas reconnue ?

— Je vous ai vue à peine une seconde.

— Soit la seconde avant de lancer votre grenade incapacitante pour tenter de vous enfuir.

Willow haussa de nouveau les épaules.

— Mesure de défense, dit-elle. On s'en fiche que j'aie su ou pas que vous étiez des flics. J'ai cherché à me défendre, à protéger ma baraque. J'avais le droit.

Peabody secoua la tête, fidèle à son rôle d'enseignante désapprobatrice.

— Willow, vous saviez qui nous étions. Ce manque de respect vous dessert. Vous avez peut-être été prise par surprise, vous avez pu réagir de manière impulsive, instinctive, mais…

— Ouais, peut-être.

— Que faisiez-vous avec toutes ces armes ? s'enquit Eve.

— Je les gardais en sécurité.

— Où les avez-vous eues ?

— Je vous ai déjà dit qu'elles étaient pas à moi. Je suis trop jeune pour acheter ou posséder des armes.

Quinze ans, lança-t-elle avec un grand sourire. Vous vous rappelez ?

Dents serrées, Eve lança un regard dur vers Reo.

— Vous étiez en possession de ces armes. Vous avez fait usage de plusieurs d'entre elles.

— Je sais me protéger.

— Comment avez-vous appris à vous servir de tout cela ? Fusils laser, grenades, armes de poing ?

— Mon père m'a montré. Comme flic, il est mille fois meilleur que vous le serez jamais, même en rêve.

— J'imagine que c'est pour ça que je l'ai mis derrière les barreaux et qu'il y restera jusqu'à la fin de ses jours.

— Vous avez pu l'arrêter seulement parce qu'il vous a laissée faire.

— Vraiment ?

— Ouais, vraiment.

— Si vous pensez que je ne suis pas capable de neutraliser un camé au Funk, vous n'avez pas regardé le film avec beaucoup d'attention.

— C'est de la connerie, ce film. Rien qu'un délire hollywoodien débile.

— Votre père est un junkie, et ça, ce n'est pas de la connerie.

— Il a pas su faire face, et alors ?

Babines retroussées, Willow pointa un doigt vers Eve.

— J'aimerais bien voir votre état si un connard éclatait votre mec plein aux as sur la chaussée.

— Dans son cas, il a opté pour le Funk et un plan consistant à tuer tous ceux qu'il estimait responsables. Ou plutôt à vous demander de le faire parce qu'il n'est même plus capable aujourd'hui de tenir une arme sans trembler.

— C'est votre version.

— En effet. Vous voulez la réfuter ?

Willow bâilla et s'affala en arrière pour contempler le plafond.

— C'est d'un chiant, tout ça. Vous êtes chiante, Dallas, ajouta-t-elle en soutenant le regard d'Eve. Dallas, lieutenant Eve. Un de ces quatre, vous ne serez plus protégée par votre manteau pare-balles. Un de ces jours, vous serez peut-être en train de faire une petite promenade dans la rue et là, sorti de nulle part… *Bang !* Morte. Je parie que ça ils en feront pas un film, par contre.

Eve ne détourna pas les yeux. Et elle vit très clairement ce qui faisait peur à Zoe Younger. La nature de tueuse de sa fille.

— Vous voudriez me voir morte, Will ?

— Je préférerais que vous soyez crevée plutôt que de devoir rester ici à me faire chier comme un rat mort.

— Vous vous ennuyez ? Alors passons à la suite. Cessons de perdre du temps. Revenons à Central Park. Il y a eu trois morts. Comment les avez-vous choisis ?

— Qui dit que je l'ai fait ?

— Votre père. Il a avoué. Il a dit que vous étiez ses yeux et ses mains. C'est vous qui avez tiré, Willow. Il n'en aurait pas été capable.

— Je tiens mes mains et mes yeux de lui.

— Il a détruit les siens en se mettant au Funk.

Willow haussa les épaules puis se plongea dans la contemplation de ses ongles.

— C'est son affaire, pas la mienne. Selon moi, les drogues, l'alcool et tout ça, c'est de la connerie. Ça apporte rien de réel.

— Vous aimez vivre les choses dans le réel.

— Quel intérêt de pas ressentir le truc en vrai ? De pas vivre l'expérience réelle ? De pas faire les choses soi-même ?

Eve sortit du dossier les photos des trois premières victimes.

— Qu'avez-vous ressenti quand vous avez fait ça ?

Willow s'inclina en avant et examina longuement les clichés. Ce qu'Eve lut dans son regard ne relevait ni de la curiosité ni de l'intérêt. Et elle ne paraissait pas non plus choquée.

Non, elle était *ravie*.

Elle ne s'ennuyait pas, constata Eve. Elle était captivée, excitée, enchantée de faire durer le processus. Parce que cela la maintenait au centre de l'attention.

— Des tirs exceptionnels, dit Willow.

Elle s'interrompit pour boire une gorgée de soda.

— La personne qui a pressé la détente... Elle fait partie de l'élite.

— Vous faites partie de l'élite ?

— On est le meilleur ou on l'est pas. Être deuxième, ça existe pas. C'est juste une manière polie de dire « perdant ». C'est soit la première place, soit rien du tout.

— Donc effectuer des frappes comme celles-ci vous classe première, au sein de l'élite.

— Vous en seriez capable ?

Ce fut au tour d'Eve de hausser les épaules.

— Je n'en sais rien, je n'ai jamais essayé. D'un autre côté, ça ne m'intéresse pas de tuer quelqu'un qui patine tranquillement à un kilomètre et demi de là.

— Vous pourriez pas, point final. Je suis sûre que vous êtes même pas capable de toucher une cible à dix mètres avec votre arme de service. Sans parler de manier une arme à longue portée avec un tant soit peu de précision. Vous auriez raté votre cible d'un kilomètre et touché un pauvre couillon descendant la 52e Rue.

— Il faut dire que je ne bénéficie pas de – quoi ? – une dizaine d'années de formation, d'entraînement et de pratique. Je n'ai pas eu le droit à un ancien tireur d'élite de l'armée et agent du SWAT pour m'aider à vivre mon hobby.

— Hobby, mon cul !

Willow se redressa brusquement en montrant les dents.

— Et il faut plus qu'une formation, de l'entraînement ou de la pratique ! D'accord, ça compte, mais ça demande du talent, des capacités innées.

— Vous êtes donc née pour tuer.

Willow se radossa et sourit de nouveau.

— Je suis née pour atteindre ce que je vise.

— Pourquoi la viser, elle ? demanda Eve en désignant Ellissa Wyman.

— Pourquoi pas ?

— Ce serait du pur hasard ?

Eve inclina la tête sur le côté, avec un signe de dénégation.

— Je n'y crois pas, dit-elle. Soyons honnêtes, Willow, elle représente un type de personne qui vous hérisse. Toujours là à faire la belle, jour après jour, comme si ça avait la moindre importance qu'elle puisse sauter et tournoyer sur une paire de patins. Comme si être jolie faisait d'elle quelqu'un.

— Elle n'est plus personne, maintenant. Rien qu'un cadavre.

— Qu'est-ce que ça vous a fait de la réduire à cet état ? De lui ôter la vie d'une pression sur la détente alors qu'elle patinait dans sa combinaison rouge de frimeuse ? Je crois que ça vous a plu. Ça vous a tellement excitée que vous avez manqué de précision en tirant sur la cible principale, sur Michaelson.

— N'importe quoi !

La colère, l'indignation et une vague de dégoût déformèrent les traits de Willow.

— Il est tombé exactement comme je voulais qu'il tombe. Un tir au ventre, pour qu'il se vide de son sang sur la glace. Il l'a senti passer, il a compris ce qui lui arrivait.

— Vous vouliez qu'il souffre ?

— Ça a bien été le cas, non ? Je ne rate jamais mon coup, pigé ? Vous avez pigé ? Je lui ai donné le temps de morfler, de comprendre qu'il s'en relèverait pas. Si ce vieux salopard nous avait fait passer en premier, mon père aurait toujours ses yeux et ses mains.

— Mais alors il n'aurait pas eu besoin de vous pour accomplir son œuvre. Il n'aurait pas eu besoin de vous du tout.

— Je suis tout pour lui. Sa première. Sa seule enfant.

— Vous ne l'auriez plus été si Susann n'avait pas traversé sans regarder.

— C'était une conne.

Eve écarquilla les yeux.

— Vous avez tué tous ces gens au nom d'une conne ?

Willow haussa les épaules – un geste fréquent chez elle – et leva les yeux au ciel.

— Je sais que vous avez dû l'aimer, dit Peabody d'une voix où perçait juste ce qu'il fallait de pitié. Pour faire tout cela, il est clair que vous l'aimiez, que vous l'adoriez même.

— Oh, arrêtez ! lança Willow sur un ton lourd de dérision. Elle était à peine capable de se rappeler comment enfiler ses chaussures chaque matin. Une perdante pure et dure. Mon père aurait fini par la quitter un jour ou l'autre. C'est ce que font les gagnants. Mais il n'en a pas eu l'occasion.

— Ces gens sont morts parce que votre père n'a pas pu quitter sa femme tel un gagnant, résuma Eve, pensive. Ça explique peut-être une partie de ce qui s'est passé. Vous avez abattu Wyman rapidement, avez visé Michaelson de manière à ce qu'il souffre... Et Alan Markum ?

— Je sais pas qui c'est.

— Votre troisième victime, dit Eve en rapprochant la photo.

— Ah ouais. Sa tête me revenait pas. À rigoler et sourire en titubant sur la glace avec sa grognasse. J'aurais pu l'abattre aussi, d'ailleurs. Deux pour le prix d'un, mais je voulais pas me mettre mon père à dos. On était d'accord sur trois.

— Expliquez-moi ça, dit Eve. Comment avez-vous planifié le tout, choisi le poste de tir, repéré les déplacements de Michaelson ?

— Sérieux ? À quoi bon ?

— Pour que ce soit officiel. Vous n'avez rien de mieux à faire.

— N'importe quoi d'autre serait mieux que ça.

Pourtant, après avoir lâché un énorme soupir, Willow leur détailla tout. Elle raconta comment son père avait sombré dans la boisson et la drogue après la mort de Susann. Sa colère, sa dépression.

— La plupart du temps il restait assis dans l'appart, à moitié bourré et à moitié stone, surtout après avoir entendu ce con d'avocat lui dire qu'il n'avait aucune chance de faire un procès, d'aller au tribunal. Je l'ai tiré de là ! s'exclama Willow en pointant deux doigts vers sa poitrine. Je l'ai sorti de ce trou.

— Comment avez-vous fait ?

— Les pleurnicheries, c'est pour les perdants. Il fallait qu'il se mette en rogne. Qu'il agisse. Ils nous ont baisés ? On va les baiser en retour, et bien plus fort !

Eve se radossa sur son siège.

— Vous êtes en train de nous dire que c'était votre idée ? Cette mission ? Les meurtres de Michaelson, de l'agent Russo, de Jonah Rothstein et des autres personnes sur la liste – y compris des passants innocents de votre choix – étaient votre idée ?

— Vous avez un problème d'audition ? Faut que je parle plus fort ?

— Ne lui parlez pas sur ce ton !

L'ordre de Peabody n'arracha à Willow qu'une brève grimace narquoise.

— Oh, allez vous faire voir avec vos histoires de ton. Vous voulez que je vous explique le plan parce que vous êtes trop débiles pour le comprendre. Alors j'explique.

— Pourquoi ne pas commencer par Fine ? demanda Eve. C'est lui qui a tué Susann. Il conduisait la voiture qui l'a heurtée.

— Sérieux, vous avez pas de cerveau ou quoi ? Si on avait attaqué Fine, même un abruti de flic aurait pu faire le lien avec papa. Non, fallait *terminer* avec Fine.

— Il voulait garder Fine pour la fin.

Willow se pencha de nouveau vers Eve, une expression féroce sur le visage.

— Vous m'avez entendue quand j'ai dit qu'il passait le gros de ses journées bourré et drogué ? Et qu'il pleurnichait dans sa bière le reste du temps ? C'est moi qu'ai décidé qui, où et quand. Vous croyez qu'il aurait pu élaborer une mission ? Il était au fond du trou jusqu'à ce que je vienne le tirer de là et lui montrer la voie.

— C'est-à-dire celle consistant à tuer les personnes que vous estimiez coupables de la mort de Susann.

— On pourrait dire que je lui ai déroulé tout le truc... et posé les conditions qui allaient avec.

Elle referma ses doigts sur la canette de soda et l'agita en l'air.

— La première étant de réduire l'alcool et le Funk, de se reprendre un minimum en main. Il a pratiquement arrêté de boire. Le Funk, c'était plus dur mais il a diminué un peu. Et quand mon vieux reprend ses esprits, il sait s'y prendre pour planifier une opé.

» Il a eu l'idée d'augmenter la distance de tir. On s'est donc fait quelques voyages vers l'ouest et j'ai bossé sur mes capacités. C'est un sacré instructeur quand il est en forme.

— Vous avez pris vos cibles en filature, étudié leurs habitudes, fait les recherches nécessaires pour savoir où ils se trouveraient à des moments précis. Jonah Rothstein, par exemple. Vous saviez qu'il serait au Madison Square pour le concert.

— Ce type était une vraie groupie. Il comptait les jours et même les heures avant le moment de revoir ce vieux rocker complètement has been. Mon père faisait l'essentiel des recherches, mais je l'aidais quand j'arrivais à échapper à Zoe. C'est le bio-tube où j'ai incubé. Et j'ai choisi les postes de tir. Au départ, il voulait qu'on soit positionnés plus près, puis il a vu que j'en étais capable.

— Combien de temps avez-vous travaillé sur le plan, sur tous ces détails ?

— Une bonne année. Il fallait qu'il redevienne sobre, au moins en partie. Il a aussi fallu faire un stock d'armes, créer nos fausses pièces d'identité, développer les différentes stratégies, les tactiques.

— Vous avez déménagé hors de son appartement.

— On avait besoin d'un QG sécurisé, donc ouais, on a petit à petit transporté les trucs utiles dans nos nouveaux locaux. On savait qu'il faudrait agir vite une fois qu'on aurait commencé, frapper une cible par jour, alimenter le chaos. Vous avez eu un coup de chance en mettant le doigt sur nos pièces d'identité.

— C'est comme ça que vous appelez une situation où quelqu'un s'avère meilleur que vous, plus intelligent que vous ? Un coup de chance ?

— Arrêtez les conneries ! Si vous étiez si forte et si maligne, je n'aurais pas besoin d'être ici pour vous décrire notre plan en détail. Vous seriez déjà au courant.

— Maintenant je le suis, dit Eve.

Et tel était bien le cas. Elle avait une vue imprenable sur leur folie, dans ses moindres et horribles détails.

— Mais ne vous arrêtez pas là, ajouta-t-elle. Éclairez ma lanterne.

20

Willow Mackie débordait de détails, de grimaces moqueuses et d'insultes à distribuer. Eve lui offrit le rôle central dont elle avait tellement envie et, savourant d'être ainsi au centre de l'attention, la jeune fille se mit à table.

Pendant trois heures, Eve l'écouta, la sonda et l'encouragea, assistée de temps à autre par les commentaires ou questions de Reo et Peabody.

Aucune pression ne s'avéra nécessaire face à l'enthousiasme de Willow à l'idée d'être importante.

À un moment, elle réclama un autre soda puis, vers la troisième heure, demanda une pause pipi.

— Peabody, demandez à deux agents féminins d'accompagner Willow aux toilettes, dit Eve.

Avec un rire dur, Willow lui décocha un sourire narquois.

— Vous venez de m'écouter raconter ce dont je suis capable et vous pensez que je saurais pas neutraliser deux fliquettes ?

« Tu n'as pas su me neutraliser, moi », songea Eve.

Elle acquiesça néanmoins avant d'ajouter :

— Plutôt quatre agents, Peabody.

— Ça vaut mieux pour vous, se moqua Willow.

— Interruption provisoire de l'interrogatoire, annonça Eve avant de quitter la pièce.

Reo la rattrapa à l'extérieur de la salle commune.

— Mon Dieu, Eve…

— Quoi ? Vous vous attendiez à une petite adolescente boudeuse ?

— Je m'attendais à une tueuse froide et dure. Mais pas à une psychopathe exaltée et fanfaronne dans le corps d'une ado. Je vais appeler mon supérieur pour le tenir au courant, et je voudrais discuter avec Mira. Je tiens à être absolument sûre que cette fille est juridiquement responsable de ses actes.

— Elle est aussi consciente de ses actes que vous et moi. Et c'est aussi une sale petite bestiole qu'il va falloir écrabouiller.

— Je suis d'accord avec vous pour cette deuxième phrase. Assurons-nous que la première tient bien la route.

— Prenez un quart d'heure, dit Eve.

Oscillant d'avant en arrière sur ses talons, elle tenta de déterminer si elle se sentait satisfaite ou écœurée et prit conscience qu'elle était en mesure de ressentir les deux à la fois.

— On va la faire poireauter un peu dans la salle. L'obliger à patienter et à s'exciter toute seule à l'idée de nous raconter tout le reste.

— Nous en savons déjà assez pour l'emprisonner sur l'équivalent de plusieurs condamnations à perpétuité. Mais oui, moi aussi, je veux entendre le reste. Quinze ans… souffla Reo avant de s'éloigner d'un pas rapide.

En retournant dans la salle commune, Eve fut surprise du nombre de membres de son équipe encore présents.

— Je n'en ai pas terminé mais je peux vous assurer que la suspecte, elle, est finie. Elle a avoué l'ensemble des meurtres et je suis en train de finaliser le témoignage. Donc, pour l'amour de Dieu, que ceux qui ne sont pas en plein boulot rentrent chez eux.

— Comment va votre œil, lieutenant ? lança Jenkinson.

— Il me pique affreusement mais c'est parce que je viens de regarder votre cravate. Rentrez chez vous.

Arrivée dans son bureau, elle vit que Connors s'y était installée et travaillait simultanément sur son mini-ordinateur et le terminal d'Eve.

— Tu as fini ? s'enquit-il.

Elle secoua la tête.

— Qu'est-ce que c'est ? le questionna-t-elle en pointant du doigt son écran.

Celui-ci laissait voir une sorte de château ancien entouré d'une espèce de cage.

— Oh, c'est l'état d'avancement du projet d'hôtel en Italie. Je le retirerai de ton ordinateur avant de partir. Un café ?

— Non. Non, il me faut une boisson froide.

Elle lança un coup d'œil derrière elle.

— J'aurais dû m'arrêter au distributeur et essayer de lui soutirer un Pepsi.

— Il y en a désormais dans ton autochef.

— Ah bon ?

— Pour t'éviter toute frustration face aux distributeurs automatiques capricieux.

Eve se sentit absurdement touchée, à un point qui la surprit elle-même. Elle s'étonna aussi d'éprouver le besoin de s'asseoir. Elle prit place sur le siège inconfortable habituellement destiné à ses visiteurs.

— C'est si moche que ça, hein ? demanda Connors.

Il se leva pour commander lui-même le tube de soda.

— Elle nous a tout raconté jusqu'à Madison Square. Je ne m'attendais pas à ce qu'elle ait des remords ni la moindre compassion pour les victimes.

Et je m'attendais à ce qu'elle soit fière de ses exploits. Mais... C'est cette joie, cette espèce de jubilation. Je n'imaginais pas que ce serait à ce point, que son ego gouvernerait ainsi tout le reste.

» Toute l'opération était son idée. Une part de moi s'en doutait, mais tout le reste en doutait. Il fallait tenir compte de l'état d'esprit de Mackie. Il n'aurait jamais pu faire tout ça, concevoir un tel plan. Mais elle, si. Il se préoccupait trop de son chagrin et pas assez de sa fille. Elle ne l'a pas exprimé ainsi mais c'était très clair. Elle n'avait aucun respect pour sa belle-mère, l'a traitée de conne. Elle a exploité la peine et la faiblesse de son père – ce n'est pas lui qui s'est servi d'elle mais l'inverse – pour concrétiser sa plus grande ambition : ôter la vie à des gens.

— Tiens, lui dit-il en lui tendant sa boisson. Installe-toi sur ton propre siège.

— Non, non, je n'ai pas le temps de m'asseoir de toute façon.

Elle se leva, récupéra le tube de Pepsi puis se mit à faire les cent pas, sans boire.

— Elle se souvient de tout, jusqu'à la tenue de certaines des victimes. C'est parfois le seul détail qui l'a poussée à les choisir comme cibles. « Je n'aime pas ton bonnet, donc tu vas mourir. »

La hanche appuyée contre le coin du bureau, Connors l'écoutait sans rien dire.

— Elle estime que ces tueries, la concrétisation initiale de leur plan, l'avancée de leur mission, ont rendu son père plus fort. Lui ont donné un but. Et il s'est remis à lui prêter attention.

Elle marqua un temps d'arrêt, ouvrit le tube et but. Puis elle inspira profondément.

— J'imagine que Mira nous dirait qu'une partie d'elle, la part enfantine, désire l'attention de son père. Elle est ses yeux et ses mains, sa partenaire, son égale, son unique enfant. Elle l'a impliqué dans son plan pour qu'il puisse la féliciter.

— Tu la considérais comme son apprentie. C'est ce que nous avons tous cru. Et elle l'a été, pendant un temps. Mais là, tu dis qu'il est devenu le sien. Elle lui a appris que la mort de ses prétendus ennemis par sa main à elle – donc par lui à travers elle – les réunissait.

— Oui. Et puis il constituait son public, son témoin, le premier à l'encourager et l'applaudir. Même quand il n'était pas présent, comme à Madison Square, elle savait qu'il en entendrait parler et qu'il serait fier d'elle. Elle savait qu'elle demeurerait au centre de ses préoccupations.

— Et il l'a prouvé en se sacrifiant pour elle.

— C'était leur plan B. Nous l'avons abordé. Elle devait disparaître, s'en aller loin d'ici, tandis qu'il nous attirerait à lui. Et il porterait le chapeau. Sauf que ça n'a absolument pas fonctionné. Connors, elle est en salle d'interrogatoire et pourtant elle fait la belle. « Regardez-moi, regardez à quel point j'assure. Oui, j'ai commis ces meurtres, c'est moi qui ai tout fait. Parce que je suis la meilleure. Sur la première marche du podium. » Et ça me rend malade plus que ça ne me met en colère.

— Oh, tu retrouveras ta colère avant d'en avoir terminé. Je n'ai aucun doute sur ce point.

Elle faillit sourire.

— Tu ne rentres pas à la maison ? lui demanda-t-elle.

Il faillit sourire à son tour.

— Tu as conscience que les seules couleurs encore visibles sur ton visage sont celles de tes bleus ?

— Mes bleus en rajouteront une couche utile dans le rapport. Et le remontant que tu m'as trouvé m'a bien aidée. Je suis fatiguée mais j'ai toujours les idées claires.

— Ça aussi devrait t'aider, dit-il en sortant de sa poche une barre chocolatée.

— C'est une des miennes ?

Elle lança un regard furieux vers le mur et le portrait encadré que Nixie Swisher avait réalisé d'elle.

— Ça vient de ma réserve personnelle ? Tu as pioché dans ma réserve ?

— Pas du tout, non, même si ça aurait pu être amusant. La DDE propose des confiseries dans ses distributeurs automatiques.

— Ah bon ? Comment ça se fait ?

Elle accepta néanmoins la friandise et déchira l'emballage.

— Merci, dit-elle.

— Je tâcherai de me rattraper en veillant à ce que tu fasses un repas digne de ce nom à la première occasion.

— Si tu le dis…

Elle ferma les yeux et laissa la première et merveilleuse bouchée de chocolat faire son effet.

— Tu es allé voir comment se portait Summerset ?

— Plusieurs fois, au point même qu'il s'en est agacé.

— D'accord.

Elle enveloppa la moitié de barre chocolatée restante dans l'emballage et la rangea dans sa poche.

— Il y en a sans doute encore pour deux ou trois heures, le prévint-elle.

— Quand j'en aurai terminé ici, j'ai prévu de passer en salle d'observation pour te regarder ne faire d'elle qu'une bouchée, plus vite encore qu'avec cette friandise.

Elle s'approcha de lui et appuya la tête contre son épaule pendant un court moment.

— Mackie a peut-être été un type bien autrefois. C'est en tout cas l'avis de Lowenbaum. Mais il a fait des choix sur lesquels il ne pourra jamais revenir. Sa fille en est un exemple. Ceci dit, même sans lui, elle se serait un jour retrouvée en salle d'interrogatoire. Ce n'est qu'à cause des choix de son père, de l'enchaînement des événements, que c'est tombé sur moi.

Elle se redressa.

— Et puisque c'est à moi de m'en charger, j'y vais de ce pas.

Alors qu'elle repartait, Connors se demanda si elle s'interrogeait parfois sur le nombre d'individus supplémentaires, victimes et tueurs, dont elle devrait encore se charger à l'avenir.

La connaissant, il était persuadé que oui.

En revenant à la salle d'interrogatoire A, Eve trouva Peabody et Reo debout devant la porte. Toutes deux paraissaient profondément lasses. Peabody tenait deux sodas à l'orange et Reo un tube de Pepsi Light.

— Elle est à l'intérieur, lui dit Peabody. Je lui ai pris un autre soda avant qu'elle claque des doigts pour m'en réclamer un. Et un aussi pour moi, parce qu'il me faut ma dose de sucre.

— Quant à moi, j'ai opté pour de la caféine bien fraîche, parce que mon estomac n'encaisse pas le café du distributeur.

— Eh bien…

Eve sortit sa demi-barre chocolatée, la cassa en deux et leur tendit un morceau chacune.

— Du chocolat ? Du vrai ?

Rien que l'idée redonnait du tonus à la voix de Peabody.

— Tant pis pour ma cellulite. Merci. Merci, Dallas !

— Remerciez plutôt Connors.

— Merci Connors, dit Reo en prenant une minuscule bouchée.

— Mangez-le au lieu de grignoter comme une petite souris. On a du boulot, leur rappela Eve.

— J'aime bien savourer les bonnes surprises inattendues. Néanmoins... termina Reo en engloutissant son morceau.

— Je vais continuer à la faire parler, la pousser à nous détailler toutes ces histoires sur l'Alaska. Après quoi nous aborderons ses objectifs personnels. Je veux que sa déposition montre clairement son intention de tuer. Nous allons commencer à durcir le ton, à mettre sa parole en doute. Plus nous le ferons, plus elle ressentira le besoin de se vanter.

Eve ouvrit la porte.

— Enregistrement, ordonna-t-elle. Reprise de l'interrogatoire. Toutes les parties sont en présence.

Peabody déposa la boisson devant Willow.

— Je voulais de la cerise cette fois.

— Et c'est de l'orange. À prendre ou à laisser.

Peabody plissa les yeux en scrutant les traits de Willow.

— Et si vous me le lancez au visage, dit-elle sur un ton d'avertissement, je vous ferai condamner pour agression contre un représentant des forces de l'ordre.

— Agression au soda, la blague !

Peabody ne montra aucune trace d'amusement comme Willow éclatait d'un rire plein de mépris.

— Je m'assurerais que ce soit pris très au sérieux, espèce de petite ingrate.

Le ton s'était déjà durci, constata Eve. Elle demeura silencieuse, laissant à Peabody le temps de s'asseoir et de siroter sa propre boisson.

— Parlez-moi de l'Alaska, dit-elle ensuite.

— Ça caille.

— Votre père affirme que vous aviez l'intention d'aller y vivre tous les deux. Que dans le cadre de votre plan de secours, si quelque chose se passait mal, s'il lui arrivait malheur, vous étiez censée vous rendre là-bas.

— En Alaska ? C'était presque aussi bidon que Susann. D'accord, j'ai bien aimé y passer quelques jours et chasser un peu les deux fois où on y est allés. Mais habiter là-bas ? Aucune chance.

— Il semblait pourtant très clair sur ce point.

— Si on avait eu besoin d'un endroit pour se cacher quelques mois, ouais, ça aurait fait l'affaire. Mais j'ai surtout dit oui parce que c'était ce qu'il avait besoin d'entendre. Ça l'aidait à rester concentré sur la mission.

— Vous n'aviez donc pas l'intention de vous rendre là-bas, comme prévu, après son arrestation ?

— J'aime la ville. C'est sympa de passer du temps dans l'ouest, et même là-haut au pays de Nanouk l'Esquimau, mais j'allais pas me traîner jusqu'en Alaska. Et puis moi quand je commence un truc, je vais au bout.

— Ce que vous avez prouvé en prenant pour cible Jonah Rothstein et dix-sept autres passants au Madison Square Garden. Mais après ça, vous auriez rencontré un problème. Aviez-vous conscience que nous avions identifié le reste de vos cibles et les avions placées sous protection ?

— Ouais, ouais. Rien à foutre.

— Est-ce pour cela que vous êtes retournée au domicile de votre famille plutôt que sur les lieux que votre père et vous aviez choisis au cas où il vous faudrait rester à New York ?

— Ce n'est pas ma famille, d'accord ? répliqua Willow, ses yeux verts brillants de dégoût. Rien qu'un bio-tube, son pote de baise et le morpion qu'ils ont pondu. C'est tout. C'est une maison et autant la mienne que celle de n'importe qui d'autre. Mes affaires sont là-bas.

— Pas toutes.

— Ouais, vous avez pris mes bécanes. Encore une fois, rien à foutre. J'avais des sauvegardes.

— C'est vrai. Que nous détenons aussi à présent. Je m'interroge : la DDE va-t-elle trouver des sauvegardes des documents que vous avez tenté de cacher sur l'ordinateur de votre frère ?

Willow réagit d'abord par la surprise, puis par la colère, rapidement suivies d'un sourire suffisant qui semblait vouloir dire « ouais, et alors ? »

— C'est pas mon frère.

— Vous avez la même mère... ou le même bio-tube, si vous préférez. Comptiez-vous lui briser la nuque de la même manière qu'à son petit chien ?

Malgré le tube de soda porté à ses lèvres, Willow ne put dissimuler un rapide sourire.

— Pourquoi j'aurais perdu mon temps avec un chien à la con ?

— Parce que c'était marrant. Parce que votre frère l'aimait. Parce que vous en aviez la possibilité.

— C'est *pas* mon frère. Et même si je l'avais fait ? Vous allez m'accuser d'assassinat de chien ?

— Cruauté envers un animal, répondit Peabody.

Willow bâilla.

— Allez-y, rajoutez ça à la liste. J'en ai rien à faire. Ça n'a aucun intérêt.

— Vous avez tué le chien avant de lancer son corps par la fenêtre devant votre frère...

— Je vous ai dit que c'était *pas* mon frère, putain !

— Vous admettez les actes en question ?

— J'ai tordu le cou de ce foutu sac à puces et je l'ai balancé dehors. Si c'est de ça que vous voulez parler, alors j'ai plus rien à dire.

— Oh, il y a bien plus. Parlons de votre objectif personnel, de votre mission. Cette liste de cibles que vous avez essayé de dissimuler sur – on va simplement l'appeler Zach – sur l'ordinateur de Zach.

— Ils regardaient tout ce que je faisais sur le mien. On se serait cru en prison ! Zoe s'imagine que je sais pas qu'elle fouille ma chambre et mes affaires. Je l'ai sur le dos vingt-quatre heures sur vingt-quatre, sept jours sur sept, la garce. Et elle a rien fait du tout quand le pervers qu'elle a épousé a posé la main sur moi.

— Il n'a jamais posé la main sur vous.

— Ma parole contre la sienne.

— J'aimerais avoir des détails, dit Reo en notant quelque chose sur son carnet. Quand s'est produit cet incident… ou ces incidents le cas échéant. Ce qu'il a fait.

— Elle ment, dit Eve.

— Elle a le droit de raconter sa version des faits. Lincoln Stuben vous a-t-il agressée sexuellement ou physiquement ? Si tel est le cas, merci de détailler les circonstances, le nombre d'occurrences, les dates et horaires.

— Chiant. Chiant. Chiant. Il espérait se taper sa belle-fille mais je sais me défendre.

— Avez-vous eu une altercation ?

— « Avez-vous eu une altercation ? » répéta Willow en l'imitant. Ouais, un paquet même. Il voulait tout le temps me dire quoi faire et comment le faire. Toujours à se plaindre que je devais être respectueuse. Moi, j'ai pas de respect pour les perdants.

— Raison pour laquelle il était sur votre liste, glissa Eve. Lui, votre mère, votre frère, votre psychologue scolaire et le principal du lycée. Lycée dont, au passage, vous vous êtes procuré les plans.

— C'était pas bien difficile. Mes talents se limitent pas au tir de précision.

— C'est noté. Vous aviez prévu d'attaquer le lycée ? Pour tuer des élèves, des professeurs et d'autres personnes.

— C'était une idée.

Le regard de nouveau levé vers le plafond, Willow fit tourner son doigt en l'air.

— Vous pouvez pas m'inculper pour une idée.

— Vous êtes retournée à la maison de ville, vous vous êtes installée dans la chambre du deuxième étage et vous avez ajouté une alarme en bas pour vous prévenir quand quelqu'un rentrerait.

— Et alors ?

— Vous étiez tapie en embuscade. Ils devraient bien rentrer un jour, n'est-ce pas ? Et vous seriez là à les attendre. Comment comptiez-vous procéder ? Descendre simplement l'escalier en lançant un « salut, tout le monde ! » avant de les abattre sur place ?

Voyant Willow hausser les épaules, Eve se pencha vers elle.

— Une embuscade contre trois civils désarmés. Ça ne demande pas beaucoup de talent. Et ça ne me semble pas franchement très amusant non plus. Bien trop vite plié. C'est vraiment le mieux que vous puissiez faire ?

Willow écarta brusquement le tube de soda.

— Je peux faire ce que je veux ! lança-t-elle. Peut-être que j'ai pensé – parce que penser, c'est pas un crime, hein ! – que ce serait mieux d'attendre qu'ils soient revenus, qu'ils soient tous allés se coucher. Peut-être que je me suis demandé ce que ça ferait de tuer une cible au contact, avec un couteau. Comme j'ai failli le faire avec vous.

Eve leva sa main bandée.

— Loin s'en faut.

— Pas si loin que ça.

— Donc vous éliminez d'abord le gamin, votre cible prioritaire.

— Vous y connaissez que dalle en tactique ! On élimine toujours la plus grosse menace en premier, pauvre cloche. Je trancherai la gorge de Stuben. Rapide et discret. Et il n'est rien. Depuis le début, ce mec n'est rien.

— Et ensuite ?

— Ensuite la bonne tactique demande d'assommer Zoe puis de la ligoter. Ça me donnera le temps d'aller chercher le gamin, de l'attacher et de le descendre dans la chambre de Zoe, expliqua Willow, les yeux brillants.

Eve était certaine qu'elle visualisait très clairement chaque geste.

— Ensuite je le ferai souffrir un peu, juste un peu pour qu'en se réveillant elle voie qu'il est blessé, qu'il saigne. Je la laisserai supplier ; leur chambre est insonorisée. Elle pourra même hurler si ça lui chante. Mais si elle fait ça, je trancherai la gorge au gamin. Mais elle pourra supplier, m'expliquer en long, en large et en travers pourquoi je devrais pas le tuer. Pourquoi je devrais épargner ce rejeton qu'elle aurait jamais dû avoir, ce bébé pleurnichard qu'elle a fait pour me remplacer, *moi*.

» Après quoi elle sera forcée de me regarder l'éventrer comme un chevreuil. J'ai envie de faire ça depuis qu'il est né. Je la garderai pour la fin, histoire qu'elle puisse mater jusqu'au bout. À elle je lui tailladerai les poignets pour qu'elle se vide lentement de son sang. Comme ça, je pourrai la regarder mourir à petit feu.

— J'avais tort. C'est elle que vous détestiez le plus.

— Elle a jeté mon père. Elle l'a éloigné de moi. Elle a essayé de nous remplacer, lui et moi, par

Stuben et cet affreux gamin. Elle mérite de les voir morts et de savoir que c'est sa faute. Tout est sa faute !

Willow fit un geste, son soda à la main.

— J'aurais pu être opérationnelle pour le lycée dès le lendemain matin, avant qu'on sache qu'ils étaient morts. Je serais entrée dans l'histoire.

— Parce que vous connaissez les lieux, les habitudes, l'heure à laquelle les élèves commencent à arriver.

— Je vous garantis que j'aurais pu abattre trente voire quarante têtes de pipe avant qu'ils réussissent à tout calfeutrer. En recalibrant, il y aurait eu moyen de m'en payer peut-être dix de plus à deux ou trois rues de là pour ajouter à la confusion. Après ça, journalistes, parents, crétins venus voir ce qui se passe... Il y aurait eu du monde à ma portée. J'aurais pu monter à cent avant de devoir m'arrêter. Aucun tireur n'en a jamais tué autant, pas tout seul, pas à cette distance. Moi, j'aurais pu.

— Ce qui aurait fait de vous la meilleure.

— Je suis la meilleure. Ça aurait été ma marque laissée dans l'histoire.

— Votre père n'aurait pas été d'accord.

— J'aurais pu le convaincre si tout s'était passé comme prévu dans son plan de départ. Si je fais sa mission pour lui, je mérite bien la mienne. Ça paraît équitable. Il était faible mais grâce à moi il retrouvait ses forces. Je lui aurais même accordé un an ou deux en Alaska en échange. Mais je méritais mon heure de gloire rien qu'à moi.

Eve attendit une longue seconde. Le visage de Willow s'était empourpré, comme celui de son père auparavant. Mais chez elle c'était un mélange de colère et de fierté. Ce n'était pas de la folie qui se lisait dans son regard ; en tout cas pas de celle qui ne sait plus distinguer le bien du mal. Plutôt celle qui n'en a rien à faire.

— Vous êtes en train de dire qu'avec la complicité de votre père vous avez tué les vingt-cinq personnes nommées durant cet interrogatoire et aviez prévu d'en tuer d'autres, également nommées un peu plus tôt.

— C'est ce que je dis. Et je ne me répéterai pas.

— Ce ne sera pas nécessaire. Vous avez également déclaré qu'à titre individuel vous avez conçu le plan d'assassiner Zoe Younger, Lincoln Stuben et Zach Stuben, non sans avoir torturé Younger et Zach Stuben avant de mettre fin à leurs jours.

— Ouais, ouais, ouais. J'ai pas été assez claire ? Je peux concevoir tous les plans que je veux.

— Par ailleurs, vous avez ajouté avoir planifié une attaque contre le lycée Hillary Rodham Clinton et d'autres lieux appartenant au même voisinage dans l'espoir de tuer une centaine de personnes.

— Le record du monde. À cause de vous je suis privée du record du monde. C'est un métier dangereux, flic. Il pourrait vous arriver quelque chose de moche, genre, dans un an. Ou même, disons, dans *trois* ans, ajouta Willow en riant dans son tube de soda. Trois, c'est un bon chiffre.

— Vous croyez ? Et si je vous rendais visite, disons dans trois ans et demi. Dans votre cellule sur Omega.

— Je ne serai plus là-bas. Vous, vous tous, vous êtes tellement stupides. Tous des cons ! s'exclama Willow avant de lancer la tête en arrière et d'éclater d'un long rire sonore.

» Vous vouliez que j'avoue tout ça ? Pas de problème. Je *veux* que vous sachiez ce que j'ai fait. Écrivez-le, criez-le sur tous les toits. Je mérite que les gens sachent ce que j'ai fait, ce dont je suis capable.

Et dans moins de trois ans, quand j'aurai dix-huit ans, je sortirai de prison.

— Ah oui ? demanda Eve en se radossant sur son siège. Qu'est-ce qui vous fait croire ça ?

— Je vous ai *entendues*, espèces d'idiotes. Mon père a signé un accord. Je passe en premier pour lui et il a signé un accord. Il vous a tout déballé mais en échange je serai jugée comme une mineure. Je sortirai à mes dix-huit ans parce que, hé, je suis rien qu'une pauvre gamine.

— Vous pensez donc qu'il est possible d'abattre de sang-froid – et avec préméditation – vingt-cinq citoyens, de faire d'innombrables blessés, de comploter en vue de tuer... Combien était-ce ? Ah oui, cent personnes supplémentaires, et de ressortir libre trois ans plus tard ?

— Ça vous fait mal au cul, hein ? Vous avez passé tellement de temps à me chercher et vous en ressortez bien amochée. Vous aviez un paquet de flics à mes trousses et j'ai quand même fait un gros score. Il vous a fallu l'aide de mon père pour me mettre le grappin dessus, et mon père me protège toujours. Donc je vais faire trois petites années dans un établissement pour jeunes et puis je ressortirai. Et ça, ça vous fait bien chier.

— Un aspect crucial du métier de flic est de comprendre que le boulot consiste à appréhender les criminels et à rassembler les preuves, lesquelles sont ensuite remises à quelqu'un comme Reo qui prend ensuite le relais.

— Ouais. Et les gens comme elle ? lança Willow en pointant du doigt la substitut du procureur. C'est toujours une histoire d'accord à trouver, de solution rapide, de choisir la voie la de la facilité. Elle ne voulait pas m'envoyer au tribunal de toute façon.

« Bouhou, je n'ai que quinze ans, j'ai été manipulée par des méchants ! »

Willow s'esclaffa de nouveau ; elle dansait presque sur son siège.

— Pourtant je serais *trop mortelle* au procès avec ce genre de numéro. Je regrette presque de pas pouvoir aller attendrir les petits cœurs des jurés avec mes larmes d'ado.

— Oui, ce serait un sacré spectacle, admit Eve. Un spectacle auquel j'ai hâte d'assister, parce que vous avez raison, Willow, vous avez vu parfaitement juste. Ça me ferait mal que vous puissiez faire ce que vous avez fait, être ce que vous êtes et ressortir à dix-huit ans pour mieux recommencer. Si toutefois cela se passait ainsi.

— Vous avez signé l'accord, dit Willow à Reo.

— En effet.

— Alors comment tu comptes le faire capoter, sale garce ?

— Je n'aurai pas à le faire. Vous l'avez fait capoter toute seule… avec un peu d'aide de la part de votre père.

Eve leva sa main blessée et l'examina brièvement avant d'émettre un simple « aïe ! » accompagné d'un sourire.

— Vous voulez me coller une agression contre un flic sur le dos ? Allez-y. Ça change rien au marché.

— Et pourtant si. Reo, vous devriez peut-être lui expliquer les termes de l'accord en question.

— Avec plaisir.

Reo ouvrit sa mallette pour en tirer une copie imprimée de l'accord.

— Sentez-vous libre de l'examiner par vous-même, dit-elle. Le procureur de la ville de New York a donné son accord pour que la dénommée Willow Mackie soit jugée en tant que mineure pour tous les crimes commis *avant* la signature dudit accord selon les conditions suivantes. Premièrement, que les informations fournies par Reginald Mackie conduisent à l'arrestation de Willow Mackie. Deuxièmement, l'accord serait nul et non avenu dans le cas où Willow Mackie tuerait ou blesserait une ou des personnes, quelles qu'elles soient, après signature.

— C'est des conneries ! Elle m'a attaquée. Je me suis défendue.

— Le lieutenant Dallas a été blessée de votre main durant votre interpellation. Vous avez résisté à votre arrestation, attaqué des agents de police – agression à main armée, pour être précise – et, par ailleurs, admis durant cet interrogatoire votre intention de tuer le lieutenant Dallas.

— Aïe, répéta Eve. De plus, les informations fournies par votre père ne nous ont menés nulle part. Il n'a fait aucune mention de la maison de ville où vous vous trouviez, ce qui signifie qu'aucune des conditions de l'accord n'a été remplie.

— Vous m'avez piégée, c'est pas légal ! C'est des conneries, ce que vous dites, et ça tient pas la route. Je vous ai *entendues* vous disputer comme quoi vous pouviez pas me juger comme une adulte à cause de l'accord.

— Vraiment ?

Reo tourna la tête vers Eve, ses yeux bleus grands ouverts et pleins de sincérité.

— Je ne crois pas que nous ayons mentionné l'accord – déjà nul et non avenu avant le début de l'interrogatoire – ni aucun des termes qu'il contient. Pas officiellement.

— Non, confirma Eve. Absolument pas. Pourquoi en aurions-nous parlé ? Il ne s'appliquait pas. Alors pour vous – petite garce – c'est un aller simple vers la prison pour vingt-cinq meurtres, complot en vue de commettre des meurtres et multiples agressions à main armée. S'y ajoutent tentative de meurtre sur un représentant des forces de l'ordre et coups et blessures sur le même agent. Possession d'armes illégales, possession et usage de faux documents d'identité. Et l'enregistrement prouvera, par vos propres mots, votre intention d'assassiner votre famille et plusieurs autres individus.

» À vue de nez, il y en a au moins pour cent ans dans une cage sur Omega. Vous ne verrez plus jamais la lumière du soleil, Willow.

— Non, c'est des conneries.

Mais pour la première fois, la peur se lisait dans les yeux de Willow.

— J'ai quinze ans, reprit-elle. Vous allez pas me faire enfermer pour toujours alors que j'ai que quinze ans.

— Continuez à le penser si ça vous fait plaisir. Si vous la croisez sur Omega, passez donc mon bonjour à Rayleen Straffo. Elle avait dix ans quand je l'ai envoyée derrière les barreaux. Vous devriez bien vous entendre.

— Je connais mes droits ! Je connais mes droits ! Rien dans cet interrogatoire n'est valide. Je suis une mineure. Où est mon représentant des services de protection de l'enfance ?

— Vous n'avez jamais demandé à en voir un. Par ailleurs… (Reo sortit un autre document de sa mallette.) Nous avons obtenu la permission de votre mère pour vous interroger.

— Elle ne peut pas parler en mon nom.

— Légalement, si. Bien entendu, si vous aviez réclamé un représentant, ou un avocat, il vous en aurait été fourni un.

Reo appuya tranquillement ses mains jointes sur sa mallette.

— Willow Mackie, vous avez confirmé, de manière détaillée et dans le cadre de cet enregistrement officiel, les chefs d'accusation retenus contre vous précédemment cités par le lieutenant Dallas. Il en sera ajouté d'autres. Étant donné la nature violente et cruelle de vos crimes, vous serez jugée comme une adulte.

— Je veux un avocat. Tout de suite. Je veux un représentant des services sociaux !

— Souhaitez-vous contacter un avocat en particulier ?

— Mais putain, vous croyez que je connais des avocats ? Trouvez-m'en un, et tout de suite !

— Les démarches seront lancées pour vous obtenir un conseil et, bien que vous soyez considérée comme une adulte dans le cadre de cette affaire, le service de protection de l'enfance sera contacté. Avez-vous quelque chose à ajouter ?

— Allez vous faire foutre ! Vous toutes. Je vous ferai la peau à toutes les trois.

— Dans ce cas…

Reo se leva.

— Peabody, faites ramener la prisonnière dans sa cellule. Fin de l'interrogatoire.

Eve se leva à son tour.

— Profitez-en, dit-elle. C'est l'hébergement le plus confortable auquel vous aurez droit pour le siècle à venir.

— Je me laisserai pas faire, répondit Willow.

La haine et la fureur brûlaient dans le regard qu'elle planta dans celui d'Eve. Mais ses mains tremblaient.

— Vous vous êtes condamnée toute seule, répondit Eve en sortant.

Eve se dirigea droit vers son bureau. Elle avait besoin d'un café. À vrai dire, elle aurait même eu envie d'un grand verre d'alcool fort, mais le café ferait l'affaire.

Reo la suivit.

— Je dois m'occuper du reste de la procédure, dit-elle, mais avant cela je tenais à vous dire que vous avez mené cet interrogatoire de main de maître.

— Ce n'était pas bien difficile. Elle crevait d'envie de se vanter, de remuer le couteau dans ma plaie, de faire un gros pied de nez aux autorités en général. Je n'ai eu qu'à lui en donner l'occasion. Enfermez-la bien, Reo, qu'elle reste sous les verrous et pour long-temps.

— Je m'en charge. Vous pouvez compter sur moi.

— C'est le cas.

Une fois seule, elle se tourna vers le tableau, vers les portraits des victimes.

— Vous avez obtenu justice en leur nom, dit Mira depuis le seuil.

— J'ai arrêté Willow Mackie. Le reste dépendra de Reo et du tribunal.

— Vous avez obtenu justice en leur nom, répéta Mira. Et empêché qu'un grand nombre d'autres personnes se retrouvent sur ce même tableau. Vous l'avez convaincue de révéler sa véritable personna-lité. Et croyez-moi, Eve, cet enregistrement sera étu-dié par des psychiatres, des juristes et des membres des forces de l'ordre pendant les décennies à venir.

— Elle avait tellement envie d'exhiber son intel-ligence et sa supériorité que j'ai à peine eu besoin de l'appâter.

— Vous n'avez jamais perdu la maîtrise de la situation, sans jamais lui laisser voir que c'était vous qui en contrôliez le déroulement. Son narcissisme, son mépris absolu pour un quelconque semblant de code moral, son besoin d'être la meilleure et le plaisir qu'elle prend à tuer... Tout est apparu avec la plus grande clarté. Certains argueront que son adolescence et l'influence de son père l'ont poussée à commettre l'impensable.

» Ça ne fonctionnera pas, ajouta Mira en voyant Eve pivoter vivement sur elle-même. Elle est calculatrice, organisée, intelligente. C'est une psychopathe qui s'est vu donner la permission par un parent d'embrasser son désir de tuer. Je peux vous promettre que je mettrai à mal toute tentative de son avocat de la faire passer pour une adolescente déboussolée victime d'un père manipulateur. Faites-moi confiance sur ce point.

Compter sur Reo. Faire confiance à Mira.

— C'est le cas. Je vous fais confiance et cela m'aidera à bien dormir ce soir.

— Justement. Vous devriez rentrer chez vous pour prendre un peu de repos.

— Oui. Je serai bientôt prête à partir.

Mais avant qu'elle puisse quitter son bureau, Whitney lui rendit visite.

— Beau travail, lieutenant.

— Merci, commandant.

— Vous l'avez poussée à se condamner elle-même par ses propres mots, mais cela ne fait pas oublier tout le travail accompli pour la coller en cellule. Pour aujourd'hui au moins, la ville est devenue plus sûre. J'aurai besoin de vous en salle de presse dans dix minutes.

Eve eut l'impression que tout son être s'affaissait sur lui-même.

— Oui, commandant.

— Je l'aurais fait à votre place si je le pouvais. Mais le fait est que les habitants de New York méritent d'entendre le témoignage de la responsable de l'enquête qui a identifié et appréhendé les deux individus qui les terrorisaient depuis presque une semaine. On peut voir les choses de la manière suivante, ajouta-t-il. En moins d'une semaine, vous et votre équipe avez appréhendé deux personnes qui, si elles étaient encore en liberté, aurait probablement causé de nombreux morts supplémentaires. Le chef Tibble et moi-même serons présents mais nous pensons tous deux que la déclaration officielle doit vous revenir.

— Compris, commandant.

— Alors sortez vite d'ici, Dallas, et allez me mettre un peu de glace sur votre œil.

En traversant la salle commune, elle aperçut Connors qui discutait avec Lowenbaum, près du bureau de Peabody. Le lieutenant du SWAT la vit et s'approcha en lui tendant la main.

— Merci, dit-il.

— À vous aussi.

— Je vous offre un verre ?

— Je suis attendue en conférence de presse, après quoi j'irai dormir pendant un ou deux ans. Mais après ça, oui.

— C'est d'accord.

Elle se tourna vers Connors et se passa une main dans les cheveux.

— Il y en a encore pour un petit moment. On a une conférence de presse, puis je devrai m'occuper de la paperasse. Ensuite on pourra y aller.

— Je serai là quand tu auras terminé.

— Peabody, allons-y et finissons-en.

— Je vais zapper la conférence de presse, répondit Peabody. Je termine mes rapports. Moi aussi, je voudrais rentrer chez moi, précisa-t-elle avant qu'Eve puisse répondre. Ils n'ont pas besoin de moi en salle de presse et il faut que je termine tout ça. Je veux vraiment boucler mon rapport pour tourner la page de cette affaire.

Eve contempla les traits tirés et les yeux caves de son équipière.

— D'accord. Bon travail, Peabody.

— On a tous bien travaillé.

Avec un simple hochement de tête, Eve s'éloigna pour offrir à New York le visage qu'il attendait, si las et amoché soit-il.

21

Le cirque médiatique aurait pu être pire. Elle avait connu pire. Dans la mesure où Kyung, le chargé de liaisons avec les médias – un type bien, au fond – lui avait recommandé de dire les choses à sa façon en faisant appel à son propre bon sens, elle fit ce qu'elle estimait être une déclaration simple et directe.

— Grâce aux efforts du NYPSD, de ses agents et de ses techniciens, deux individus ont été identifiés, appréhendés et inculpés pour les vingt-cinq meurtres et les nombreuses blessures causées en lien avec les attaques du Wollman Rink, de Times Square et du Madison Square Garden. Reginald Mackie et sa fille Willow Mackie ont admis ces crimes et l'enquête a également révélé qu'ils prévoyaient de s'en prendre à d'autres personnes, ce qu'ils ont également avoué.

Évidemment, cela ne suffit pas. Les médias semblaient n'en avoir jamais assez. Elle eut droit à de nombreuses questions, certaines pertinentes, d'autres incroyablement stupides. Elle répondit à celles qui s'arrêtaient sur l'âge de Willow.

— Oui, Willow Mackie a quinze ans. À quinze ans, elle a tué vingt-cinq personnes de sang-froid. L'enquête a permis de déterminer qu'elle avait l'intention d'en tuer d'autres, y compris sa mère et son demi-frère de sept ans. Étant donné la nature de ses crimes, elle sera jugée comme une adulte.

Face à l'insistance des journalistes, elle fit un résumé minimaliste de l'arrestation de Willow puis dut maîtriser une montée de colère quand l'un des reporters lui cria :

— Mes sources rapportent que Willow Mackie a été blessée durant son arrestation. S'agissait-il de rétorsion pour le meurtre supposé d'un policier ?

— Quelqu'un vous a déjà lancé une grenade incapacitante ? Non ? Est-ce qu'un individu en tenue de protection intégrale vous a déjà tiré dessus avec un fusil laser, une arme de poing, un blaster ? Non plus ? Tous les membres de l'équipe chargée d'appréhender la personne inculpée de vingt-cinq meurtres, dont celui de l'agent Kevin Russo, ont mis leur vie en danger au service de la protection de notre ville. Tous les membres de l'équipe ont agi et réagi d'une manière légale et appropriée face à cette menace, comme le démontrera l'enregistrement de l'arrestation. Maintenant, si vous…

— J'ai une question en lien avec ça ! lança Nadine, interrompant ce qui s'annonçait comme une mise en doute malavisée de l'intelligence du reporter inquisiteur. Lieutenant Dallas, avez-vous subi des blessures visibles durant l'arrestation de Willow Mackie ?

— Elle s'est opposée à son arrestation. Violemment.

— Y a-t-il un lien avec ce qui semble être une entaille sérieuse à votre main ? Employait-elle aussi un couteau ?

— Oui, et oui. Il semble que j'aie oublié de demander si certains d'entre vous ont déjà fait face à quelqu'un cherchant à leur trancher la gorge avec un couteau de combat. Elle n'a pas réussi. Si vous tenez à insister sur son âge, comme si nous devions avoir de la compassion pour elle, assurez-vous bien d'inclure les noms de ses vingt-cinq victimes. Ellissa Wyman, Brent Michaelson... commença-t-elle avant de réciter tous les noms.

» Je m'en tiendrai là, dit-elle en guise de conclusion.

— Un instant, lieutenant.

Tibble s'avança et fusilla du regard la salle entière jusqu'à ce que le silence se fasse.

— J'ai personnellement examiné les enregistrements effectués par le lieutenant Dallas, l'inspecteur Peabody, le lieutenant Lowenbaum et plusieurs autres durant la confrontation avec Willow Mackie et son arrestation. Le lieutenant Dallas, l'inspecteur Peabody et un consultant civil ont tous été l'objet de frappes directes de la part de Willow Mackie et n'ont échappé à des blessures graves que grâce à leurs protections.

Il s'autorisa à laisser paraître un soupçon de colère en tournant son attention vers le journaliste qui avait posé la question.

— Selon moi, l'âge n'a pas grande importance quand on est armé de fusils laser, de grenades incapacitantes et que l'on sait s'en servir. Et encore moins si l'on s'en sert pour abattre des civils et des membres des forces de l'ordre et que l'on tient le compte des meurtres accomplis comme autant de trophées. Le lieutenant Dallas et les membres de son équipe ont risqué leur vie aujourd'hui, comme ils le font chaque jour, pour sauver les vôtres : vos conjoints, vos fils et vos filles, vos amis et vos voisins. Si quelqu'un ressent le besoin de mettre en question la nécessité des actions déployées par ces hommes et ces femmes de grand courage qui ont risqué leur vie pour que ce chiffre terrible s'arrête à vingt-cinq, qu'il s'adresse à moi.

» Rompez, lieutenant Dallas. Vous avez toute ma gratitude.

— Chef.

Elle s'en fut, au plus vite, en se sentant piteusement reconnaissante de voir que Connors était là et l'attendait.

Une fois dans la voiture, elle inclina la tête en arrière et ferma les yeux.

— D'autres vont reprendre cet argument, dit-elle.

— Exploiter son jeune âge pour faire vendre et souligner qu'elle a été un peu secouée durant l'arrestation ? Oui, je pense qu'on peut s'y attendre. Mais je suis aussi convaincu qu'ils seront minoritaires. Chasse-les de tes pensées, ma chérie.

— Tibble était en colère. On ne voit pas ça tous les jours.

— Et il ne s'est pas privé pour le laisser paraître. Tu peux être sûre qu'on en parlera. Quant à toi, tu connaissais les vingt-cinq noms par cœur.

— Certaines choses s'impriment profondément dans ton esprit.

Il la laissa se reposer, en espérant qu'elle dormirait, mais elle s'agita sur son siège et se redressa au moment où il franchit le portail de leur propriété.

— Tu vas vouloir que je mange un morceau, dit-elle, mais je me sens un peu bizarre. Je ne sais pas si j'ai envie de m'asseoir devant une assiette.

— Une petite soupe, peut-être ? Ça t'aidera à dormir.

Peut-être, mais...

— Pas de tranquillisant dedans.

— Promis.

Elle s'appuya contre lui sur le court trajet jusqu'à la porte d'entrée, saisie par l'épuisement qui la grignotait de nouveau, centimètre par centimètre.

« Parce que c'est fait, songea-t-elle. Parce que c'est terminé. »

Summerset et Galahad les attendaient dans l'entrée, comme ils auraient pu le faire au terme de n'importe quelle journée de travail. Mais ce n'était pas n'importe quelle journée. Elle aurait pu se fendre d'une insulte, pour redonner à la situation un vernis de normalité, mais Summerset aussi avait affronté un traumatisme.

Elle n'avait pas l'énergie pour ça.

Et lui non plus, semblait-il.

Il scruta son visage, ses meurtrissures, mais ne lui adressa ni sourire narquois ni le moindre commentaire.

— Me laisserez-vous m'occuper de vos blessures, lieutenant ?

— Je ne veux qu'une chose : dormir.

Il hocha la tête et se tourna vers Connors.

— Tu es blessé ? demanda-t-il.

— Non. Toi, tu as l'air d'aller mieux.

— Ça va. Nous avons profité de quelques moments de calme, le chat et moi. C'est désormais votre tour. Il y a de la soupe au poulet, avec des nouilles. J'ai pensé que cela vous ferait du bien au terme d'une telle affaire.

— Merci, dit Connors.

Il passa un bras autour de la taille d'Eve et la guida vers l'escalier.

— Lieutenant ?

Elle lança un regard en arrière, désormais si fatiguée qu'elle avait l'impression de flotter.

— Le mal n'a pas d'âge, dit Summerset.

— Non. Non, c'est certain.

Elle envisagea brièvement un arrêt à son bureau pour voir où en étaient les rapports, mais s'en sentit incapable. Pas maintenant. Pas encore.

— Rien qu'une heure de pause, dit-elle à Connors comme ils entraient dans la chambre. Puis je me poserai la question de manger et du reste. Mais une petite heure de repos d'abord.

— Ça ne me ferait pas de mal à moi non plus.

Alors qu'ils se déshabillaient, le chat sauta sur le lit et frotta sa tête contre le flanc d'Eve qui s'allongeait. Elle lui distribua quelques caresses et trouva le geste réconfortant. Plus réconfortant encore fut de le sentir se lover au chaud contre ses reins.

La perfection fut atteinte quand Connors se glissa auprès d'elle et l'attira contre lui.

Elle avait mal partout, à cause des contusions, de la fatigue, de la migraine qui jouait du tambour à l'arrière de ses yeux.

Mais tenue entre deux sources d'amour, elle s'endormit. Et ne se réveilla qu'aux toutes premières lueurs de l'aube.

Désorientée, elle tourna la tête vers l'endroit où Connors se tenait assis, vêtu non pas d'un costume mais d'une tenue élégamment décontractée, travaillant à la lumière de son mini-ordinateur.

Étendu de tout son long, le chat avait pris la place de Connors sur le lit.

Au moment de parler, Eve s'aperçut qu'elle avait la gorge affreusement sèche.

— Quelle... croassa-t-elle. Quelle heure est-il ?

Connors repoussa son mini-ordinateur et se leva.

— Il est tôt, dit-il. Lumières à dix pour cent. Ton œil a pris de drôles de couleurs mais on va s'en occuper dès maintenant. Voyons un peu le reste...

Il retira vivement les couvertures.

— Hé !

— Comme je m'en doutais, bel assortiment de plaies et de bosses. On va te passer à la baguette de soins puis on essaiera la baignoire à remous.

— Café. Je veux seulement un café.

— Pas seulement, mais tu y auras également droit. Peut-être un petit toast accompagné d'œufs brouillés pour commencer, afin de voir si ton estomac peut le supporter.

— Je ne suis pas malade, répliqua-t-elle.

Elle se redressa et fit la grimace.

— Courbaturée, sans doute.

— Donc la baguette, le bain et la collation. Sans quoi je vais devoir te harceler pour que tu prennes des antalgiques et on préférerait tous les deux que je m'en dispense.

Impossible de le contredire sur ce point. Par ailleurs, la baguette médicale apaisa effectivement une partie de ses douleurs et le bain – ainsi que ce qu'il avait mis dans l'eau – lui fit plus de bien encore.

Et le café améliora le tout.

Elle mangea ses œufs, qui passèrent sans mal. À vrai dire, ils réveillèrent même son appétit.

— Je me sens affamée maintenant.

Il se tourna vers elle, prit son visage entre ses mains et l'embrassa. Un baiser long, doux et profond.

— Euh... Ce n'est pas de ça que j'avais faim mais maintenant que tu en parles, je crois que ça m'ira très bien.

— On va laisser un peu de temps à tes hématomes pour guérir, répondit Connors avec un sourire.

Il garda néanmoins le visage d'Eve au creux de ses paumes et l'embrassa de nouveau.

— Je suis simplement heureux que tu sois là, dit-il.

— Où étais-je partie ?

— Chère Eve, un immense chagrin se lisait dans tes yeux. Un grand chagrin et une grande fatigue. Mais ils se sont envolés à présent.

— J'avais besoin de sommeil, c'est tout. Et de toi. Et du chat.

Elle laissa échapper un long soupir.

— Et de tout ceci.

Il appuya cette fois ses lèvres sur son front.

— Il y a une dernière chose dont tu pourrais avoir envie, dit-il. Suis-moi.

— Je me disais que des pancakes me feraient du bien.

— C'est faisable.

Il la guida jusqu'à l'ascenseur dont il programma manuellement la destination.

— Nager me ferait du bien, songea Eve à haute voix. De quoi me débarrasser de certaines raideurs.

Lorsque les portes s'ouvrirent, elle se retrouva désorientée pour la deuxième fois de la matinée.

— Combien de pièces as-tu… ?

Elle s'interrompit comme son regard se posait sur le large U parsemé de multiples boutons et commandes et l'élégant fauteuil en cuir qui se dressait au creux de sa courbe.

— Le centre de contrôle ! Waouh, waouh !

C'était presque comme si elle pénétrait dans le dessin qu'il lui avait montré quelques jours plus tôt seulement. Les murs avaient été repeints dans cette couleur discrète et plaisante pour l'œil qui n'était ni tout à fait du vert ni vraiment du gris. Sans parler de l'absolue magnificence de sa nouvelle station de travail, avec un mur entier occupé par des écrans.

— J'ai dormi pendant une semaine ou quoi ?

— Tu n'avais surtout pas remis les pieds dans ton bureau depuis quelques jours. Et les ouvriers en ont profité. Ils ont doublé leurs heures. Il reste quelques détails à régler, un peu de boulot à fignoler, mais tout est déjà opérationnel.

Eve désigna le grand et large U d'un marron profond parcouru de mouchetures et de veines vert sombre ainsi que le panneau ni vert ni gris qui accueillait une série de touches et de voyants.

— Même ça ? C'est opérationnel ?

— J'ai supposé que ce serait ta priorité. Teste-le.

Eve le ravit totalement en filant droit vers la console. Elle fit courir ses doigts sur la surface de pierre, scruta les commandes.

— Comment je... ?

Elle posa une main sur un capteur d'empreinte. Celui-ci bourdonna mais ne fit rien.

— Tu ne lui as pas dit quoi faire, si ? lança Connors, amusé, en la rejoignant.

— Comme... Activer les opérations ?

Le centre de contrôle prit vie. Les voyants s'illuminèrent, scintillant comme autant de joyaux. Le genre de bijoux qu'Eve appréciait plus que tout autre.

— *Opérations activées, Dallas, lieutenant Eve.*

— Waouh, répéta-t-elle. Aussi simple que ça...

— J'avais un peu de temps ce matin, expliqua Connors. Il m'en faudra un peu plus pour tout régler afin que tu sois dans ton élément mais sinon, oui, c'est aussi simple que ça.

— D'accord. Ouvre le fichier de Mackie, Willow.

— *Accès en cours. Où souhaitez-vous afficher les données ?*

— Écran mural.

Eve avait désigné une section du mur mais la paroi entière se couvrit de données.

— Super ! Ah, affiche le rapport final par Peabody, inspecteur Delia. Elle l'a terminé, constata Eve quand le document apparut. Elle l'a rédigé et archivé. Affaire classée.

— Affaire classée, confirma Connors en l'embrassant au sommet du crâne.

— Attends...

Eve se laissa tomber sur le fauteuil en cuir d'un beau vert émeraude et le fit pivoter sur lui-même avec un « aaah » de ravissement.

— Oh, c'est ça. C'est vraiment ça. Elle s'y connaît, ta rouquine, avec ses bottes et ses gros seins. Je pourrais passer la journée à jouer avec tout ça. En fait, il va falloir que je joue avec pendant une journée pour me remettre à niveau. Quelles autres fonctions... ?

— Tout ce dont tu auras besoin. Mais tu voudras peut-être jeter au moins un coup d'œil au reste de la pièce.

Elle pivota de nouveau pour balayer les lieux du regard.

Le coin détente l'inquiétait un peu. Il avait l'air bien trop confortable avec son long sofa vert foncé tout près du sol. Mais sans frime ni froufrous, même avec les deux coussins posés dessus. Elle avisa aussi un nouveau fauteuil de repos, que Galahad avait déjà réquisitionné.

Elle se leva, se déplaça à travers la pièce, trouva son tableau de meurtre... qu'elle n'avait qu'à faire coulisser depuis un emplacement ménagé dans le mur.

La cuisine avait largement été refaite. Brillante comme un sou neuf, certes, mais simple.

Simple également était l'ensemble d'étagères flottantes – sans doute en bois véritable, estima-t-elle – servant de présentoirs à certaines de ses possessions inutiles mais précieuses à ses yeux.

Le Galahad en peluche que Connors lui avait offert, la statue de la déesse provenant de la mère de Peabody, un insigne de shérif, une belle loupe à main, une photo de Connors et elle prise à la suite d'une arrestation qui leur avait valu quelques bleus et bosses et sur laquelle ils se souriaient.

Connors – ou était-ce l'architecte d'intérieur ? – avait ajouté des œuvres d'art pour lesquelles Eve n'avait pas été consultée. Mais comment aurait-elle pu se plaindre de ces paysages urbains encadrés ? Des paysages de sa ville.

De leur ville.

Elle fronça les sourcils devant d'épaisses planches de plastique vert barrant ce qui était de toute évidence une grande ouverture sur le côté de la pièce.

— Qu'est-ce qui s'est passé ?

— La question serait plutôt : qu'est-ce qui va se passer ? Comme je te le disais, certains détails sont encore en suspens. Ce sera un bonus. Quand ce sera terminé, le coin repas se trouvera devant un panneau en verre. En ouvrant le panneau, tu pourras sortir sur une petite terrasse. J'ai pensé que ça te plairait. Et que ce sera agréable pour nous de manger ici avec la terrasse ouverte quand il fera beau.

« Nous », releva Eve. Il avait conçu l'ancien bureau pour elle. Celui-ci était pour eux deux.

— Tu avais raison, dit-elle. Pas seulement parce que ça a fière allure. Tu avais raison parce que c'est mon espace, d'accord, mais qu'il nous sert à tous les deux. Tu avais raison, le moment était venu.

— Souviens-toi bien d'avoir dit ça quand nous nous attaquerons à la chambre.

— Pour le moment, je préfère m'extasier sur le bureau, qui est vraiment super cool. Et il est temps de commencer à jouer un peu avec le centre de contrôle !

— Je vais te donner quelques indications puis je te laisserai t'acclimater tranquillement pendant deux petites heures. C'est à peu près le temps dont on dispose avant de partir pour la fête de Bella.

— La quoi ?

Eve, déjà à mi-chemin vers l'autre côté de la salle, s'arrêta et pivota sur ses talons.

— Oh, mais... Écoute, tu ne crois pas qu'on pourrait s'en dispenser ? Je veux dire, je suis couverte de bleus et complètement crevée d'avoir sauvé New York. La petite ne remarquera pas notre absence. Elle ne s'en souciera même pas : elle a un an.

— J'en sais aussi peu que toi sur ce qui se passe dans l'esprit d'une enfant de un an. Dans celui de Mavis, par contre...

— Ouais. Mince, mince. Faut qu'on y aille.

Eve se passa une main dans les cheveux et tourna vers le centre de contrôle un regard plein d'envie.

— D'accord. On y va pendant, disons, une heure. Quatre-vingt-dix minutes maximum. Puis on revient. On ira nager. On pourra faire l'amour dans la piscine.

— Voilà qui ressemble fort à une tentative de corruption.

Connors réfléchit, clairement amusé, puis opina du chef.

— Le genre de pot-de-vin qui marche très bien sur moi. Marché conclu, dit-il.

— Parfait.

Et elle fila s'installer à son nouveau bureau.

Elle eut droit à ses deux heures, qu'elle trouva grisantes et formidables. L'ordinateur était si rapide qu'il anticipait quasiment ses demandes, l'image à l'écran si nette qu'elle avait l'impression de pouvoir y entrer.

Il faudrait plus de temps pour s'habituer à l'usage des fonctions holographiques, mais elle se voyait déjà s'en servir pour se replonger dans une scène de crime ou faire entrer un témoin, un consultant, voire un suspect potentiel dans le même espace qu'elle.

Y compris dans ses rêves les plus fous, jamais elle n'aurait imaginé avoir autant de possibilités technologiques sous la main. Même si cela impliquait de devoir composer avec la technologie.

Mais le meilleur, le tip-top du top comme aurait dit Mavis, fut la découverte du mini-autochef qui lui permettait de se programmer un café directement depuis le centre de contrôle.

Un petit bonus qui lui fit mentalement esquisser une danse de joie alors qu'ils partaient pour la fête de Bella.

— Le sexe dans la piscine s'annonce exceptionnel, dit-elle.

Connors se glissa derrière le volant.

— Ah oui ?

Elle l'attira brusquement vers lui et l'embrassa avec fougue.

— On aura intérêt à rester là où on a pied, sans quoi on risque de se noyer. Et même comme ça...

— La vie est pleine de risques. Et nous sommes des braves parmi les braves.

— Une heure, quatre-vingt-dix minutes maximum, c'est bien ça ?

— Pour le sexe dans la piscine ?

Eve éclata de rire et lui donna un coup de poing dans l'épaule.

Elle estima que le trajet vers le centre-ville en ce dimanche d'hiver n'était pas si déplaisant. Affaire réglée, longue nuit de sommeil, bon repas chaud... et un magnifique centre de contrôle. La vie aurait pu être bien pire.

Il s'agissait peut-être du premier anniversaire auquel elle se soit jamais rendue, mais ça ne pouvait pas être si terrible, n'est-ce pas ? Mieux valait ne pas y penser.

— Tu es sûr que le cadeau leur a bien été livré ? demanda-t-elle comme Connors manœuvrait pour se garer.

— Absolument.

— Je ne voudrais pas qu'on se couvre de ridicule en étant ceux qui ont oublié le cadeau pour la petite.

— Il a été livré hier et mis de côté par Leonardo.

— D'accord. Je parie qu'il va y en avoir d'autres.

— J'espère bien.

— Non, je veux parler d'autres *enfants*. Qui rampent ou titubent comme des ivrognes en agitant les mains, ou qui filent dans tous les sens comme Bella.

— Comme des enfants, quoi. Tu as sûrement raison.

— Pourquoi est-ce qu'ils ont ce regard fixe, comme ça ? Ils te regardent sans ciller, comme des poupées, dit-elle en le suivant vers l'immeuble. Ou des requins.

— Je n'en ai aucune idée mais maintenant que tu m'en as parlé, je vais avoir du mal à ne pas y penser.

— Bienvenue au club.

Elle emprunta l'escalier, comme elle l'avait fait un nombre incalculable de fois avant de rencontrer Connors, jusqu'à l'appartement qui était autrefois le sien. Un appartement qui, comme son nouveau bureau à la maison, ne ressemblait plus en rien à ce qu'il était à l'époque.

Et cela lui convenait tout à fait.

— Lance le chrono, dit-elle à Connors avant de frapper à la porte.

Celle-ci s'ouvrit sur un tourbillon de sons, de couleurs, de mouvements.

Des ballons, des serpentins. Eve vit passer des licornes, des fées et un dragon couleur d'arc-en-ciel.

Tout ceci derrière le colosse noir – veste noire par-dessus un tee-shirt rouge moulant – qui lui souriait largement.

— Salut, la petite Blanche toute mince !

— Salut aussi, grand Noir tout en muscles.

Elle accepta son étreinte et se retrouva nez à nez avec la longue plume rouge accrochée à son lobe d'oreille.

Combien de fêtes de premier anniversaire incluaient le propriétaire et videur d'un sex-club sur sa liste d'invités ? Mais avec Mavis, il fallait s'attendre à tout...

— Salut, Connors.

— Crack. Ça fait plaisir de te voir.

— Cak, Cak, Cak ! entonna quelqu'un derrière lui.

Il se retourna et saisit Bella qui courait vers lui. La principale intéressée de cette fête, la jolie petite fée aux cheveux d'or avec sa robe rose à paillettes et ses chaussures aux lumières clignotantes, se blottit au creux des bras musculeux couverts de tatouages.

Elle lui murmura quelque chose à l'oreille et Crack éclata d'un grand rire sonore.

Lorsqu'il pivota de nouveau vers eux, les yeux de Bella s'élargirent de ravissement.

— Das ! Nors !

Elle se propulsa vers Eve qui parvint à la rattraper.

— Oui. Coucou, joyeux anniversaire !

Tout en se tortillant de ravissement, Bella se lança dans l'un de ses incompréhensibles monologues... avant de s'arrêter brusquement. Ses yeux s'emplirent d'inquiétude, de compassion, de tristesse.

Le frisson glacé du stress parcourut immédiate-ment l'échine d'Eve.

— Quoi ? Qu'est-ce que j'ai fait ?

— Bobo.

Bella avait prononcé ce mot avec la plus grande sincérité et tendait les doigts vers l'hématome en cours de guérison sous l'œil d'Eve.

— Ah. Bobo, en effet.

Avec beaucoup de précautions, Bella se pencha pour effleurer le bleu de ses lèvres, puis sourit et se mit à babiller.

— Elle dit que ça va vite guérir.

Eve lança un coup d'œil à Crack.

— Comment pouvez-vous savoir ce qu'elle raconte ?

— Moi être bilingue.

— Vous dire beaucoup de c... bêtises, rétorqua Eve en se rappelant au dernier moment de surveiller ses paroles devant la gamine.

Remarquant que Bella avait reporté son attention sur Connors, le menton baissé, la tête inclinée sur le côté et le sourire séducteur aux lèvres, Eve saisit sa chance.

— C'est toi qui l'intéresse, dit-elle. Prends-la.

— Eh bien, je...

Mais Connors se retrouva d'un coup les bras chargés de la petite séductrice qui s'accrocha à lui, lui embrassa les joues et fit battre les cils de ses grands yeux bleus.

— Tu es une vraie charmeuse, hein ? l'entendit dire Eve tandis qu'elle s'enfuyait.

L'appartement était envahi de bambins à quatre pattes et autres créatures de petite taille aux doigts collants et aux lèvres baveuses.

Elle repéra Peabody et – soulagée malgré l'affreuse robe rose ornée de fanfreluches argentées que portait sa coéquipière – se dirigea vers elle. Mais elle fut interceptée par quelqu'un qui criait son nom.

Mavis, tout de rose vêtue elle aussi (que de rose dans cette fête !), avec un pantalon ultramoulant (où s'agissait-il d'une peinture appliquée à même la peau ?) décoré d'étoiles blanches et une robe d'un beau bleu ciel parsemé d'étoiles roses si courte qu'elle aurait pu servir de simple haut, fonçait vers elle chaussée de bottines à rayures bleues et roses aux immenses talons. Sa chevelure, multicolore et érigée au sommet de son crâne pour mieux retomber en cascade dans son dos, rebondissait au rythme de ses pas.

Elle emprisonna Eve dans une étreinte féroce.

— Tu es venue ! s'exclama-t-elle.

— Bien sûr.

— Je n'en étais pas certaine, avec tout ce qui vient d'arriver et toutes tes responsabilités. Deux minutes, ajouta-t-elle avant de fendre la foule en tirant Eve derrière elle.

« Mon Dieu, c'est Summerset ! »

Celui-ci semblait en grande conversation avec un enfant qui arrivait à peine à la hauteur de ses genoux noueux.

Et les Mira. Eve aurait vraiment aimé approcher Dennis Mira pour s'assurer qu'il allait bien, mais Mavis ne la lâcha pas avant d'arriver au cœur de l'arc-en-ciel symphonique qui tenait lieu de chambre à coucher à son amie et Leonardo.

— On n'a pas eu beaucoup l'occasion de parler après le cauchemar du Madison Square Garden. Là, je savais que tu viendrais. Que tu viendrais et qu'on s'en sortirait tous. J'ai fini par m'endormir et quand...

Avec un mouvement de la tête qui fit tournoyer les fées qui lui tenaient lieu de boucles d'oreilles, Mavis serra de nouveau Eve contre elle.

— J'ai eu peur, tellement peur. Je savais que Bella était en sécurité à la maison. Mais j'ai eu peur de ce qui se passerait s'il nous arrivait quelque chose, à Leonardo ou moi... Si on n'était plus là pour elle.

— Vous êtes là pour elle. Toujours.

— En te voyant, ma peur s'est envolée. Et aujourd'hui est un moment joyeux. Un pur moment de bonheur. Le premier anniversaire de mon bébé !

— Ça a déjà l'air d'être une sacrée fête.

— Attends de voir le gâteau. C'est Ariel qui l'a fait. Un château de conte de fées. Avec des licornes.

— Naturellement. Tu as invité l'intégralité de ton carnet d'adresses ou quoi ?

— Seulement les gens qui comptent vraiment. Allons boire un verre. Plein de verres.

Eve prit un verre et se débrouilla pour éviter d'avoir à parler à Trina, surtout après avoir remarqué le regard sans équivoque que la coiffeuse lançait à sa chevelure. Elle vit Dennis Mira occupé à jouer assis par terre avec un groupe d'enfants, son habituel sourire rêveur aux lèvres.

Elle regarda McNab galoper à travers la pièce sur ses aéroboots avec, agrippé à son dos, un autre gamin qui poussait des cris aigus dignes d'un cochon qu'on égorge. Un son que tous les autres semblaient prendre pour une manifestation de ravissement. Garnet DeWinter souriait devant une splendide gamine un peu plus âgée qui discutait d'un air très sérieux avec Mira.

Vêtu d'une tunique couleur de saphir, Leonardo, un chapeau de fête brillant couronnant ses longs cheveux cuivrés, contemplait sa femme et sa fille, l'air ravi, tout en tenant le bar.

Louise et Charles étaient également arrivés, en retard. Des médecins et des policiers...

« Des médecins, des policiers et des criminels repentis », se corrigea mentalement Eve en avisant Connors qui discutait avec Feeney.

Videurs, anciens compagnons licenciés, geeks professionnels et créateurs de mode. Et bien trop d'enfants.

Elle ne connaissait pas tous les invités mais une bonne partie d'entre eux. C'étaient ses amis autant que ceux de Mavis, que cela lui plaise ou non.

Le chaos éclata réellement quand vint le moment pour Bella d'ouvrir ses cadeaux.

— Où vont-ils réussir à tous les mettre ? s'interrogea Eve.

Connors lui passa un bras sur la taille.

— Ils trouveront une solution.

Sans doute, se dit Eve. Pour l'heure, en tout cas, la petite semblait ridiculement excitée par tout ce qui lui passait entre les mains.

— On dirait que c'est notre tour, dit Connors sur un signe de Leonardo.

Les deux hommes s'éloignèrent vers une autre pièce puis revinrent porteurs d'un énorme paquet rose pailleté et argenté.

— On m'a dit que c'était une boîte magique, expliqua Connors à Bella qui contemplait le paquet avec de grands yeux écarquillés. Et tu n'as qu'à tirer ce ruban, là, pour voir ce qu'il y a dedans.

Avec l'aide de Mavis, Bella tira sur le long ruban. La boîte s'ouvrit comme une fleur pour révéler son contenu.

D'après Peabody, la petite rêvait d'une maison de poupées, ce que Mavis avait confirmé. Et puisque Connors était chargé du cadeau...

Comme la demeure qu'il s'était bâtie pour lui-même, cela ressemblait plus à un château qu'à une maison. Et, dans ce cas précis, une maison cent pour cent girly. Rose, blanche et toute mignonne, avec ses tourelles et ses ponts-levis, ses fenêtres cintrées et ses balcons rococo.

Eve ne comprenait pas. Elle ne voyait pas l'intérêt d'offrir aux poupées un endroit où se rassembler pour comploter contre les humains. Devant la réaction de Bella, toutefois, elle ne put réprimer un pincement au cœur.

La petite fille hoqueta, porta ses doigts à ses lèvres, les yeux comme des soucoupes sous l'effet de la surprise. Mavis lui murmura quelque chose et les yeux de la petite scintillèrent alors qu'elle levait la tête vers Connors, puis vers Eve.

À cet instant, une autre petite fille poussa un cri et se précipita vers le cadeau.

Le regard brillant de Bella se fit soudain dur et féroce ; elle montra les dents. Eve s'attendit presque à voir une longue langue bifide darder entre ses lèvres. Une vision apparemment partagée par l'autre gamine qui s'arrêta net et recula.

Les yeux brillants réapparurent et Bella s'avança maladroitement jusqu'à Eve. La voyant lever les bras, Eve préféra jouer la sécurité en s'accroupissant devant elle.

— Das, dit Bella.

Une simple syllabe chargée d'énormément de sens. Elle entoura Eve de ses bras et oscilla d'avant en arrière en l'étreignant, comme le faisait souvent sa mère.

— Das, répéta-t-elle avant de tendre une main vers Connors. Nors. Das. Ci. Ci. Ci.

Ce qu'elle dit ensuite échappait à la compréhension d'Eve mais le sentiment exprimé était clair comme de l'eau de roche. Joie absolue et profonde gratitude.

— Contente que ça te plaise.

— Maim. Taim.

Bella poussa un long soupir avant d'effectuer une danse de joie dans sa robe pailletée. Tournoyant sur elle-même, elle chargea vers la maison de poupées, applaudit, y plongea les mains, en sortit une sorte de trône miniature et éclata d'un rire ravi.

— Elle a l'air d'adorer, dit Eve.

Elle fut surprise de voir Bella tourner la tête, sourire et tendre une main vers l'autre petite fille enthousiaste. Une invitation à jouer.

Il se passait beaucoup de choses sous ce petit crâne, comprit Eve, et dans tout le reste de son corps de bambin. Un cadeau dont elle avait profondément rêvé... « Laisse-moi une minute pour l'apprécier, copine. » Les remerciements aux gens qui avaient comblé ce rêve, offerts avec beaucoup de charme et de gentillesse. Un autre moment pour fêter et savourer ce cadeau. Puis l'envie de le partager, d'en faire également profiter quelqu'un d'autre.

Inné ou acquis, allez savoir. La part innée constituait un risque, un pari, souvent une sorte de tirage au sort. L'acquis pouvait être doux ou cruel, intelligent ou complètement fou... sans forcément préjuger de la suite.

Eve contemplait une petite fille ayant tout juste un an de vie. Adorable, innocente... mais loin d'être idiote. Avec une volonté de fer mais beaucoup d'empathie. Déjà dotée d'un certain... style personnel, pouvait-on dire. Et de ses propres petits objectifs de vie.

D'où tout cela venait-il ?

Peabody vint se poster à côté d'Eve, une concoction rose et mousseuse à la main, pour regarder Bella et quelques-uns de ses amis jouer avec la maison de poupées.

— Là, vous avez fait très fort. Elle est absolument magnifique et dès qu'il y aura un peu moins de monde, ce sera à mon tour de l'essayer. C'est une bonne journée, conclut-elle en buvant une gorgée de sa boisson.

— Pas mal, en effet, dit Eve.

Au même moment, son communicateur retentit.

— Mince...

Elle passa en mode texte – il y avait trop de gens autour d'eux – et lut le message.

— Merde. Je dois y aller.

— Une nouvelle affaire ? On n'était pas censées être actives aujourd'hui.

— Non, c'est Willow Mackie. Elle a causé des ennuis.

— Je vais prévenir McNab.

— Non, restez ici. Juste un truc à régler. Si ça prend une tournure plus sérieuse, je vous appellerai. Dites à Mavis que je suis désolée.

Tournant la tête, elle vit que Connors avait déjà récupéré leurs manteaux.

— Dites-lui... Dites-lui que je l'appellerai un peu plus tard.

Elle prit le manteau que Connors lui tendait et quitta les lieux avant qu'on puisse l'arrêter avec des questions.

— Qu'est-ce qu'on a ? demanda Connors.

— Un agent à l'hôpital, une représentante des services sociaux hystérique et des gens qui auront intérêt à me fournir une bonne explication. On met les gyrophares, lança-t-elle, parce que là, je ne suis pas d'humeur.

Épilogue

Puisque l'information provenait de l'agent Shelby, Eve lui avait ordonné de descendre au parking et de les y attendre. Lorsqu'ils s'y engagèrent, Shelby montait la garde près de la place réservée à Eve telle une sentinelle la protégeant d'éventuels envahisseurs.

— Lieutenant, toutes mes excuses pour vous avoir contactée durant votre journée de repos.

— Oubliez ça. On en est où ?

— La prisonnière est sous contrôle. Elle a subi des blessures mineures qui ont été traitées.

— Je veux qu'elle soit transférée à Rikers dès aujourd'hui, dans une cellule de haute sécurité.

Dans l'immédiat, Eve avait l'intention de se rendre en personne dans la zone de confinement du Central.

— L'agent blessé ?

— Il devrait être arrivé à l'hôpital à l'heure qu'il est, lieutenant. Les ambulanciers ont déclaré que ses blessures étaient sérieuses mais que sa vie n'était pas en danger.

— Parce qu'ils ne savent pas le genre de savon que je vais lui passer. Comment a-t-elle pu mettre les mains sur une arme ? Et qu'est-ce que vous faites ici, d'ailleurs, Shelby ? Vous n'êtes pas en uniforme.

— Non, lieutenant, je n'étais pas de service. Je suis venue voir Mary Kate, je veux dire Franco, l'infirmière.

Elle était de service ce matin à l'infirmerie. Nous sommes amies, lieutenant, et nous avions prévu d'aller voir un film cet après-midi. J'étais dans l'escalier quand j'ai entendu l'altercation.

Eve s'engagea dans l'ascenseur et, appuyant sa demande par l'usage de son passe, lui ordonna de les transporter jusqu'à la zone de confinement.

— Donnez-moi les détails.

— Oui, lieutenant. En entendant des bruits d'altercation, j'ai pris mon arme de service dans mon sac et je suis entrée dans l'infirmerie. L'agent Minx était à terre, saignant de plusieurs blessures au visage et au torse. Une femme était également au sol et hurlait. Il s'agissait comme je l'ai découvert plus tard de Jessica Gromer, la représentante des services sociaux assignée à la prisonnière. L'infirmière Franco tentait de se défendre face à la prisonnière qui avançait vers elle, un scalpel à la main. Elle – Franco – a ramassé une grosse seringue et, euh, un bassin hygiénique, lieutenant. J'ai crié à la prisonnière de lâcher son arme, après quoi elle a tenté d'agripper Franco. Sans doute pour s'en servir comme bouclier humain ou comme otage. Mais Franco l'a maintenue à distance. La prisonnière a alors chargé dans ma direction, si bien que j'ai fait usage de mon arme et l'ai neutralisée.

Shelby se racla la gorge.

— J'ai menotté la prisonnière tandis que Franco s'agenouillait pour examiner l'agent Minx et traiter ses blessures. J'ai demandé, en des termes un peu crus, à l'assistante sociale Gromer d'arrêter de hurler. Gromer m'a très clairement fait savoir qu'une fois la situation rétablie elle porterait officiellement plainte contre moi pour cela.

— Quels étaient les termes crus en question ?

— Euh... Lieutenant, j'ai pu lui dire, dans le feu de l'action, de la fermer sans quoi je la paralyserais, elle aussi.

— Bien. Votre lieutenant vous recommande de ne pas vous faire plus de souci au sujet d'une quelconque plainte sans fondement que pourrait déposer une imbécile visiblement patentée comme Gromer.

— Merci, lieutenant.

— Que faisait Willow Mackie à l'infirmerie ?

— Lieutenant, j'ai questionné à la fois Gromer – qui n'était pas très coopérative au départ – et Franco, car l'agent Minx devait être transporté d'urgence à l'hôpital. Je n'ai pas encore rédigé mon rapport.

— Vous l'écrirez plus tard, agent Shelby. Dans l'immédiat, racontez-moi.

Eve sortit de la cabine et fit un signe de tête au garde protégeant la porte d'acier de la zone de confinement.

— La prisonnière avait obtenu l'aide de la représentante des services de protection de l'enfance qui, semble-t-il touchée par son âge et la situation, avait d'ores et déjà fait officiellement objection à sa classification en tant qu'adulte au tribunal.

— Ça n'ira nulle part. Poursuivez.

— Durant leur entretien, la prisonnière a prétendu souffrir de blessures causées durant son arrestation... à la suite de brutalités policières.

— Je vois. Et ?

— La prisonnière s'est effondrée, déclarant ne plus pouvoir respirer. L'assistante sociale a appelé à l'aide. L'agent Minx a escorté la prisonnière et l'assistante sociale – à la demande de celle-ci – jusqu'à l'infirmerie. Franco a donné pour instructions à l'agent Minx d'aider la prisonnière à s'allonger sur la table d'examen et de l'y attacher. Gromer a alors protesté en arguant que la prisonnière souffrait, que ce n'était qu'une enfant et qu'il convenait de la traiter avec un peu plus de douceur et de compassion. La prisonnière a titubé en avant, comme prise de vertige, et renversé un plateau d'ustensiles. Elle s'est pliée en deux, en émettant des bruits évoquant une douleur intense quand l'agent Minx a tenté de lui porter secours. D'après leurs déclarations, il semblerait qu'à ce moment la prisonnière se soit emparée d'un scalpel dans le tiroir du meuble, même si ni Gromer ni Franco ne l'ont vue faire. Mais quand Minx a voulu l'aider à se relever, elle lui a tailladé le visage. Elle a failli lui crever l'œil, lieutenant, puis lui a porté deux coups perçants, à la gorge et à la poitrine, avant de le pousser en arrière, causant sa chute. Elle s'est ensuite tournée vers Franco. C'est à peu près à ce moment-là que je suis arrivée, lieutenant.

— D'accord. Bon travail, agent Shelby. Restez ici.

Eve s'approcha du policier à la porte et, même s'ils se connaissaient, lui présenta son insigne pour qu'il le passe au scanner.

— Notez notre arrivée. Dallas, Shelby et Connors.

— Qui aura l'honneur de cette visite dominicale ?

— Les Mackie, père et fille.

Il nota leurs noms puis donna à Eve les numéros de section et de cellule attendus.

Il ouvrit ensuite la porte : capteur d'empreinte palmaire, scanner rétinien, carte magnétique et un code qui changeait deux fois par jour.

À l'intérieur, ils passèrent devant d'autres flics, d'autres scanners et une autre porte.

Ce n'était pas Rikers, se dit Eve, mais pas non plus une maison de poupées rose et blanche.

Ils franchirent la porte et longèrent les cages qui s'alignaient le long des murs.

Des cages bien remplies. Certaines personnes étaient simplement regroupées dans de grands box fermés. D'autres, dans des cellules aménagées pour un ou deux individus, patientaient avant d'être transférés ailleurs. Quelques prisonniers attendaient de passer devant le juge dès le lundi matin.

Pour les cas dangereux comme Willow Mackie, il y avait une porte supplémentaire à franchir. Le policier en faction lança un coup d'œil à Eve puis à Shelby.

— Comment va Minx ?

— Ils ont dit qu'il s'en tirerait, répondit Shelby.

L'homme secoua la tête.

— Il sortait à peine de l'école de police. Il leur faudrait une ou deux années de patrouille dans les rues, à la circulation ou dans un bureau avant qu'on nous les envoie ici. Elle est dans la troisième cage sur la gauche, dit-il.

Eve s'avança jusqu'à l'endroit où Willow se tenait allongée en travers d'une unique couchette. La cellule comprenait des toilettes – sans abattant – fixées au sol et un petit lavabo accroché au mur.

— Rien m'oblige à vous parler.

— Je me moque de ce que vous pourriez dire, répliqua Eve. Je voulais simplement vous jeter un dernier coup d'œil avant votre déménagement pour Rikers plus tard dans la journée.

— J'irai pas là-bas !

— Vous ne semblez pas comprendre que l'époque où vous pouviez choisir quoi que ce soit est révolue. Agent Shelby, je voulais aussi que vous puissiez observer cette personne que vous avez participé à envoyer là où elle doit être.

— Les services de l'enfance vont me tirer d'ici. Gromer me l'a dit. Et quand je serai sortie...

— Gromer va recevoir un blâme, si elle a de la chance. Et si les choses se passent comme je le souhaite, elle devra se trouver un nouveau boulot dès demain. Quant à vous, vous serez désormais inculpée en plus de tentative de meurtre sur un représentant des forces de l'ordre, avec en bonus agression à main armée, tentative d'évasion et tentative d'agression armée contre un membre du personnel médical. De quoi alourdir encore un peu la sentence.

» Aller simple pour le quartier de haute sécurité à Rikers jusqu'au procès, voilà ce que vous venez de vous offrir. Et, oh, tout le monde va vous adorer là-bas. De la chair bien fraîche et bien tendre.

Willow se releva d'un bond, les larmes aux yeux.

— Je sortirai ! s'écria-t-elle. Je sortirai et je vous retrouverai !

— C'est moi ou on commence à vraiment s'ennuyer, là ?

Satisfaite, Eve fit signe à Shelby et Connors et s'éloigna sans prêter attention aux jurons de Willow qui résonnaient dans le couloir derrière elle.

— Vous pouvez remonter, Shelby. Rédigez votre rapport et envoyez-le. Puis allez retrouver votre amie et voir votre film. Vous avez fait du beau boulot aujourd'hui.

— Merci, lieutenant. Merci pour la chance que vous m'offrez.

— Je vous ai fait entrer à la Criminelle, mais je ne suis pour rien dans votre présence à l'infirmerie. C'est à la psychopathe que nous venons de voir que vous devez cette occasion de montrer de quelle étoffe vous êtes faite. Et vous avez su la saisir. Rompez.

— Oui, lieutenant.

— Tu l'as bien choisie, murmura Connors alors que Shelby repartait vers la sortie.

— J'aime le penser, répondit Eve avec un sourire acéré. Un dernier arrêt.

Nouvelles portes en acier, nouveaux scanners, puis Eve se retrouva devant la cellule qui abritait Reginald Mackie. Il ne s'était pas étalé sur la couchette comme sa fille mais faisait les cent pas entre les parois à barreaux.

Eve l'imagina tournant et virant ainsi dans sa cage pour le restant de ses jours.

— L'information est-elle arrivée jusqu'ici ? demanda-t-elle. Nous avons capturé votre fille. Vivante.

Mackie s'arrêta, pivota sur lui-même et la dévisagea de ses yeux ravagés.

— Vous ne pouvez pas la juger comme une adulte. Nous avions un accord.

— Dont les termes n'ont pas été remplis, loin de là. Laissez-moi être la première à vous faire savoir qu'elle vient d'essayer de s'échapper. En exploitant l'infirmerie, une assistante sociale idiote et un policier encore novice. Policier qui est à présent à l'hôpital après avoir eu le visage tailladé et reçu plusieurs coups de scalpel. Elle va être transférée à Rikers, Mackie, et y restera jusqu'à son procès. Puis ce sera Omega pour les cent ans qui viennent. À quelques années près.

— Je vous ai aidée !

— Pas du tout. Elle n'était pas là où vous le disiez, là où vous pensiez sans doute sincèrement qu'elle se trouvait. Elle était chez votre ex-femme, postée en embuscade. Et, lors de son interrogatoire, elle s'est vantée d'avoir l'intention de tuer son beau-père, puis d'éventrer son petit frère sous les yeux de leur mère. Après quoi elle l'aurait tuée à son tour. Elle espérait abattre une centaine de personnes à son lycée.

Élèves, enseignants, parents, passants, peu importait tant que son score atteindrait la centaine.

» Voilà la personne que vous avez enfantée, Mackie. J'imagine que quelque chose clochait déjà à sa naissance. Peut-être avait-elle le mal en elle dès le départ. Mais vous avez cultivé cette part d'elle. Vous l'avez alimentée, formée, fait grandir. Elle a fait des choix, c'est certain, mais vous les lui avez facilités. Vous les avez justifiés.

Elle ne ressentit aucune empathie pour lui quand il se mit à sangloter. Aucune.

— J'espère que vous y repenserez pendant le restant de vos jours, dit-elle.

Comme elle s'éloignait, les pleurs de Mackie résonnèrent derrière elle de la même manière que les jurons de sa fille un peu plus tôt.

— On a terminé ici ? s'enquit Connors.

— Absolument.

— Bonne nouvelle. Cet endroit commençait à me rendre nerveux.

— Aucune cellule ne serait capable de te retenir, champion.

— Je préférerais ne jamais avoir à m'en assurer.

— Il ne me reste qu'à remonter pour organiser le transfert de Willow Mackie. Puis je contacterai Whitney pour l'informer de ce qui s'est passé. Et on aura terminé.

Comme ils franchissaient les portes dans le sens inverse de leur arrivée – la seule direction souhaitable, de l'avis de Connors – il lui passa une main dans le dos.

— On rentre à la maison, alors ?

Elle s'apprêtait à hocher la tête – rentrer lui semblait une excellente idée – quand une pensée l'arrêta.

Question de choix. Tuer, s'entraîner pour tuer. Se fourrer dans les ennuis ou les éviter. Partager un cadeau précieux. Remercier.

D'où que l'on vienne, quelle que soit l'éducation que l'on avait reçue, tout se résumait finalement aux choix que l'on faisait. Même quand l'on n'avait passé qu'un an sur cette planète.

Eve fit alors son choix, et prit la main de Connors.

— Retournons à la fête, dit-elle.

— Volontairement ? s'étonna-t-il, ce qui la fit rire.

— Retournons auprès de tous ces gens bizarres et heureux. Retournons manger un morceau de gâteau d'anniversaire.

Connors fit lui aussi un choix. Il prit le menton d'Eve entre ses mains et l'embrassa.

— Ça me paraît absolument parfait, dit-il.

Ils remontèrent dans l'ascenseur, loin des cages, des jurons, des larmes, de ceux qui choisissaient de verser le sang. Et s'en furent pour se joindre à la foule des gens bizarres et heureux.

Du même auteur aux Éditions J'ai lu

Dans l'enfer du crime (numérique)
Crimes pour vengeance
(numérique)

LES TROIS SŒURS

Maggie la rebelle (n° 4102)
Douce Brianna (n° 4147)
Shannon apprivoisée (n° 4371)

TROIS RÊVES

Orgueilleuse Margo (n° 4560)
Kate l'indomptable (n° 4584)
La blessure de Laura (n° 4585)

LES FRÈRES QUINN

Dans l'océan de tes yeux (n° 5106)
Sables mouvants (n° 5215)
À l'abri des tempêtes (n° 5306)
Les rivages de l'amour (n° 6444)

MAGIE IRLANDAISE

Les joyaux du soleil (n° 6144)
Les larmes de la lune (n° 6232)
Le cœur de la mer (n° 6357)

L'ÎLE DES TROIS SŒURS

Nell (n° 6533)
Ripley (n° 6654)
Mia (n° 8693)

LES TROIS CLÉS

La quête de Malory (n° 7535)
La quête de Dana (n° 7617)
La quête de Zoé (n° 7855)

LE SECRET DES FLEURS

Le dahlia bleu (n° 8388)
La rose noire (n° 8389)
Le lys pourpre (n° 8390)

LE CERCLE BLANC

La croix de Morrigan (n° 8905)
La danse des dieux (n° 8980)
La vallée du silence (n° 9014)

LE CYCLE DES SEPT

Le serment (n° 9211)
Le rituel (n° 9270)
La Pierre Païenne (n° 9317)

QUATRE SAISONS DE FIANÇAILLES

Rêves en blanc (n° 10095)
Rêves en bleu (n° 10173)
Rêves en rose (n° 10211)
Rêves dorés (n° 10296)

L'HÔTEL DES SOUVENIRS

Un parfum de chèvrefeuille
(n° 10958)
Comme par magie (n° 11051)
Sous le charme (n° 11209)

LES HÉRITIERS DE SORCHA

À l'aube du grand amour
(n° 11109)
À l'heure où les cœurs s'éveillent
(n° 11406)
Au crépuscule des amants
(n° 11562)

LES ÉTOILES DE LA FORTUNE

Sasha (n° 11738)
Annika (n° 11967)

EN GRAND FORMAT

LES HÉRITIERS DE SORCHA

À l'aube du grand amour
À l'heure où les cœurs s'éveillent
Au crépuscule des amants

LES ÉTOILES DE LA FORTUNE

Sasha
Annika
Riley

INTÉGRALES

Affaires de cœurs
L'île des trois sœurs
L'hôtel des souvenirs
Le cercle blanc
Le cycle des sept
Le secret des fleurs
Les frères Quinn
Les héritiers de Sorcha
Les trois sœurs
Magie irlandaise
Trois rêves
Quatre saisons de fiançailles

12064

Composition
FACOMPO

Achevé d'imprimer en Espagne
par CPI (Barcelone)
le 7 janvier 2018.

Dépôt légal février 2018
EAN 9782290149447
OTP L21EPLN002243N001

ÉDITIONS J'AI LU
87, quai Panhard-et-Levassor, 75013 Paris

Diffusion France et étranger : Flammarion